W9-BIU-049

La photographie numérique pour LES NULS

La photographie numérique pour LES NULS

Julie Adair King

ÉDITIONS FRANCE LOISIRS

La photographie numérique pour les Nuls 8e édition

Titre de l'édition originale : Digital Photography For Dummies 5th Edition

Publié par Wiley Publishing, Inc.
111 River Street
Hoboken, NJ 07030-5774

Éditions du Club France Loisirs, Paris
avec l'autorisation des Éditions First

Éditions France Loisirs, Paris
123, boulevard de Grenelle, Paris
www.franceloisirs.com

ISBN : 978-2-7441-9796-3
N° éditeur : 46999
Dépôt légal : février 2007

Collection dirigée par Jean-Pierre Cano
Edition : Pierre Chauvot
Traduction : Bernard Jolivalt
Couverture : Antoine Paolucci
Production : Emmanuelle Clément

Imprimé en France par PPO Graphic, février 2007

Sommaire

Introduction .... **XIII**

Pourquoi ce livre Pour les Nuls ? XIV
Que contient ce livre ? XIV
Le lexique XVII
Les petits "plus" en ligne XVII
Les icônes utilisées dans ce livre XVIII
Les conventions utilisées dans ce livre XVIII
Que dois-je lire d'abord ? XIX

Première partie : Premiers pas dans le numérique *1*

Chapitre 1 : Folklore numérique **3**

Traitement antipelliculaire 4
Les images numériques, c'est bien ; mais pour quoi faire ? 5
Peut-on faire tout cela avec un scanner ? 11
Quels sont les inconvénients du numérique ? 12
Quel matériel dois-je utiliser ? 13
Les appareils photo 14
Les cartes mémoire 14
Matériel, logiciels et imprimantes 15

Chapitre 2 : Un peu de technique **17**

De l'œil à la mémoire de votre appareil photo 17
Les secrets de la couleur 19
Les résolutions (prenez plutôt les bonnes) 20
Pixels : l'unité de base de l'image numérique 21
Résolution d'image et qualité d'impression 23
Résolution d'image et qualité d'affichage à l'écran 25
Pixels et taille de fichier 26

Combien de pixels suffisent ? 27
Plus de pixels produit de plus gros fichiers 29
Quelques précisions complémentaires sur la résolution 30
Aide-mémoire sur la résolution 32
Lumière, objectif et exposition 33
Ouverture du diaphragme, vitesse d'obturation : la manière traditionnelle 33
Ouverture du diaphragme, vitesse d'obturation : la manière numérique 36
Valeur ISO et sensibilité des capteurs CCD 36
RVB, CMJN et compagnie 38

Chapitre 3 : Connaître le matériel 41

Mac ou PC, lequel choisir ? 42
A propos de la qualité d'image 42
Quelle résolution adopter ? 43
La souplesse des formats de fichier 45
A propos de la mémoire 48
Les écrans à cristaux liquides 51
Reflex et bridge 53
Les reflex 53
Les bridges 54
Les appareils hybrides 55
Le flash 56
À travers l'objectif 57
A propos de la longueur focale 58
Zoom optique et zoom numérique 60
Les aides à la mise au point 60
Objectifs et filtres interchangeables 61
L'exposition exposée 61
Des caractéristiques supplémentaires 64
Je passe à la télé ! 64
Retardateur et télécommande 65
Il y a un ordinateur dans mon appareil ! 66
Un peu d'action ! 67
Quelques détails à ne pas négliger 67
Quelques conseils d'achat 70

Chapitre 4 : Des accessoires supplémentaires 71

Les cartes mémoire et autres supports 71
Quelques conseils d'achat 72
Précautions d'usage sur l'utilisation des cartes mémoire 73
Les périphériques de transfert 74
L'archivage des photos 77

Stockage et visualisation ... 81
Les solutions logicielles ... 81
Les logiciels de retouche ... 82
Les logiciels spécialisés ... 85
Quelques accessoires ... 87
Quand la souris se fait stylet ... 89

Deuxième partie : La prise de vue sans prise de tête ... 91

Chapitre 5 : Savoir régler l'appareil photo ... 93

Les réglages de base ... 94
Choisir un format de fichier ... 96
JPEG ... 97
TIFF ... 100
Camera Raw ... 101
Régler le nombre de pixels (résolution) ... 103
Couleurs et balance du blanc ... 106
Traiter l'image à la prise de vue ... 109

Chapitre 6 : L'exposition et la mise au point ... 111

La sensibilité ISO ... 112
L'exposition automatique ... 113
Choisir un mode de mesure ... 115
Le mode semi-automatique ... 116
Compenser l'exposition ... 118
Utiliser un flash ... 120
Flash d'appoint (ou forcé) ... 122
Flash inactif ... 122
Réduction des yeux rouges ... 122
Flash à synchronisation lente ... 123
Flash externe ... 123
Les éclairages auxiliaires ... 124
Eclairer des objets brillants ... 125
Compenser le contre-jour ... 127
Le point sur la mise au point ... 129
La mise au point fixe ... 129
La mise au point automatique ... 129
La mise au point manuelle ... 130
La profondeur de champ ... 131
Exploiter les modes Scène ... 133

Chapitre 7 : Optimiser vos prises de vue **135**

La composition d'une image..... 135
Du côté de la parallaxe..... 139
Composer pour des montages..... 139
Gros plan sur les zooms..... 141
Le zoom optique..... 141
Le zoom numérique..... 142
La photo d'action..... 143
Le montage panoramique..... 146
Vos photos ont la rougeole ?..... 149

Troisième partie : De l'appareil photo à l'ordinateur *151*

Chapitre 8 : Créer votre photothèque **153**

Télécharger les images..... 154
Les options de transfert..... 154
Utiliser un lecteur de carte mémoire..... 156
Les câbles de transfert..... 158
L'importance du protocole TWAIN..... 161
L'appareil photo est un disque dur..... 162
Quelques conseils pour faciliter les transferts..... 163
Convertir des fichiers Camera Raw..... 164
La conversion des fichiers propriétaires..... 168
Les outils d'archivage..... 168

Chapitre 9 : Je peux avoir un tirage ? **173**

Facile et rapide : l'impression à la boutique..... 174
Acheter une imprimante..... 176
Les imprimantes à jet d'encre..... 177
Les imprimantes à laser..... 179
Les imprimantes à sublimation thermique..... 180
Les imprimantes thermoautochromes..... 181
Quelle est la durée de vie des tirages ?..... 181
De quel type d'imprimante ai-je besoin ?..... 182
Comparaisons..... 185
Le papier compte-t-il ?..... 190
Taille de l'image et résolution..... 190
Passons à la pratique..... 193
Pour obtenir de meilleurs résultats..... 195
Les couleurs ne correspondent pas !..... 196
Préparer une image TIFF pour la publication..... 198

Chapitre 10 : De l'appareil à l'ordinateur **201**

Que faire de vos images ? 201
Ce que l'on peut dire de leur taille 204
Comprendre les images à l'écran 205
Modifier la taille d'affichage d'une image 207
Choisir la bonne unité de mesure 210
Visa pour l'Internet 210
Quelques règles importantes sur le Net 210
JPEG : l'ami des photographes 213
Envoie-moi une carte de temps en temps ! 216
Passage télévisé 218

Quatrième partie : Édition et retouche d'images *221*

Chapitre 11 : Embellir les images **223**

De quel programme ai-je besoin ? 224
Ouvrir une photo 225
Quelques règles d'édition en vrac 228
Sauvegardez sans cesse ! 229
L'erreur est humaine 232
Corriger un horizon incliné 234
Recadrer une image 237
Donner de la lumière à vos images 240
Les commandes de luminosité et de contraste 241
Contrôler la luminosité à un niveau plus élevé 244
La commande Tons foncés/Tons clairs 246
Raviver les couleurs 248
La balance des couleurs 250
Renforcer la netteté 252
Appliquer les filtres de renforcement 253
Flou pour être net ? 254
Bruit, crénelage, franges, pixellisation... 255

Chapitre 12 : La sélection ou l'art de délimiter **259**

Une sélection, pour quoi faire ? 259
Pourquoi et quand sélectionner ? 260
Quels outils dois-je utiliser ? 261
Les outils de sélection de Photoshop Elements 262
Protéger à grands traits 272
Sélectionner l'ensemble d'une image 274
Intervertir une sélection 275
Affiner la sélection 275

Déplacer, copier et coller une sélection ... 277
Couper, copier, coller : les classiques de l'édition ... 278
Ajuster un objet collé ... 279
Effacer une sélection ... 282
Dissimulation numérique ... 282
Agrandir sa toile ... 286

Chapitre 13 : L'infographie au service de vos images ... 289

Donner un coup de pinceau aux images ... 290
Inventaire de la boîte à peinture ... 291
Sélectionner une couleur ... 292
Les options de Pinceau et de Crayon ... 298
Atténuer les yeux rouges ... 301
Peindre sur de vastes zones ... 304
La roue des couleurs ... 309
Virage sépia et niveaux de gris ... 310
Les calques ... 312
Travailler avec les calques sous Photoshop Elements ... 316
Réaliser un montage à base de calques ... 322
Transformer une photo ratée en œuvre d'art ... 323

Cinquième partie : Les dix commandements ... 325

Chapitre 14 : Dix moyens d'améliorer vos images ... 327

La résolution ... 327
Ne compressez pas trop vos images ... 328
Variez les angles de prise de vue ... 329
Réduisez le bruit ... 329
Déclencher correctement ... 330
Utiliser les outils de correction ... 330
Imprimer sur le papier adéquat ... 331
Entraînez-vous ! ... 331
Lisez le manuel ... 331

Chapitre 15 : Dix bonnes idées pour utiliser vos images ... 333

Créer un album photo en ligne ... 333
Créer un écran de veille ... 334
En faire un papier peint ... 336
Donner une touche artistique à une photo ... 339
Soigner son narcissisme ... 340
Création de calendriers et de cartes diverses ... 340
Augmenter ses ventes ... 341

Décorez tout ! 341
Placer des informations visuelles dans vos bases de données 342
Mettre un nom sur un visage 342
Une image vaut mieux qu'un long discours 342
Accrochez vos œuvres ! 343

Chapitre 16 : Dix sites Internet consacrés à la photographie numérique 345

www.absolut-photo.com 346
www.espacephoto.org 346
www2.photim.com 346
www.galerie-photo.com 346
www.hardware.fr 346
wwwfr.kodak.com 347
www.letsgodigital.org/fr/ 347
www.megapixel.net 347
www.mypixmania.com 347
www.reflex-numerique.fr/ 348
Les sites des constructeurs 348

Annexe : Lexique 351

Index 359

Introduction

Dans les années 1840, une quinzaine d'années après l'invention de la photographie par Nicéphore Niepce, William Henry Fox Talbot inventa le calotype. Ce procédé permettait de tirer de multiples épreuves d'après un négatif sur papier, ouvrant ainsi la voie à la technique photographique moderne. Au fil des ans, l'invention de Talbot fut améliorée et la photographie se démocratisa. Les portraits de famille se multiplièrent sur les bureaux, sur les cheminées et dans les portefeuilles.

Aujourd'hui, la photographie connaît une nouvelle révolution. L'ère de la photographie numérique est arrivée et avec elle, une nouvelle manière d'aborder la photographie. En fait, la photo numérique a suscité une forme d'art toute nouvelle, qui intéresse à présent les galeries d'exposition et les musées.

Un appareil photo numérique, un ordinateur et un logiciel de retouche suffisent pour s'initier à ces nouvelles techniques. Même si vous ne connaissez que peu l'informatique, vous parviendrez à exprimer votre vision artistique, notamment par des montages de plusieurs images ou par des effets impossibles ou difficiles à obtenir avec des films. Vous pourrez aussi retoucher les photos et leur appliquer des corrections, comme le recadrage ou l'amélioration de la netteté, qui exigeaient autrefois du matériel spécialisé.

Plus important : la prise de vue est désormais plus facile. Grâce à l'écran qui permet de visionner immédiatement les images, vous savez exactement lesquelles sont satisfaisantes et lesquelles doivent être refaites. Vous n'avez plus qu'à attendre le développement pour vous apercevoir que les photos auxquelles vous teniez le plus sont ratées.

La photo numérique permet également de transmettre instantanément vos images à tous ceux que vous connaissez, n'importe où dans le monde. Quelques minutes après la prise de vue, vos proches, amis, collègues, voire des inconnus, peuvent admirer vos images, soit parce que vous les avez envoyées par courrier électronique, soit parce que vous les avez placées sur le Web.

Née du mariage de la photographie et de l'informatique, la photo numérique est à la fois un fabuleux moyen d'expression et un remarquable outil de communication. De plus, l'appareil photo numérique est agréable à utiliser. Ce n'est hélas pas toujours le cas d'un ordinateur.

Pourquoi ce livre Pour les Nuls ?

La photographie numérique existe depuis plusieurs années, mais son prix était quelque peu dissuasif. Aujourd'hui, des modèles d'entrée de gamme valent une centaine d'euros, permettant au commun des mortels de goûter aux joies de cette technologie innovante. Ce qui justifie aussi l'existence de ce livre.

A l'instar de tout ce qui est nouveau, l'appareil photo numérique peut être intimidant. Les termes techniques et acronymes mystérieux –capteur CCD, mégapixel, JPEG... – pullulent. Ils sont sans doute clairs pour un fana de photo, mais peut-être pas pour vous, face à un vendeur qui vous affirme que "ce modèle est équipé d'un capteur CCD de 6 millions de pixels et stocke jusqu'à 280 images compressées au format JPEG sur une carte CompactFlash de 256 méga-octets". Vous seriez tenté de répondre : "oncques telles choses ne furent ouïes", ce qui risque de ne pas arranger la situation.

Il y a mieux à faire : lisez *La Photo numérique Pour les Nuls, 8e édition.* Ce livre explique tout ce qu'il faut savoir pour devenir un photographe numérique accompli. Il n'est pas nécessaire d'être un fana de photo ou d'informatique pour comprendre de quoi il s'agit. *La Photo numérique Pour les Nuls* est écrite en clair, en langage de tous les jours, avec en prime un brin d'humour.

Que contient ce livre ?

La Photo numérique Pour les Nuls aborde tous les aspects de la photographie numérique, du choix de l'appareil jusqu'à la préparation des images pour l'impression ou la publication sur le Web.

Une partie de ce livre est consacrée aux informations à connaître pour bien choisir l'équipement photo et le logiciel de retouche. D'autres chapitres expliquent comment utiliser l'appareil photo numérique – parfois appelé "APN" ou encore "photoscope" – et aussi comment éditer les images afin de régler leur luminosité et leur contraste, ou réaliser des montages photographiques.

Pour l'édition et la retouche, nous utiliserons un logiciel connu : Adobe Photoshop Elements 4.0 (ou la version 3.0 si vous avez un Mac). Mais si vous avez un autre logiciel, ou une autre version de Photoshop Elements, n'allez pas croire que ce livre ne s'adresse pas à vous. Les outils d'édition de base dont il est question ici sont transposables, car leur principe est identique d'un logiciel à un autre. Vous pourrez donc vous référer à ce livre chaque fois que vous aurez besoin d'éclaircissements sur telle ou telle tâche.

Bien que ce livre s'adresse aux photographes numériques débutants ou ayant un peu d'expérience, je présume que vous avez quelques notions d'informatique. Par exemple, vous devez savoir comment démarrer un programme, ouvrir et fermer des fichiers, et connaître l'environnement Windows ou Macintosh. Si vous n'y connaissez vraiment rien aux ordinateurs, je vous recommande de lire l'un des *Pour les Nuls* consacrés aux PC et aux Mac.

A l'intention des utilisateurs de Mac, je tiens à préciser que si bon nombre de figures de ce livre ont été réalisées avec un ordinateur tournant sous Windows, les instructions fournies concernent aussi bien le Mac que Windows.

Après cette mise au point sur la stérile controverse entre tenants de l'un ou l'autre de ces ordinateurs, voyons un peu ce que contient *La Photo numérique Pour les Nuls.*

Première partie : Premiers pas dans le numérique

C'est ici que commence votre initiation à la photo numérique. Les deux premiers chapitres vous expliquent ce qu'est un appareil photo numérique et comment l'utiliser. Le Chapitre 3 vous aide à trouver l'appareil le plus approprié au type d'image que vous désirez prendre, tandis que le Chapitre 4 présente quelques équipements et accessoires qui faciliteront vos prises de vues.

Deuxième partie : La prise de vue sans prise de tête

Vos images sont trop claires, trop foncées, floues ou tout bêtement insignifiantes ? Avant de remiser l'appareil au fond d'un placard, lisez cette partie du livre.

Le Chapitre 5 explique comment régler l'appareil. Le Chapitre 6 révèle les secrets d'une image bien au point et parfaitement exposée, tandis que le Chapitre 7 prodigue des conseils pour obtenir des images plus fortes et plus attrayantes. Vous apprendrez aussi comment prendre plusieurs vues pour en faire un panorama, comment maîtriser des éclairages difficiles et comment exploiter les différents réglages prédéfinis.

Troisième partie : De l'appareil à l'ordinateur

Après avoir pris des photos, il faut les sortir de l'appareil et les donner à voir. Plusieurs chapitres sont consacrés à ces tâches.

Le Chapitre 8 explique comment transférer les images vers l'ordinateur et les archiver. Le Chapitre 9 décrit les diverses techniques d'impression. Au Chapitre 10, vous découvrirez comment visionner et distribuer les images électroniquement, en les envoyant par courrier électronique ou en les affichant sur le Web.

Quatrième partie : Les manipulations numériques

Dans cette partie du livre, vous vous initierez à l'édition des images. Le Chapitre 11 est consacré aux corrections élémentaires. Après avoir assimilé la Deuxième partie du livre, vous devriez ne plus rater de photos. Mais en cas d'incident, le Chapitre 11 montre comment régler l'exposition, accentuer la netteté et recadrer une image.

Le Chapitre 12 explique comment sélectionner une partie de l'image puis copier et coller la sélection dans une autre image. Vous verrez aussi comment éliminer des défauts ou des éléments indésirables. Le Chapitre 13 présente quelques manipulations plus élaborées, comme peindre par-dessus l'image, réaliser un montage et appliquer des effets spéciaux.

Dans ce livre, les manipulations numériques sont censées stimuler votre créativité et vous donner une base solide pour mieux explorer les possibilités de votre logiciel de retouche. Si vous désirez en savoir plus sur le logiciel utilisé, lisez *Photoshop Elements 4.0 Pour les Nuls* ou un autre de mes livres, *La Photo numérique avec Photoshop Megapoche Pour les Nuls.*

Cinquième partie : Les dix commandements

Comme dans tous les *Pour les Nuls,* le chapitre Les Dix Commandements propose en vrac les astuces les plus utiles. Le Chapitre 14 propose dix moyens d'améliorer vos photos numériques. Le Chapitre 15 présente dix idées d'utilisation de vos images, et le Chapitre 16 propose dix sites Web fort intéressants.

Le lexique

Vous vous êtes sans doute rendu compte que la photo numérique est truffée de jargon technique. Vous trouverez dans le lexique une définition succincte de la plupart des termes et acronymes utilisés dans ce livre.

Les petits "plus" en ligne

En lisant ce livre, vous découvrirez de nombreux logiciels susceptibles de simplifier votre vie de photographe numérique. Pour beaucoup d'entre eux, des versions d'évaluation sont téléchargeables.

Si vous avez quelques notions d'anglais, sachez que j'ai placé une page Web contenant des liens vers les sites de fabricants de matériel et d'éditeurs de logiciel. Allez à cette adresse :

```
http://www.dummies.com/go/digitalphotofd5e
```

puis cliquez sur le lien `Bonus material` (il est sous la photo du livre). Vous trouverez entre autres des fichiers de certaines des images de ce livre. Elles vous seront utiles pour les exercices. Pour les télécharger, cliquez sur le lien `Sample images for Windows users` (images d'exercice pour les utilisateurs sous Windows) ou `Sample images for Macintosh users` (utilisateurs sous Mac OS).

Les icônes utilisées dans ce livre

Comme tous les ouvrages de la collection *Pour les Nuls,* celui-ci est émaillé de petites icônes qui attirent l'attention sur les points importants :

Ainsi que nous l'avons déjà mentionné, nous utiliserons essentiellement Adobe Photoshop Elements 4.0 (Windows) et 3.0 (Mac). Cette icône signale des informations spécifiques à ce logiciel. Si vous en utilisez un autre, lisez néanmoins ces informations car elles peuvent être adaptées aux autres logiciels.

Cette icône reprend une information déjà rencontrée, ou que vous avez tout intérêt à mémoriser.

Du texte signalé par cette icône est un peu technique. Vous n'êtes pas obligé d'assimiler cette information, mais si vous vous en donnez la peine, votre culture informatique n'en sera que meilleure.

Cette icône vous fera gagner du temps. Elle signale des astuces permettant d'obtenir de meilleures images et résoudre divers problèmes.

Soyez sur vos gardes si vous rencontrez cette icône. Elle signale en effet un sérieux risque et vous explique comment l'éviter.

Les conventions utilisées dans ce livre

En plus des icônes, *La Photo numérique Pour les Nuls* utilise d'autres conventions. Le choix d'une commande dans un menu est indiqué par le nom du menu suivi d'une barre et du nom de la commande. Par exemple, pour choisir la commande Couper, dans le menu Edition, vous lirez : "choisissez Edition/Couper".

Il est parfois plus rapide de choisir une commande à partir d'une combinaison de touches du clavier. Ces raccourcis se présentent sous la forme "Ctrl+A" : la touche Ctrl enfoncée, appuyez sur la touche A puis relâchez les deux touches. Le raccourci pour les PC est suivi de celui pour le Mac, s'il est différent.

Que dois-je lire d'abord ?

La réponse dépend de vous. Il est possible de commencer par le Chapitre 1 et lire jusqu'à la fin, si vous le désirez. Ou alors, vous pouvez ne lire que les parties qui vous intéressent.

La Photo numérique Pour les Nuls a été conçue pour que vous puissiez lire n'importe quel chapitre sans avoir forcément lu ceux qui précèdent. De ce fait, si vous avez besoin d'une information sur un sujet précis, vous pouvez y aller directement.

La photographie numérique est une véritable révolution. Vous trouverez dans *La Photo numérique Pour les Nuls* toute l'information indispensable pour maîtriser cette nouvelle technologie rapidement, facilement et dans la bonne humeur.

Première partie

Premiers pas dans le numérique

"Si je n'ai pas pris de poids, comment se fait-il que cette photo numérique a 3 Mo de plus que la même prise il y a six mois ?"

Dans cette partie...

Lorsque j'étais au lycée, le professeur de biologie insistait sur le fait que la meilleure méthode pour apprendre la constitution et le fonctionnement d'une créature consistait à la disséquer.

Même avec une bonne dose de courage et de volonté, il m'est difficile de soutenir cette opinion, par respect pour les pauvres grenouilles et autres cobayes qui n'ont certainement pas souhaité, de leur vivant, léguer leur corps à la science ou à la médecine.

En revanche, je reste favorable à une dissection des nouvelles technologies. Le meilleur moyen pour connaître le fonctionnement d'un appareil, quel qu'il soit, est de fouiller ses entrailles. Cette opération est parfaitement indolore pour la plupart des périphériques qui nous entourent, ce qui ne veut pas dire qu'elle soit sans risque pour leur fonctionnement.

Cette partie du livre dissèque sans retenue les appareils photo numériques. Le Chapitre 1 énumère les différences fondamentales entre le numérique et l'argentique, en précisant leurs avantages et inconvénients respectifs. Le Chapitre 2 soulève le couvercle du monde numérique et de ses secrets, tandis que le Chapitre 3 passe à la loupe tous les éléments à connaître pour bien choisir un appareil photo selon vos besoins. Enfin, le Chapitre 4 passe en revue les accessoires et les logiciels.

Voilà ! Maintenant que tout le monde est prêt, nous pouvons débuter l'étude de nos spécimens digitaux, en prenant soin de ne pas laisser les câbles et les circuits imprimés envahir la pièce.

Chapitre 1

Folklore numérique

Dans ce chapitre :

- Comprendre les différences entre la photographie numérique et la photographie conventionnelle.
- Apprendre à utiliser les appareils photo numériques.
- Comparer scanners et appareils photo numériques.
- Estimer les avantages et les inconvénients des appareils numériques.
- Calculer l'impact du numérique sur votre portefeuille.

Vous ne pouvez imaginer mon bonheur lorsque les premiers appareils photo numériques abordables sont apparus sur le marché. Voilà en effet un outil révolutionnaire, qui me permet non seulement de gagner du temps et de l'énergie dans mon travail quotidien, mais qui s'adapte aussi aux loisirs et à la famille.

Si l'on est intéressé par cette nouvelle technologie, il est difficile de ne pas se laisser séduire par l'offre du marché. Il faut toutefois réfléchir avec circonspection avant de se lancer dans un tel achat. Il convient de répondre à cette question essentielle et existentielle : gadget ou outil de travail ? Nombreux sont ceux qui aiment jouer les précurseurs en se jetant délibérément sur tous les nouveaux appareils high-tech du marché. Résultat, ces acquisitions sont faites avec précipitation et finissent leur vie au fond d'un tiroir. Certaines personnes sont très souvent désappointées par leur achat ou bien constatent très vite qu'il n'est pas du tout adapté à leurs besoins.

Rien n'est plus excitant qu'un nouveau jouet. Les appareils photo numériques n'échappent pas à la règle. Pourtant, leur utilité et leur polyvalence en font un équipement à part, rapidement devenu un produit de masse. Décortiquons ensemble cet outil et analysons ses avantages et ses inconvénients en toute impartialité.

Traitement antipelliculaire

Comme le montre la Figure 1.1, les appareils numériques existent en différentes présentations et tailles. Outre ces aspects esthétiques, leurs caractéristiques et leurs possibilités varient considérablement d'un modèle à l'autre, même s'ils ont un objectif commun : simplifier le processus d'acquisition des images.

Figure 1.1 : Ces modèles fabriqués par Nikon, Olympus, Kodak, Fujifilm et Hewlett-Packard illustrent la diversité des appareils photos numériques.

Juste une parenthèse. Si vous n'y connaissez absolument rien, sachez que le terme *image numérique* – et non "digitale", un malheureux anglicisme – fait référence à des images que vous pouvez visualiser et modifier sur un ordinateur. Les images numériques, comme tout ce qui est affiché sur un écran d'ordinateur, ne sont rien de plus qu'une succession de données informatiques analysées par votre ordinateur et affichées sous une forme graphique. Pour de plus amples renseignements sur le fonctionnement des images numériques, lisez le Chapitre 2.

La notion d'*image numérique* n'est pas nouvelle. Les utilisateurs de logiciels de retouche comme Photoshop en créent depuis des années.

La grande différence est qu'autrefois, lorsque vous photographiiez un paysage ou un coucher de soleil avec un appareil classique, vous deviez préalablement faire développer vos photos sur papier ou sur diapos puis les *numériser* (les traduire en fichier informatique) à l'aide d'un *scanner* (le terme français est *scanneur*, mais qui l'utilise ?). Encore fallait-il disposer d'un tel périphérique ! Tout ce processus, notamment le développement, peut exiger plusieurs jours et demander un certain budget. Même avec un service de développement rapide, il est difficile d'obtenir ses images dans la demi-heure qui suit les prises de vue. Les appareils numériques offrent une souplesse d'utilisation très intéressante. Pas de pellicule, pas de développement, pas de numérisation des photos sur papier. L'ensemble des photographies prises est directement accessible via votre ordinateur, sans intermédiaire. Une seule petite opération de transfert et le tour est joué ! Certains modèles permettent même d'imprimer directement à partir de l'appareil relié à une imprimante. Difficile de faire plus rapide !

Les images numériques, c'est bien ; mais pour quoi faire ?

Comparés à la photographie traditionnelle, les avantages et les possibilités artistiques du numérique sont innombrables. Sans prétendre les énumérer tous, apprécions ceux qui suivent :

- **Une plus grande créativité :** En photographie traditionnelle, il est impossible de modifier les photos. Une fois développées, leur qualité dépend des réglages à la prise de vue, et vous ne pourrez en aucune manière revenir en arrière. Une photographie numérique n'est, en revanche, jamais définitive. À tout moment, il est, en effet, possible de reprendre un cliché pour améliorer son aspect visuel : corriger les couleurs, augmenter le contraste, régler la luminosité, et ainsi de suite. N'importe quel programme d'édition graphique sait faire cela.

  Les Figures 1.2 et 1.3 illustrent cette particularité. La photo du haut représente la photographie originale. On peut remarquer qu'elle est sous-exposée et que son cadrage n'est pas des plus réussis. Le trottoir occupe beaucoup trop de place. Grâce à un logiciel de retouche, ces défauts ont été rapidement corrigés, comme en témoigne la Figure 1.3.

Figure 1.2 : La photo originale de ces enfants est sous-exposée. Son cadrage n'est pas des plus heureux.

Certains affirmeront qu'il est possible d'obtenir le même résultat identique avec une photographie argentique : soit en amont, à la prise de vue, en mieux réglant le diaphragme de l'appareil et en prenant garde de cadrer correctement le sujet ; soit en aval, en commandant à un laboratoire de recadrer l'image et rattraper l'exposition. Si la première solution a l'avantage d'être la plus simple, il est toujours difficile de réussir un cadrage parfait du premier coup, notamment sur un sujet en mouvement. La seconde solution est davantage une question de budget. Comme vous pouvez vous en douter, ce type de prestation est loin d'être gratuit.

- **Le partage immédiat et facile des photos :** Vous pouvez envoyer une image à des amis, des proches ou des clients en la joignant à un courrier électronique. C'est beaucoup plus commode que de les confier à la poste, et moins cher que d'acheter des enveloppes et des timbres.

  En plus d'envoyer des photos par courrier électronique, vous pouvez les donner à voir en les affichant sur une page Web personnelle, ou au travers d'un site comme Kodak EasyShare Gallery

Figure 1.3 : Après quelques manipulations dans un logiciel de retouche, voilà une photo nettement plus plaisante !

(www.kodakgallery.fr) que montre la Figure 1.4. Le Chapitre 10 explique en détail comment faire pour préparer les photos pour le partage en ligne ou tout affichage sur une page Web.

- **Des présentations plus intéressantes :** Vous pouvez utiliser les photos dans une présentation réalisée avec un logiciel comme Microsoft PowerPoint. Pour un public plus restreint, vous pouvez créer des diaporamas multimédias ou les graver sur CD ou DVD avec un logiciel facile à utiliser, comme PhotoShow Deluxe, de SimpleStar, que montre la Figure 1.5.

- **Des bases de données professionnelles ou privées plus visuelles :** Vous pouvez inclure des images dans une base de données. Si votre société dispose, par exemple, d'un programme de téléachat, il est commode d'y insérer des photos de vos différents produits. Asso-

Figure 1.4 : Partagez vos photos sur le Web grâce à un album en ligne.

ciée à un descriptif, chaque référence pourra être incorporée dans un catalogue électronique accessible à tous vos clients. Il est aussi possible d'insérer des photos d'objets divers destinés à un inventaire ou un catalogue, comme l'illustre la Figure 1.6.

- **Etre plus artistique :** Vous prendrez beaucoup de plaisir à exploiter vos talents. Un logiciel de retouche permet d'appliquer une foule d'effets. Peignez d'affreuses moustaches sur le portrait d'une belle jeune fille ou déformez son corps à outrance.

  Vous pouvez monter des images, comme vous le découvrirez au Chapitre 13, et appliquer des effets picturaux qui transforment une

Figure 1.5 : PhotoShow Deluxe permet de créer très facilement des diaporamas.

photo en croquis, en aquarelle, en peinture à l'huile et autre technique classique, comme le montre la Figure 1.7.

- Vous pouvez produire toutes sortes d'objets ou de cartes personnalisées. Comme le montre la Figure 1.8, les possibilités d'édition d'une image numérique ne se résument pas aux retouches et aux améliorations visuelles. Ici, vous créez une carte postale à partir d'une de vos photos. Rien ne vous interdit d'ajouter des textes et de créer des compositions comme bon vous semble.

  Après avoir travaillé la photo, vous l'imprimerez sur un papier photo semblable à ceux que vendent Kodak, Epson, HP et d'autres fabricants. Si votre imprimante n'est pas capable d'imprimer des photos, vous confierez cette tâche à une boutique spécialisée, ou vous enverrez les photos par l'Internet vers l'un des innombrables services de développement de photos numériques en ligne.

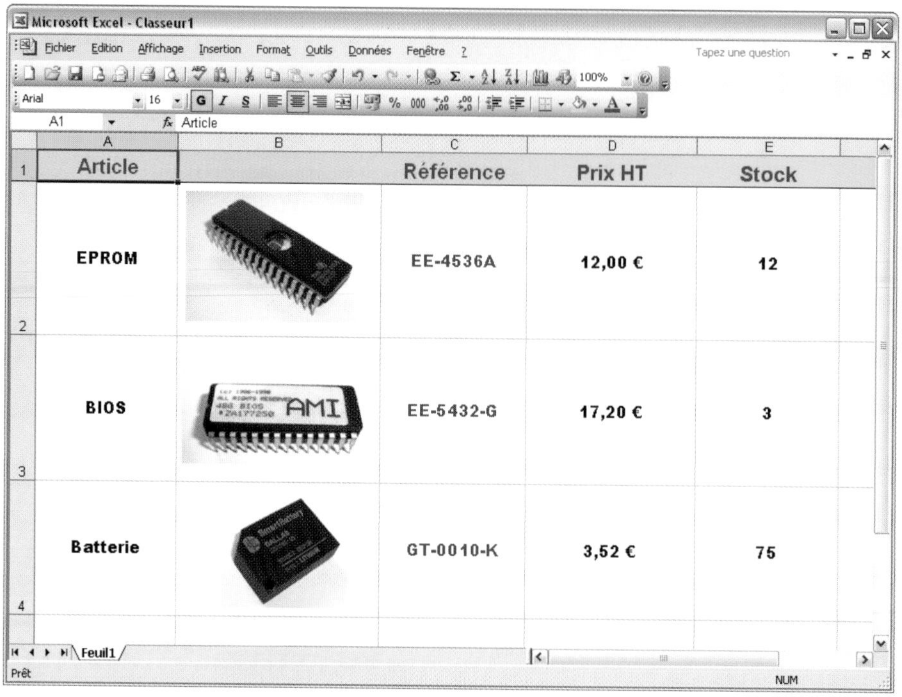

Article		Référence	Prix HT	Stock
EPROM		EE-4536A	12,00 €	12
BIOS		EE-5432-G	17,20 €	3
Batterie		GT-0010-K	3,52 €	75

Figure 1.6 : Cet inventaire est une simple feuille de calcul Excel illustrée avec les photos des articles.

Figure 1.7 : Un filtre d'effet a transformé la photo en dessin en couleur.

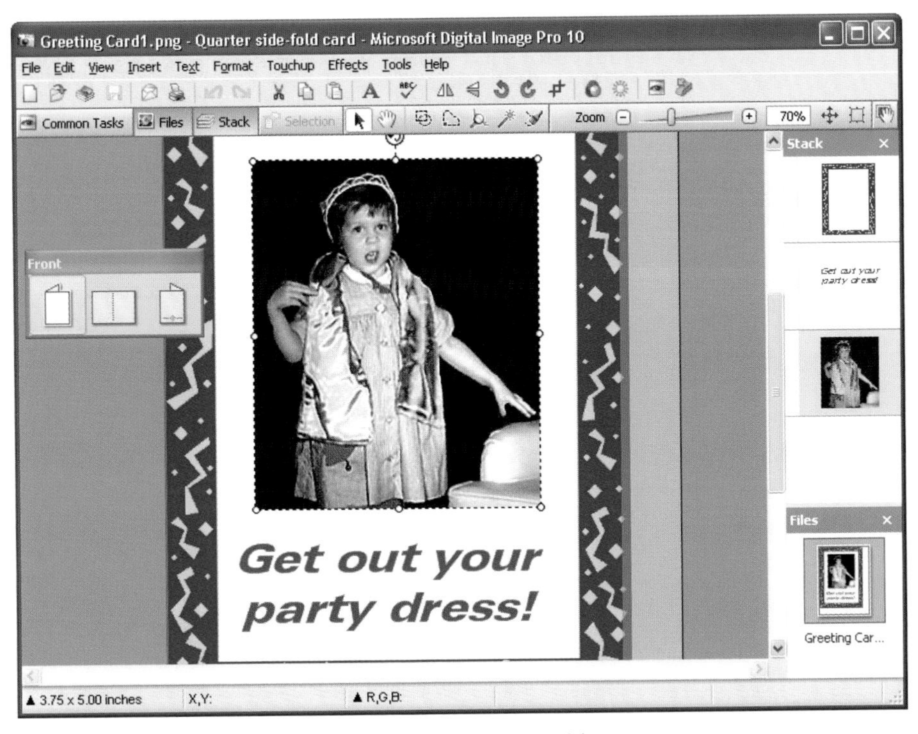

Figure 1.8 : Créez vos propres cartons d'invitation et cartes de visite.

Ce ne sont là que quelques-unes des raisons qui ont fait le succès de la photographie numérique, dont la polyvalence, la souplesse et le plaisir de la création numérique sont en train d'éliminer le film argentique.

Peut-on faire tout cela avec un scanner ?

La réponse à cette question est "oui" ! Peu importe que l'image provienne d'un appareil photo numérique ou d'un scanner. Cependant, les appareils photo numériques présentent de nets avantages par rapport aux scanners :

- **N'imprimez que les photos réussies :** Un petit nombre de vos clichés s'élève au rang de "photographies géniales". Si vous multipliez le nombre de pellicules par celui des photos ratées, vous comprendrez vite les économies réalisées avec un appareil photo numérique.

- **Immortalisez à coup sûr les grands événements :** Pouvoir visionner immédiatement les photos est extrêmement rassurant lors d'un anniversaire ou d'une conférence. Si l'une d'elles pose problème, refaites-la aussitôt. Finies les déceptions au comptoir du magasin photo !

- **Gagnez du temps :** Si vous photographiez beaucoup, vous n'aurez plus à faire des allées et venues au magasin photo, ni à attendre que les tirages soient prêts.

- Enfin, il est bien plus rapide de télécharger vers votre ordinateur les dizaines de clichés depuis votre appareil que de les numériser avec un scanner. Ce type d'opération est long et fastidieux, et la qualité de restitution aléatoire sur les scanners d'entrée et de moyenne gamme.

Pour résumer, disons que la photo numérique fait gagner du temps et de l'argent, et, ce qui est plus important, permet de produire facilement des images extraordinaires.

Quels sont les inconvénients du numérique ?

Grâce aux progrès dans les technologies et dans la fabrication, les problèmes qui avaient découragé les photographes au début – un coût élevé pour une qualité discutable – sont désormais résolus. Mais quelques inconvénients subsistent, qui ne sauraient être passés sous silence :

- Aujourd'hui, les appareils photo numériques produisent des images aussi bonnes que les appareils argentiques. Mais la résolution des appareils d'entrée de gamme est limitée. Les images qu'ils produisent sont correctes pour un affichage sur une page Web, mais insuffisantes pour obtenir une taille et une qualité d'impression rivalisant avec les photos traditionnelles (la résolution est expliquée au Chapitre 2).

- Après avoir déclenché, le système électronique de l'appareil nécessite quelques secondes pour transférer l'image en mémoire. Pendant ce laps de temps, appelé "latence", vous ne pouvez pas prendre d'autre photo. Il est donc difficile d'utiliser ces appareils pour des rafales de photos.

Les appareils les plus chers ont un temps de latence plus réduit. Vous pouvez facilement enchaîner les prises de vue.

Les modèles récents offrent justement un mode Rafale qui permet de prendre des photos à un rythme rapide. Mais cette fonctionnalité reste généralement limitée à des prises de vue en moyenne ou basse résolution. Le Chapitre 7 donne plus de détails sur cette fonction.

- Devenir un photographe numérique averti exige l'acquisition de nouveaux concepts. Si les ordinateurs vous sont familiers, vous ne devriez pas rencontrer trop de difficultés pour maîtriser cette technologie. Si vous êtes novice en la matière, vos premiers pas dans l'univers numérique risquent, en revanche, de vous paraître plus compliqués que le maniement d'un Instamatic ou d'un appareil photo jetable. Quelle que soit votre situation, ne désespérez pas ! Ce livre est justement là pour vous venir en aide.

Les constructeurs sortent de nouveaux modèles à une cadence infernale. Si le consommateur peut se sentir perdu face à tous ces nouveaux appareils, il peut en revanche s'enthousiasmer devant cette débauche technologique. En effet, au fil du temps, les appareils numériques sont de plus en plus performants tout en étant moins chers et plus faciles à manier.

Le numérique remplacera-t-il totalement le film ? Rien n'est moins sûr. Très probablement, les deux procédés cohabiteront, le numérique se taillant la part du lion dans le grand public tandis que l'argentique conservera les faveurs des puristes.

Quel matériel dois-je utiliser ?

Il est toujours délicat de proposer tel ou tel matériel. Pourquoi l'un plutôt que l'autre ? En effet, l'échelle des prix et la diversité des modèles existants provoquent souvent des hésitations. Il convient malgré tout de préciser aux profanes que la possession d'un ordinateur et d'une imprimante est nécessaire pour exploiter au mieux les photographies. Concernant l'ordinateur, il n'est pas indispensable d'avoir une machine hors de prix. Pour un budget de 700 à 1 000 euros, vous pouvez acquérir un ordinateur performant qui supportera aisément vos travaux graphiques.

Les prix cités sont donnés à titre indicatif, la durée de vie des modèles et la constante évolution des coûts dans le domaine informatique étant très aléatoires. Si le prix d'achat paraît élevé, je vous rappelle que vous n'achèterez plus jamais de pellicule et ne paierez plus de développement. Si une photo est ratée, effacez-la de la mémoire de l'appareil ou de la carte. Si vous "mitraillez" tous azimuts, vous aurez tôt fait de rentabiliser le choix du numérique.

Les appareils photo

Les prix des appareils photo numériques grand public s'échelonnent entre 50 euros pour les tout premiers modèles et sensiblement plus de 2 000 euros pour le haut de gamme (je ne parle pas pour le moment des appareils professionnels dont les prix se comptent en milliers d'euros). Comme vous vous en doutez, les prix les plus bas concernent essentiellement des modèles offrant des résolutions peu importantes, tout juste bon pour un usage sur le Web.

Prévoyez un budget plus conséquent si vous désirez imprimer des photos de bonne qualité, et si vous désirez bénéficier d'un flash, d'un écran de contrôle à cristaux liquides, de la possibilité d'utiliser des cartes mémoire et autres options fort utiles. Le moyen et haut de gamme se caractérise par de meilleurs objectifs (NdT : en verre optique, et non en résine acrylique), un écran de contrôle plus confortable, le contrôle de la vitesse et du diaphragme, etc. Nous y reviendrons au Chapitre 3.

Les cartes mémoire

La mémoire interne de la plupart des appareils photo numériques est insuffisante pour stocker un grand nombre de photos. En revanche, ils disposent d'un connecteur qui accueille des cartes mémoire.

Le prix des cartes mémoire a bien chuté (explosion du marché du numérique oblige). Mais cela reste un investissement auquel il convient de bien réfléchir. Le coût augmente en fonction de la capacité de stockage. Ainsi, le tarif généralement pratiqué pour une carte mémoire de 512 Mo se situe entre 35 et 75 euros (selon son type et sa provenance). Il existe aussi des cartes dont la capacité atteint 1 Go (1024 Mo), voire 2 G0, pour un prix moyen situé, pour la carte de 1 Go, entre 75 et 150 euros.

Le nombre de photos que vous pouvez stocker sur une carte de 256 Mo dépend de la résolution de l'image et de sa compression, deux notions que nous abordons dans les deux prochains chapitres.

Prévoyez toujours une carte mémoire dans le budget d'achat de votre appareil numérique. Ce surcoût ne devrait pas réellement vous pénaliser puisque, comme je l'ai déjà dit, la carte mémoire remplace les nombreuses pellicules que vous achetez, achetez, et achetez encore. Elle s'utilise pratiquement *ad vitam aeternam*, puisque vous la videz périodiquement après avoir transféré les photos dans le disque dur de l'ordinateur.

Matériel, logiciels et imprimantes

En plus de l'appareil lui-même, la photographie numérique exige un certain nombre de périphériques et de logiciels. L'ordinateur doit être assez puissant pour visionner, archiver, éditer et imprimer les images. Sa mémoire vive (ou RAM) doit être d'au moins 256 Mo et le disque dur de bonne capacité afin de pouvoir y stocker les centaines, voire les milliers d'images que vous ferez. Comptez au moins 500 à 700 euros pour un tel équipement.

Tirer les images sur papier exige, bien évidemment, une imprimante couleur. On trouve aujourd'hui des modèles à jet d'encre à partir de 70 euros qui offrent une excellente qualité d'impression. Pour obtenir le meilleur résultat, il est indispensable d'utiliser du papier photo, plus cher que le papier ordinaire, mais qui vous permettra d'obtenir une qualité optimale. Beaucoup de fabricants d'imprimante utilisent, pour leurs modèles d'entrée de gamme, un moteur d'impression identique à celui du haut de gamme. C'est pourquoi vous pouvez obtenir d'excellents résultats même avec un investissement moindre. Les modèles plus onéreux offrent une vitesse d'impression plus élevée ainsi que des fonctionnalités supplémentaires, comme la mise en réseau, l'impression directe depuis une carte mémoire, un écran de contrôle LCD intégré et l'impression en très grand format.

Il ne faut pas négliger l'achat d'un logiciel graphique, de périphériques de transfert et de stockage, des consommables (papiers spéciaux, piles...). . Si vous êtes un fana de photo, vous achèterez sans doute des objectifs supplémentaires, des éclairages, un trépied et autres accessoires.

Eh oui, la photo numérique peut s'avérer onéreuse. Mais ça l'est encore plus avec la photographie argentique, surtout si vous installez un labo. Tous comptes faits, la photo numérique s'impose en raison de ses immenses avantages. Si tout cela vous fait réfléchir, découvrez aux Chapitres 3, 4 et 9 les différents éléments qui entrent en jeu, avec en prime quelques astuces pour arrondir votre budget.

Chapitre 2

Un peu de technique

Dans ce chapitre :

- Comprendre comment un appareil numérique enregistre les images.
- Comprendre comment l'œil et l'appareil perçoivent les couleurs.
- Découvrir la notion de pixel.
- Examiner les résolutions.
- Analyser la relation entre la résolution et la taille d'une image.
- Diaphragme, vitesse et autres paramètres d'exposition.
- Les modèles colorimétriques
- Plongée dans les profondeurs de bits d'une image numérique.

Vous ne deviendrez jamais un photographe numérique digne de ce nom sans un minimum de connaissances techniques. Mais pas de panique : vous trouverez dans ce chapitre tout ce qui concerne les notions aussi importantes que le diaphragme, la vitesse, la profondeur de bits, etc. Vous apprendrez aussi les caractéristiques fondamentales des objectifs photographiques et leurs contraintes.

De l'œil à la mémoire de votre appareil photo

Dans un appareil photographique traditionnel, l'image est produite en laissant la lumière passer à travers un objectif qui la projette sur le plan du film. Ce dernier est enduit d'une émulsion chimique photosensible qui réagit à la lumière, produisant une image latente – encore invisible – qui ne sera révélée que par un traitement chimique approprié.

Les appareils photo numériques se servent aussi de la lumière pour créer l'image. À la place du film se trouve une *matrice de capteurs CCD* (Charge Coupled Device, dispositif à transfert de charge) qui n'est rien d'autre qu'un ensemble de composants électroniques sensibles à la lumière appelés "photosites". Il existe aussi un autre type de capteurs, appelés *CMOS* (*Complementary MetalOxide Semiconductor,* semiconducteur à oxyde métallique complémentaire). La Figure 2.1 montre des capteurs fabriqués par Kodak.

Avec l'aimable autorisation de Eastman Kodak Company

Figure 2.1 : Le capteur photosensible remplace la pellicule.

Les capteurs CCD et CMOS diffèrent sensiblement, comme nous le verrons au Chapitre 3, même si leur rôle reste identique. Lorsqu'ils sont frappés par la lumière, ils convertissent les particules lumineuses en charges électriques. Le résultat est analysé, puis transféré sous forme d'un flux électrique dont les valeurs sont enregistrées dans un fichier informatique par le microprocesseur contenu dans l'appareil.

Une fois converties en données numériques, les impulsions électriques sont sauvegardées dans la mémoire interne de l'appareil photo. Cette dernière peut se présenter sous plusieurs formes : une mémoire interne fixe, une carte mémoire amovible, ou encore un disque enregistrable. Pour accéder aux images ainsi stockées, vous devrez les transférer de l'appareil vers votre ordinateur. Certains appareils permettent de les visionner sur un téléviseur ou les imprimer directement sans avoir besoin d'un ordinateur.

N'oubliez pas que ces explications vont à l'essentiel, justement pour éviter les malaises évoqués en préambule. On pourrait facilement écrire un chapitre entier sur les différents types de capteurs, mais ce serait affreusement technique. Ne pensez donc qu'à l'appareil photo que vous envisagez d'acheter. Les Chapitres 3, 4 et 8 présentent des aspects aussi importants que les puces, la mémoire et le transfert d'images autrement plus utiles pour vous.

Les secrets de la couleur

Le terme "photographier" signifie, étymologiquement, "écrire avec la lumière". Mais comment l'appareil numérique fait-il pour analyser et restituer les couleurs du sujet photographié ? Le processus utilisé par ces appareils n'est pas très éloigné de celui de l'œil humain.

Pour comprendre comment un appareil numérique et vos yeux perçoivent les couleurs, vous devez savoir que la lumière peut être décomposée en trois composantes primaires : le rouge, le vert et le bleu. Dans l'œil, la rétine est tapissée par divers récepteurs – les bâtonnets –, sensibles chacun à l'une de ces trois couleurs. Ils réagissent à la longueur d'onde émise par une couleur particulière. Le cerveau reçoit les informations émises par les millions de récepteurs pour élaborer une représentation en couleur de la scène environnante.

Dans la mesure où cette opération est réalisée sans que nous ayons besoin d'en avoir conscience, elle n'est pas toujours bien comprise. Imaginez que vous soyez dans une pièce entièrement plongée dans le noir et que trois faisceaux lumineux, l'un rouge, l'autre bleu et le dernier vert se concentrent au même endroit sur un mur. La synthèse des trois faisceaux produit du blanc, comme le montre la Figure 2.2. Là où il n'y a pas de lumière, vous obtenez du noir.

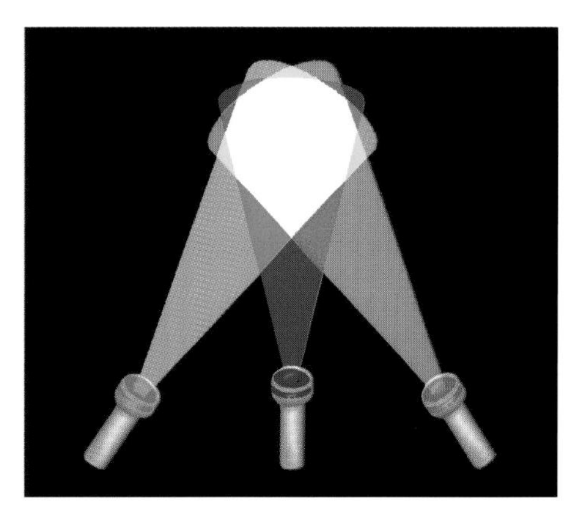

Figure 2.2 : Une image RVB est produite par la synthèse additive du rouge, du vert et du bleu.

Sur l'illustration, les projecteurs sont à pleine puissance. Dans les parties où seulement deux faisceaux se superposent, trois autres couleurs sont produites : du magenta, du cyan et du jaune. En faisant varier l'intensité de chacun des projecteurs, nous obtenons toutes les couleurs du spectre visible de la lumière.

A l'instar de l'œil, un appareil photo réagit à l'intensité de ces couleurs primaires, c'est-à-dire à la *luminosité* des composantes rouge, verte et bleue. En infographie, chacune de ces luminosités est représentée par un canal de couleur appelé *couche chromatique* Ce sont les valeurs des pixels dans la couche Rouge, dans la couche Vert et dans la couche Bleu qui produisent, par synthèse, l'image en couleur finale.

Les images composées des trois couleurs primaires sont appelées *images RVB* (rouge, vert, bleu). Ce système colorimétrique est utilisé pour l'affichage des images sur un moniteur informatique ou sur un téléviseur.

Dans un logiciel de retouche sophistiqué, comme Adobe Photoshop, il est possible de visualiser et de travailler sur chaque *couche* représentant les couleurs primaires, et ce indépendamment des autres. La Figure 2.3 montre une image décomposée en couches Rouge, Vert et Bleu. Remarquez que chacune est en niveaux de gris, car ce sont les luminosités qu'elles contiennent qui sont représentées.

Dans chacune de ces couches, les parties claires indiquent une valeur de luminosité élevée. Par exemple, le rouge du drapeau apparaît presque blanc dans la couche Rouge, mais quasiment noir dans les couches Vert et Bleu. De même, les poteaux bleus des drapeaux sont très clairs dans la couche Bleu. Quant au blanc du drapeau, il est blanc dans toutes les couches chromatiques. Rappelez-vous qu'une quantité élevée de rouge, de vert et de bleu tend à produire du blanc.

Il convient de préciser que toutes les images numériques ne sont pas constituées d'exactement trois composantes. Si vous convertissez une image RVB en niveaux de gris, par exemple, les trois couches seront fusionnées pour n'en former qu'une seule. De la même façon, vous pouvez changer le système colorimétrique RVB en *modèle de couleurs CMJN*. Il s'agit d'un système reposant, non plus sur trois couleurs de base, mais sur quatre (cyan, magenta, jaune, et du noir). Il est essentiellement utilisé pour l'impression des images (voir "RVB, CMJN et compagnie", un peu plus loin dans ce chapitre).

Ne vous laissez pas impressionner par les modèles de couleurs. Tant que vous ne serez pas devenu un infographiste accompli, vous n'aurez pas besoin de ces notions. Je ne les ai mentionnées que pour information.

Les résolutions (prenez plutôt les bonnes)

L'un des facteurs clés pour la qualité de vos images repose sur la notion de *résolution*. En fonction du choix de cette résolution, l'impact de vos images sur l'écran ou sur papier sera plus ou moins grand.

En d'autres termes, lisez attentivement cette section !

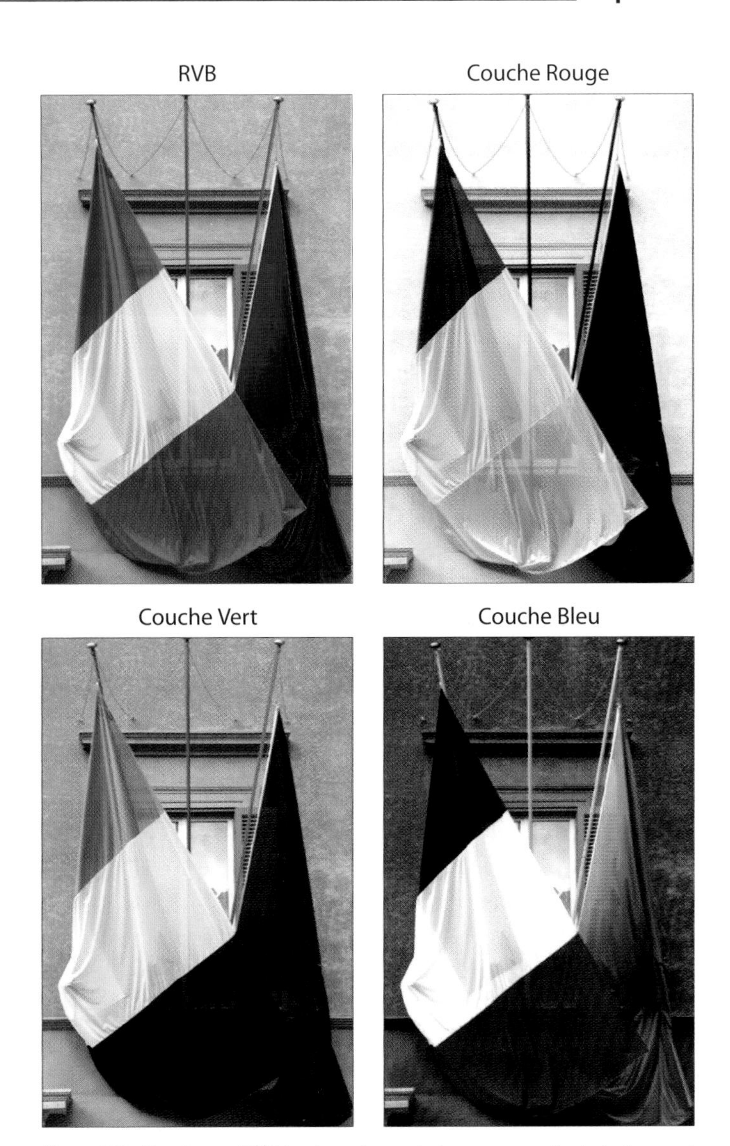

Figure 2.3 : Une image RVB (en haut à gauche) est composée de trois couches représentant les couleurs primaires qui forment l'image.

Pixels : l'unité de base de l'image numérique

Avez-vous déjà vu le tableau *Un dimanche à La Grande Jatte* du peintre Georges Seurat ? Il fut l'inventeur d'une technique picturale appelée *pointillisme*, qui consiste à élaborer une peinture à partir d'une myriade de petits points colorés. Lorsque vous regardez une œuvre de ce genre à une distance respectable, le graphisme paraît uniforme, sans solution de continuité. Il faut s'en approcher pour apercevoir la multitude de points qui la composent.

Les images numériques fonctionnent sur un principe apparenté au pointillisme. Toutes les images sont composées de petits points disposés régulièrement les uns à côté des autres, les *pixels*. Ils représentent la plus petite unité graphique d'une image informatique.

À une échelle normale, il est difficile de discerner ces pixels. En revanche, si vous agrandissez une partie de l'image, vous les verrez de façon flagrante, comme l'illustre la Figure 2.4.

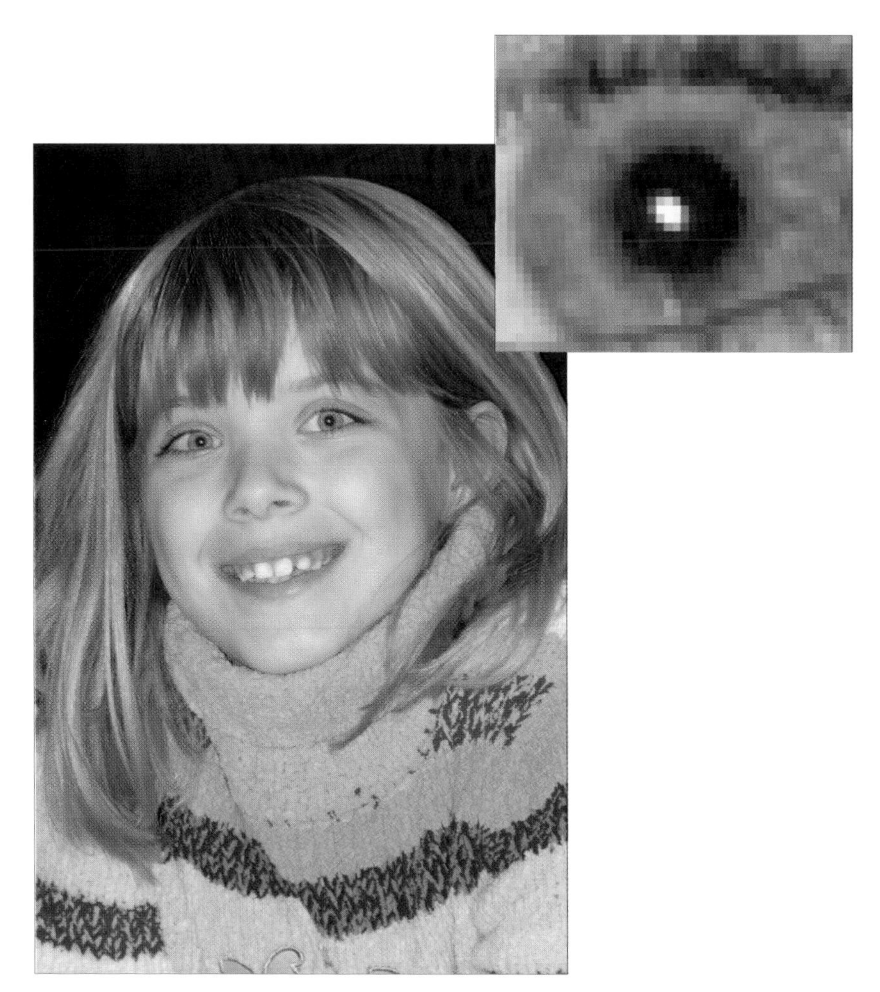

Figure 2.4 : Agrandir une image révèle les pixels qui la composent.

Chaque image numérique est représentée par un nombre précis de pixels. Nous y reviendrons au Chapitre 5. La plupart des appareils photo actuels en enregistrent au moins deux millions, et plus dune douzaine de millions sur les appareils professionnels.

Des graphistes utilisent le terme de *dimension en pixels* pour définir la taille (le nombre de pixels en largeur et en hauteur) d'une image. D'autres préfèrent le terme de *taille d'image*. Cela peut provoquer quelques confusions, car ce terme sert également à définir la taille physique (en centimètres ou en pouces) d'une image. Pour plus de clarté, j'utiliserai l'expression *dimension en pixels* pour spécifier le nombre de pixels d'une image, et *taille d'image* pour en définir les dimensions physiques.

Comme je le préciserai dans les sections qui suivent, le nombre de pixels affecte trois aspects importants d'une photo numérique :

- La taille maximale d'une impression de bonne qualité.
- La taille d'affichage sur un écran informatique ou sur un téléviseur.
- L'encombrement, en octets, du fichier d'image.

Résolution d'image et qualité d'impression

Avant d'imprimer une image, vous devez spécifier sa *résolution d'impression* dans le logiciel graphique, autrement dit le nombre de pixels par pouce (ppp) sur le tirage. La Figure 2.5 montre l'emplacement du réglage de la résolution dans Photoshop Elements 4 (les détails se trouvent au Chapitre 5).

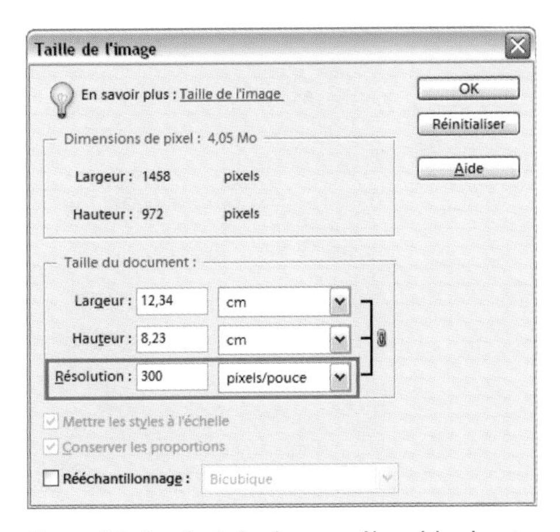

Figure 2.5 : La résolution joue un rôle prédominant sur la qualité de l'impression.

La *résolution* fait référence au nombre de pixels par pouce de votre image. Un pouce équivaut à 2,54 centimètres. Cette mesure anglo-saxonne est couramment employée pour l'impression. Plus la résolution est grande, autrement dit plus le nombre de points par pouce est élevé, plus l'image est précise et de meilleure qualité comme le montrent les Figures 2.6 à 2.8. La résolution de la première illustration est de 300 pixels par pouce (300 ppp), celle de la deuxième de 150 ppp et la troisième est de 75 ppp.

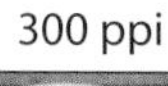

Figure 2.6 : Une résolution de 300 ppp produit une image précise et détaillée.

150 ppi

Figure 2.7 : A 150 ppp, la netteté est moindre et des détails disparaissent.

Figure 2.8 : A 75 ppp, l'image imprimée est nettement dégradée.

Notez que la résolution représente le nombre de pixels par pouce *linéaire* et non par pouce carré. Cela signifie qu'avec une image de 72 ppp, vous aurez 72 pixels disposés horizontalement sur une longueur d'un pouce, et 72 pixels disposés verticalement, soit 5 625 pixels par pouce carré.

Pourquoi l'image de 75 ppp de la Figure 2.8 paraît-elle moins détaillée que l'image de 300 ppp, alors que leur taille physique est identique ? Tout simplement à cause de ses pixels : ils sont bien plus gros ! L'image à 75 ppp possède en fait quatre fois moins de pixels que son homologue à 300 ppp (300/75 ≐ 4). Comme la surface imprimée est la même, il a fallu compenser le nombre de pixels perdus en augmentant leur taille. C'est pourquoi l'image de 300 ppp, composée d'un plus grand nombre de points, est plus précise que ses consœurs. Logique, non ?

Examinez attentivement la bordure noire qui entoure chacune de ces trois images. Elle devient de plus en plus épaisse à mesure que le nombre de points par pouce diminue. À 150 ppp, la bordure est deux fois plus grosse qu'à 300 ppp, et quatre fois plus grosse à 75 ppp.

Résolution d'image et qualité d'affichage à l'écran

L'affichage d'une image sur un écran souffre moins des problèmes de résolution que son impression. Cela tient au fait qu'un moniteur (c'est-à-dire un écran d'ordinateur) ne tient compte que de la dimension de l'image exprimée en pixels, et non pas de la quantité de pixels contenue dans un pouce. Autrement dit, le nombre de pixels contrôle la *taille* d'affichage d'une image sur un moniteur.

À l'instar des appareils photo numériques, les moniteurs informatiques utilisent des pixels pour représenter une image. Dans le système d'exploitation de votre machine, vous sélectionnez toujours une résolution d'écran, c'est-à-dire une dimension d'affichage des images sur le moniteur. Les résolutions communément rencontrées sont 640 x 480, 800 x 600, 1 024 x 768, 1 280 x 1 024 et 1 600 x 1 200. La plage des résolutions disponibles sur votre propre ordinateur dépend de la quantité de mémoire de votre carte graphique, du nombre de couleurs que vous souhaitez afficher simultanément et du type d'écran.

Lorsque vous affichez une image issue d'un appareil photo numérique, le moniteur ne se soucie pas de la résolution d'impression (ppp). Il alloue un pixel de l'écran à chaque pixel de l'image. En d'autres termes, si vos photographies ont une résolution de 640 x 480, elles occuperont un rectangle de la même taille à l'écran. La Figure 2.9 montre une photo affichée sur un écran de 19 pouces de 1 280 x 1 024 pixels. La taille de la photo du chien qui nage est de 640 x 480 pixels. C'est exactement la taille qu'elle occupe à l'écran.

Ceci est intéressant pour les photographes ne disposant que d'un budget très restreint. Même en basse résolution, leurs photos couvrent une partie significative de l'écran. La qualité de la photo n'est en rien altérée. La seule chose qui varie est sa taille à l'écran.

Pixels et taille de fichier

Chaque pixel d'une image contribue à augmenter sa taille. Par exemple et à titre comparatif, la photo de pièces de monnaie, Figure 2.6, fait 1 110 pixels de large sur 725 pixels de haut, soit un total de 804 750 pixels. Ce fichier occupe environ 3,2 méga-octets sur le disque dur. En revanche, la photo de la Figure 2.8 mesure 278 pixels sur 181, soit 50 318 pixels en tout, et n'occupe que 153 kilo-octets.

Pour ne pas surcharger l'ordinateur – ni mettre la patience des internautes à rude épreuve, sur le Web –, vos images doivent être d'une taille raisonnable. Le nombre de pixels doit toujours être approprié au périphérique de sortie, écran ou imprimante, et rien de plus. Vous trouverez les détails de la préparation des images pour l'impression au Chapitre 9, et celle de la préparation pour l'affichage à l'écran au Chapitre 10.

Figure 2.9 : Une photo à petit nombre de pixels occupe néanmoins une bonne partie de l'écran.

Gardez aussi à l'esprit le fait qu'une image en couleur est plus volumineuse qu'une image en niveaux de gris. Une photo en couleur nécessite en effet trois couches chromatiques alors que la photo en niveaux de gris n'en a qu'une. Par exemple, les dimensions des deux photos de la Figure 2.10 sont identiques : 750 x 940 pixels. Mais celle en couleur occupe 2,1 méga-octets tandis que celle en niveaux de gris n'occupe que 714 kilo-octets, soit le tiers seulement.

Combien de pixels suffisent ?

Puisque les imprimantes et les écrans considèrent les pixels de façon différente, les besoins varient en fonction de la destination finale de l'image.

- **Affichage à l'écran :** Si vous comptez utiliser la photo sur le Web, dans une présentation multimédia ou tout autre usage à l'écran, peu de pixels sont suffisants. Comme nous l'avions vu précédem-

2,1 Mo

714 Ko

Figure 2.10 : L'encombrement d'un fichier d'image en couleur est plus élevé que celui d'un fichier d'image en couleur.

ment, il suffit que l'image couvre la surface qui lui est réservée. Dans la majorité des cas, 640 x 480 pixels sont largement suffisants et, pour de nombreux projets, vous pouvez même diviser cette résolution par deux.

- **Impression :** Si vos photos sont destinées à être sorties sur des imprimantes à jet d'encre, à sublimation thermique ou à laser, il est préférable de travailler avec des résolutions plus importantes, de l'ordre de 200 à 300 ppp. Ce chiffre varie selon l'imprimante. Certaines se contentent de moins de pixels, d'autres – comme des modèles fabriqués par Epson – peuvent exiger 360 ppp. Reportez-vous au manuel de votre imprimante, et aussi au Chapitre 9 où vous en apprendrez plus sur l'impression.

Pour déterminer le nombre de pixels requis, multipliez la taille d'impression par la résolution désirée. Par exemple, pour obtenir un tirage en 10 x 15 cm, soit 4 x 6 pouces, à 300 ppp, il faut au moins 1 200 x 1 800 pixels. Les matheux trouveront leur bonheur au Chapitre 5.

Comme j'ai longuement insisté sur le fait que plus de pixels signifie une meilleure impression, vous serez tenté de penser qu'une résolution de 400 ppp ou plus est sans doute meilleure qu'une résolution de 300 ppp. Ce n'est pas le cas. Les imprimantes sont conçues pour des images à une certaine résolution. Si vous leur confiez des images dont la résolution est plus élevée, elles ignoreront ou élimineront les pixels excédentaires.

Certains appareils permettent d'enregistrer deux versions de chaque image, l'une pour l'impression, l'autre pour l'affichage à l'écran. Si votre appareil ne possède pas cette fonction et que vous ne savez pas, *a priori*, comment vous utiliserez vos photos, faites comme si elles devaient être imprimées. Si par la suite vous désirez utiliser les photos sur le Web, vous pourrez toujours réduire la résolution en supprimant des pixels. L'inverse est plus problématique : l'ajout de pixels ne donne pas de bons résultats.

Plus de pixels produit de plus gros fichiers

Bon nombre de logiciels de retouche permettent d'ajouter ou d'ôter des pixels d'une photo. Ce procédé est appelé *rééchantillonnage*. L'ajout de pixels paraît simple. Le problème est que pour leur couleur, le logiciel se contente d'effectuer la moyenne des pixels environnants. Or, même avec un logiciel haut de gamme, le résultat de cette opération n'est pas acquis d'avance, comme le révèle la Figure 2.11.

75 ppp rééchantillonné à 300 ppp

Figure 2.11 : Voici le résultat du rééchantillonnage de la photo à 75 ppp de la Figure 2.8 en photo à 300 ppp.

Pour obtenir cette figure, j'ai ouvert la photo de la Figure 2.8, à 75 ppp, dans Adobe Photoshop, l'un des meilleurs logiciels de retouche. Comparez le résultat avec la version en basse résolution, et vous constaterez qu'il n'est pas fameux.

Certaines images supportent parfaitement une faible augmentation de l'échantillonnage, de l'ordre de 10 à 15 %. Mais avec d'autres, une dégradation sera perceptible même lors d'un minime ajout de pixels. Les images comportant des aplats résistent mieux que celles comportant beaucoup de détails. Reportez-vous au Chapitre 9 pour savoir comment procéder au moment de l'impression.

Si l'image contient trop de pixels, ce qui est fréquemment le cas de celles destinées au Web, vous pouvez sans problème réduire l'échantillonnage. Sachez cependant que chaque pixel éliminé est une information en moins et qu'à la longue, l'image en souffrira. Essayez de ne pas rééchantillonner en réduction à plus de 25 % et conservez toujours une copie de sauvegarde de la photo, au cas où...

La procédure à suivre pour augmenter la quantité de pixels des images à imprimer est décrite au Chapitre 9, et la réduction du nombre de pixels des photos à afficher à l'écran est décrite au Chapitre 10.

Quelques précisions complémentaires sur la résolution

La résolution n'est pas uniquement liée à la taille d'une image ou au nombre de pixels qu'elle contient. Ce terme est également employé pour décrire les possibilités graphiques de nombreux périphériques informatiques : appareils photo numériques, moniteurs, imprimantes... Aussi, lorsque vous entendez le mot *résolution*, gardez en mémoire ce qui suit :

- **Résolution de l'appareil :** Les appareils photo numériques utilisent très souvent le terme *résolution* pour décrire le nombre de pixels des images qu'ils génèrent. Par exemple, on parlera d'une résolution de 640 x 480 pixels ou de 6 millions de pixels. Dans un tel cas, le mot *résolution* ne décrit plus le nombre de pixels par pouce, mais les dimensions en pixels de l'image. Vous pouvez déterminer cette valeur dans le logiciel de retouche, comme nous le verrons au Chapitre 9. Bien sûr, vous pouvez vous baser sur le nombre de pixels de l'appareil pour obtenir la résolution finale. Reportez-vous pour cela à la section précédente, "Combien de pixels suffisent ?"

Certains constructeurs utilisent les termes de *résolution VGA* pour décrire une image de 640 x 480 pixels, *résolution XGA* pour décrire une image de 1 024 x 768, et *mégapixel* pour des images qui totalisent au moins 1 million de pixels.

- **Résolution d'écran :** Les fabricants de moniteurs parlent aussi de résolution. Ainsi, il sera plutôt question de résolutions d'affichage ou d'écran, de 640 x 480 (VGA), 800 x 600 (SVGA), 1 024 x 768 (XGA), et ainsi de suite. Tout est alors fonction des capacités du moniteur et de la carte graphique. Comme pour les dimensions d'une photographie prise à l'aide d'un appareil numérique, la résolution décrit ici le nombre de pixels horizontaux et verticaux pouvant être affichés conjointement.

  Reportez-vous au Chapitre 10 pour plus de détails sur la relation entre résolution de l'écran et résolution de l'image.

- **Résolution de l'imprimante :** Elle n'est pas exprimée en pixels, mais en *points par pouce* (*ppp*) . Le terme anglais *dpi* (*dots per inch*) est fréquemment utilisé car il permet de différencier les pixels par pouce (ppp) des points par pouce (ppp aussi). C'est pourquoi, dans le restant de ce livre, nous parlerons de *dpi* pour la résolution d'impression. Plus cette valeur de dpi est élevée, plus les points sont petits et meilleure est la qualité d'impression. Ne croyez pas pour autant qu'un matériel offrant un nombre de dpi très élevé sera meilleur qu'un autre. Les nombreux modèles d'imprimantes disposent de technologies d'impression très différentes, faisant ainsi varier considérablement la qualité de chaque dispositif. Une imprimante à 300 dpi peut donc donner de meilleurs résultats qu'une imprimante à 600 dpi.

Nombreux sont ceux – fabricants d'imprimantes et programmeurs de logiciels – qui affirment que les dpi et les ppp (pixels par pouce) sont équivalents. La vérité est que les points par pouce *ne sont absolument pas* des pixels par pouce. Il convient donc de ne pas les confondre. La mesure *ppp* est employée pour la quantité de pixels d'une image, tandis que les *dpi* font référence aux points utilisés par une imprimante afin de représenter ces pixels. C'est d'ailleurs pourquoi la taille n'est pas la même entre une image affichée à l'écran et la même image imprimée sur papier.

Aide-mémoire sur la résolution

Tout ça vous paraît affreusement compliqué ? Pour vous aider, voici quelques points importants qui résument l'ensemble du contenu des sections précédentes :

- **Nombre de pixels d'un côté de l'image divisé par la taille de ce côté de l'image imprimée, en pouce = résolution d'image (ppp).** Exemple : 600 pixels divisés par 2 pouces (5,08 cm) = 300 ppp.
- **Pour une bonne qualité d'impression, efforcez-vous de choisir une résolution de 200 à 300 ppp.** Le Chapitre 9 fournit tous les renseignements utiles.
- **Pour un affichage à l'écran, pensez en termes de pixels, et non de résolution de sortie.** Reportez-vous au Chapitre 10 pour les détails.
- **Agrandir une image risque de dégrader sa qualité.** Quand vous agrandissez une image, deux événements peuvent survenir. Soit les pixels sont eux-mêmes agrandis de manière à atteindre le format défini, soit le programme crée de nouveaux pixels pour remplir les nouvelles limites de la photographie. Dans ce dernier cas, il s'ensuit un effet de moirage ou de flou sur l'ensemble de l'image.
- **Pour augmenter en toute sécurité la résolution de sortie d'une image, réduisez sa taille d'impression.** Je le répète, l'ajout de pixels pour augmenter la résolution de sortie ne donne jamais de bons résultats. Il est préférable de conserver le nombre de pixels existants et de réduire les dimensions d'impression de l'image. Le Chapitre 9 donne toutes les explications nécessaires au redimensionnement des images par cette méthode.

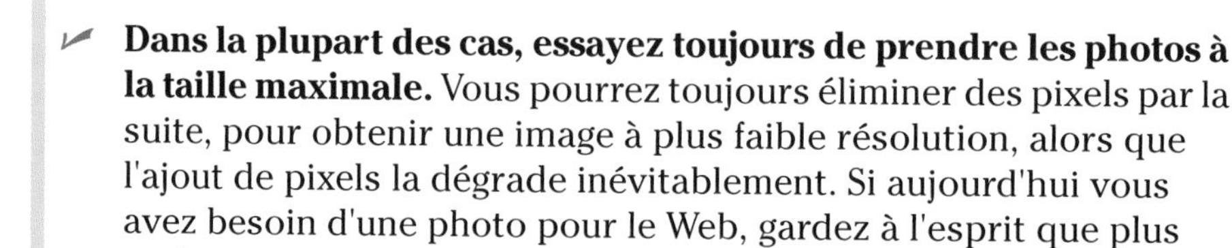

- **Dans la plupart des cas, essayez toujours de prendre les photos à la taille maximale.** Vous pourrez toujours éliminer des pixels par la suite, pour obtenir une image à plus faible résolution, alors que l'ajout de pixels la dégrade inévitablement. Si aujourd'hui vous avez besoin d'une photo pour le Web, gardez à l'esprit que plus tard, vous aurez peut-être à imprimer cette même photo. Il vaut mieux, pour cela, disposer d'un original en haute résolution.

- **Plus de pixels alourdit le fichier.** Même si vous disposez de disques durs de très grande capacité, vous devez penser à la taille des fichiers pour deux raisons :
  - Des images volumineuses nécessitent énormément de mémoire vive (RAM), d'où un ralentissement du logiciel de retouche.
  - Sur une page Web, une image volumineuse est longue à télécharger.

Lumière, objectif et exposition

Que vous travailliez avec un appareil photo normal ou numérique, la luminosité d'une image dépend de son *exposition*, autrement dit de la quantité de lumière qui frappera la surface photosensible. Plus elle est importante, plus l'image sera claire. Trop de lumière produit une *surexposition,* avec des couleurs délavées. Un manque de lumière produit une *sous-exposition*. La photo est alors trop sombre.

La plupart des appareils numériques, à l'image de certains modèles d'appareils compacts bas de gamme, n'autorisent qu'un contrôle très limité de l'exposition. Celle-ci est le plus souvent réglée automatiquement, pour une plus grande facilité d'utilisation. Seuls les appareils haut de gamme permettent de régler manuellement tous les paramètres.

De nombreux paramètres déterminent l'exposition d'une prise de vue : l'ouverture du diaphragme, la vitesse d'obturation, ou encore la valeur ISO de la pellicule. En jouant sur ces facteurs, vous pourrez évaluer les limites de votre matériel.

Ouverture du diaphragme, vitesse d'obturation : la manière traditionnelle

Avant d'examiner le fonctionnement d'un appareil numérique lors de la prise de vue, il faut d'abord comprendre celui d'un appareil traditionnel équipé d'un film tout aussi classique. Tous les appareils numériques ne disposent pas des mêmes options que leurs prédécesseurs, et la plupart restent plus limités quant aux contrôles de prise de vue.

La Figure 2.12 montre de manière simplifiée le schéma d'un appareil conventionnel. Même si les éléments peuvent varier d'un modèle à l'autre, on y retrouve l'ensemble des caractéristiques habituelles, notamment l'*obturateur* placé tout près du plan du film (la pellicule) et l'objectif, qui transmet la lumière. Lorsque l'appareil n'est pas utilisé, l'obturateur est fermé afin de protéger le film de toute exposition. Quand vous prenez une photo, l'obturateur s'ouvre durant un bref instant afin de laisser la lumière impressionner le film.

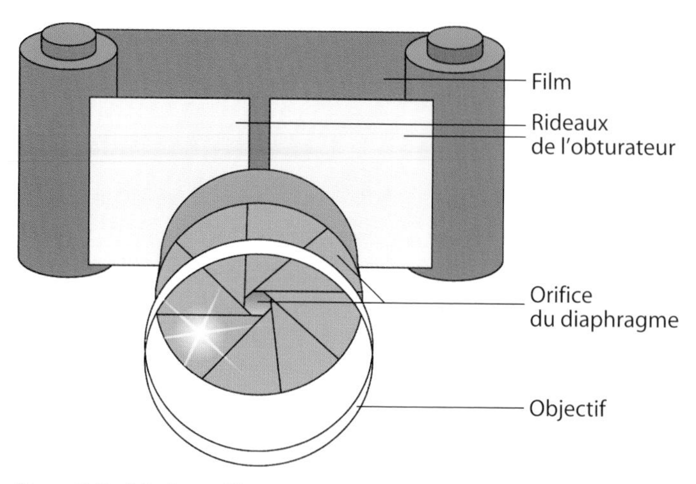

Figure 2.12 : Principaux éléments entrant en compte lors d'une prise de vue.

Vous pouvez contrôler de deux manières la quantité de lumière dont dépendra la prise de vue : en réglant la durée de l'exposition, ou en modifiant l'*ouverture* du diaphragme. Comme le révèle la Figure 2.12, le *diaphragme* est un mécanisme à lamelles mobiles situé à l'intérieur du groupe de lentilles de l'objectif. La lumière est dosée par ce diaphragme avant de parvenir sur le film. Si vous désirez accroître la lumière, vous devez augmenter l'ouverture du diaphragme. Si vous voulez moins de lumière, il suffira au contraire de la diminuer.

La taille de l'ouverture est définie par la lettre *f* suivie d'une valeur plus ou moins grande selon le diamètre de l'orifice. Les valeurs d'ouverture suivent une progression arithmétique : f/1.4, f/2.8, f/4, f/5.6, f/8, f/11, f/16 et f/22.

NdT : Pour les matheux, les chiffres du diaphragme sont le produit de la longueur focale divisée par le diamètre de l'orifice. De ce fait, lorsqu'un objectif de 50 mm est réglé de manière à ce que le diamètre de l'orifice soit de 12,5 mm, la valeur du diaphragme est f/4. Corollairement, lorsque cet objectif est réglé à f:8, le diamètre de l'orifice est de 6,25 mm.

Plus la valeur du diaphragme est élevée, plus l'ouverture du diaphragme est petite. Chaque nombre représente une ouverture du double, en terme de surface de l'orifice, de la précédente. Par exemple, un appareil transmettra deux fois moins de lumière avec une ouverture de f/16 qu'à f/11. Pour vous faire une idée plus précise de ce principe, jetez donc un œil à la Figure 2.13.

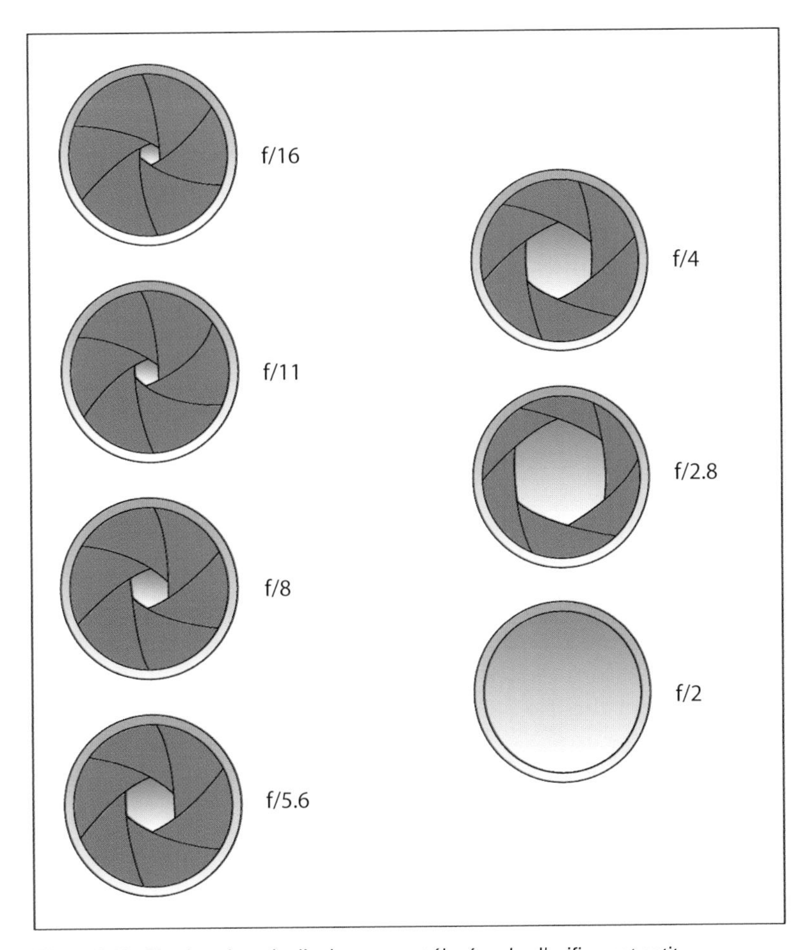

Figure 2.13 : Plus la valeur de diaphragme est élevée, plus l'orifice est petit.

La vitesse d'obturation est mesurée en fractions de seconde. Une vitesse de 1/60e signifie, par exemple, que la surface sensible reçoit de la lumière pendant un soixantième de seconde. C'est une vitesse relativement lente. Pour figer un mouvement rapide, il faut travailler au moins au 1/500e.

Sur les appareils permettant le contrôle de la vitesse d'obturation et l'ouverture du diaphragme, vous devez régler conjointement ces deux paramètres pour doser correctement la lumière. Par exemple, si vous faites des prises de vue d'un sujet en mouvement et en plein jour (disons d'un coureur de 100 mètres au cours d'une compétition diurne), vous pouvez combiner une vitesse rapide avec une ouverture réduite. Pour photographier la même image, mais à la tombée de la nuit, vous devrez utiliser une ouverture beaucoup plus importante pour la même vitesse d'obturation.

Ouverture du diaphragme, vitesse d'obturation : la manière numérique

Comme sur une pellicule, l'exposition d'une image numérique est déterminée par la quantité de lumière transmise par l'objectif. Mais la plupart des appareils d'entrée de gamme ne disposent pas de réglages de la vitesse ou du diaphragme. Les capteurs photosensibles qui fixent l'image se contentent de récupérer la lumière pendant un certain laps de temps, qui peut être réglé automatiquement ou manuellement.

Les appareils permettant de régler la durée d'exposition proposent des options sous forme d'icônes qu'il est possible de sélectionner dans un menu. La durée est prédéfinie à la manière des réglages d'ouverture du diaphragme d'un appareil traditionnel.

D'autres paramètres interviennent en plus du temps d'exposition, notamment la sensibilité du capteur, comme l'explique la section suivante.

Valeur ISO et sensibilité des capteurs CCD

La sensibilité d'une pellicule est caractérisée par une valeur exprimée en ISO (une unité sensitométrique mondialement reconnue). Les valeurs les plus courantes sont 100, 200 ou 400 ISO. Plus le chiffre est élevé, plus la pellicule est sensible ou, si vous préférez, *rapide,* permettant de photographier même si la lumière ambiante est faible. L'inconvénient d'un film de haute sensibilité est son grain : les fines particules d'halogénure d'argent qui réagissent à la lumière deviennent visibles à l'œil nu.

Beaucoup d'appareils numériques affichent la sensibilité ISO du capteur électronique. Celle des modèles d'entrée de gamme est de l'ordre de 100 ISO. Ils nécessitent donc une bonne lumière.

Si j'entre dans de telles considérations techniques, c'est pour que vous compreniez mieux les besoins en lumière des appareils photo numériques, le but étant bien sûr de produire des images correctes. Si vous choisissez une correspondance ISO 100, vous devrez soit ouvrir davantage le diaphragme, soit réduire la vitesse d'obturation pour photographier une scène faiblement éclairée. C'est exactement comme en photo argentique.

Les appareils photo numériques haut de gamme permettent de sélectionner différentes valeurs ISO. Cependant, cette correspondance n'est pas l'équivalent de l'ISO argentique, en ce sens que ce n'est pas le capteur qui est plus ou moins sensible. Lorsque vous augmentez la sensibilité ISO d'un appareil numérique, il ne fait qu'amplifier le signal électrique qui est produit par le capteur. Le revers de ce procédé est une augmentation sensible du bruit électronique susceptible de parasiter l'image. Le Chapitre 6 traite en détail des problèmes d'exposition.

Un mot sur la profondeur de bits

Un appareil photo numérique haut de gamme permet de choisir entre deux profondeurs de bits. Un bit est une unité informatique élémentaire valant 0 ou 1. La profondeur de bits est le nombre de bits utilisé pour coder une couleur. Plus il est élevé, plus le nombre de couleurs de l'image est élevé.

NdT : Un seul bit autorise deux couleurs, du noir et blanc, selon que le bit est à 0 ou à 1. Deux bits autorisent quatre couleurs : 00 (zéro-zéro) pour le noir, 01 (zéro-un) pour du gris foncé, 10 (un-zéro) pour un gris clair et 11 (un-un) pour du blanc. Quatre bits (0000) permettent 16 combinaisons, soit autant de couleurs. Remarquez que le nombre produit par les bits est une puissance de deux soit, dans ces exemples, 2^1, 2^2 et 2^4. Un codage sur 24 bits, soit 2^{24}, permet de coder 16 777 216 couleurs.

La profondeur de bits se rapporte soit à l'image elle-même, soit au nombre de bits par couches. Par exemple, une image RVB standard est codée sur 8 bits pour chacune des trois couches Rouge, Vert et Bleu, soit un total de 24 bits. Des images peuvent être codées sur 16 bits par couche, soit 48 bits au total.

Le codage sur 24 bits, qui produit plus de 16,7 millions de couleurs, est plus que suffisant. Quel est l'avantage d'une profondeur de bits plus élevée ? Pour les professionnels qui corrigent ou retouchent finement les photos, un codage sur 16 bits par couche évite l'apparition d'un effet de bande ou d'une isohélie susceptible de compromettre le modelé d'une image ou un dégradé très délicat. Théoriquement, plus la profondeur de bits des couches est élevée, mieux la photo s'accommode des retouches.

Cela dit, travailler sur 48 bits ne garantit en rien qu'aucun défaut n'apparaîtra. Ces images présentent quelques inconvénients : leurs fichiers sont très volumineux, beaucoup de logiciels de retouche sont incapables d'ouvrir des fichiers 48 bits ou alors, s'ils y parviennent, toutes les commandes et filtres ne sont pas utilisables.

Pour ma part, je m'en tiens aux images 24 bits sauf si je photographie sous des éclairages délicats, auquel cas j'opte pour le codage sur 48 bits. Dans le logiciel de retouche, je procède à toutes les corrections d'exposition ou de couleur, puis je convertis l'image en 24 bits afin de bénéficier de tous les outils d'édition. Pour réaliser cette conversion dans Photoshop Elements, choisissez Image/Mode/8bits-couche.

RVB, CMJN et compagnie

Si vous avez lu la section "Les secrets de la couleur", précédemment dans ce chapitre, vous savez que les appareils photo, les scanners, les moniteurs et les téléviseurs utilisent un codage RVB pour l'affichage des images en mélangeant les trois couleurs primaires rouge, vert, et bleu.

En informatique, le système RVB n'est pas le seul prétendant au codage des couleurs de vos images. Il existe une multitude de modèles colorimétriques qu'il est bon de connaître. Pour vous aider dans cette démarche, passons en revue les principaux :

- **RVB :** Juste histoire de vous rafraîchir la mémoire, le codage RVB s'appuie sur les trois couleurs primaires : rouge, vert et bleu. La Figure 2.14 montre les couleurs résultant de leur mélange.

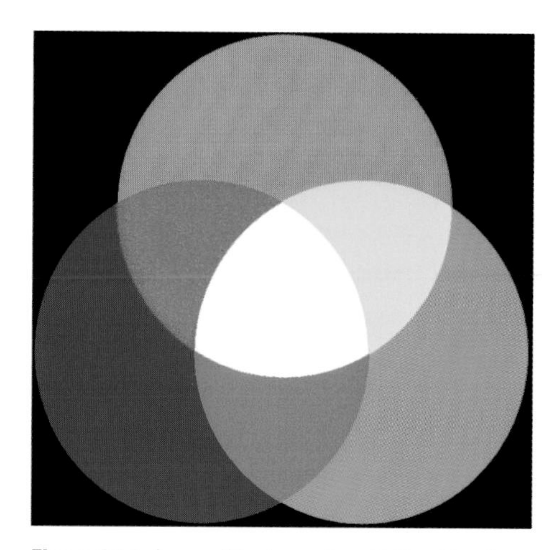

Figure 2.14 : Le modèle de couleur RVB est basé sur la synthèse du rouge, du vert et du bleu.

- **sRVB :** C'est une variante du modèle RVB qui offre une *gamme de teintes* plus restreinte. La raison de son apparition vient de la volonté de réduire les différences chromatiques entre les documents affichés et leur équivalent imprimé.

  Les images RVB peuvent contenir beaucoup plus de couleurs qu'une imprimante ne peut en produire. En réduisant la palette RVB, il est possible d'obtenir des résultats plus conformes entre l'affichage à l'écran et l'impression sur papier. Le modèle sRVB permet aussi de définir les couleurs de telle manière que sur le Web elles soient identiques d'un moniteur à un autre.

  Le modèle de couleur sRVB est sujet à controverse. Beaucoup de puristes n'en veulent pas. Pour d'autres, il est la nécessaire solution aux problèmes de concordance de couleurs. Si votre appareil permet de choisir entre un mode RVB ou sRVB, je vous conseille d'opter pour le RVB afin de bénéficier d'une plus vaste gamme de couleurs. Pour la même raison, je vous conseille d'effectuer le même choix dans le logiciel de retouche. Vous pourrez toujours créer une version sRVB de vos images ultérieurement, si vous en avez besoin pour le Web. Si vous rencontrez des problèmes de fidélité des couleurs, reportez-vous au Chapitre 9 pour trouver quelques solutions envisageables.

- **CMJN :** Les imprimantes et les documents imprimés utilisent le *modèle de couleur CMJN*, basé sur trois couleurs primaires, le bleu cyan, le magenta, le jaune (voir Figure 2.15) auxquelles s'ajoute du noir. Contrairement au système RVB, ce modèle repose sur la *synthèse soustractive,* dans laquelle le mélange des trois couleurs de base (le cyan, le magenta et le jaune) produit du noir. Pourquoi du noir est-il ajouté au modèle ? Simplement parce que la combinaison des pigments cyan, magenta et jaune d'une imprimante CMJN ne produit jamais un noir parfait. L'ajout d'une encre supplémentaire permet d'améliorer le rendu des tirages.

Un détail important : les couleurs du modèle RVB de la Figure 2.14 et celles du modèle CMJN de la Figure 2.15 paraissent identiques, mais dans la réalité, les couleurs RVB sont beaucoup plus vives. En réalité, l'illustration du mode RVB est restituée sur papier en CMJN, ce qui est en quelque sorte aberrant. A vrai dire, ce n'est qu'à l'écran que le RVB apparaît dans toute sa splendeur. Pour en savoir plus à ce sujet, reportez-vous au Chapitre 9.

- **Niveau de gris :** Une image en niveaux de gris ne comporte que du noir, des nuances de gris et du blanc. C'est ce que l'on appelle en photo une *image en noir et blanc*. Un document composé uniquement de noir et de blanc, sans nuances, est appelé "dessin au trait".

De nombreux modèles d'appareils photo numériques permettent de photographier en niveaux de gris ou en sépia, mais il est préférable d'effectuer ces manipulations après coup, dans un logiciel graphique. Une photo en couleur peut en effet être convertie en niveaux de gris à tous moments, mais l'inverse n'est pas vrai. Reportez-vous au Chapitre 13 pour apprendre à créer des belles photos en "noir et blanc" et comment les virer en sépia pour leur donner une apparence surannée.

- **CIE Lab, TSL :** Ces appellations se rapportent à deux modèles colorimétriques, mais tant que vous ne serez pas devenu un surdoué de la retouche d'image, vous n'en aurez pas vraiment l'utilité. Le

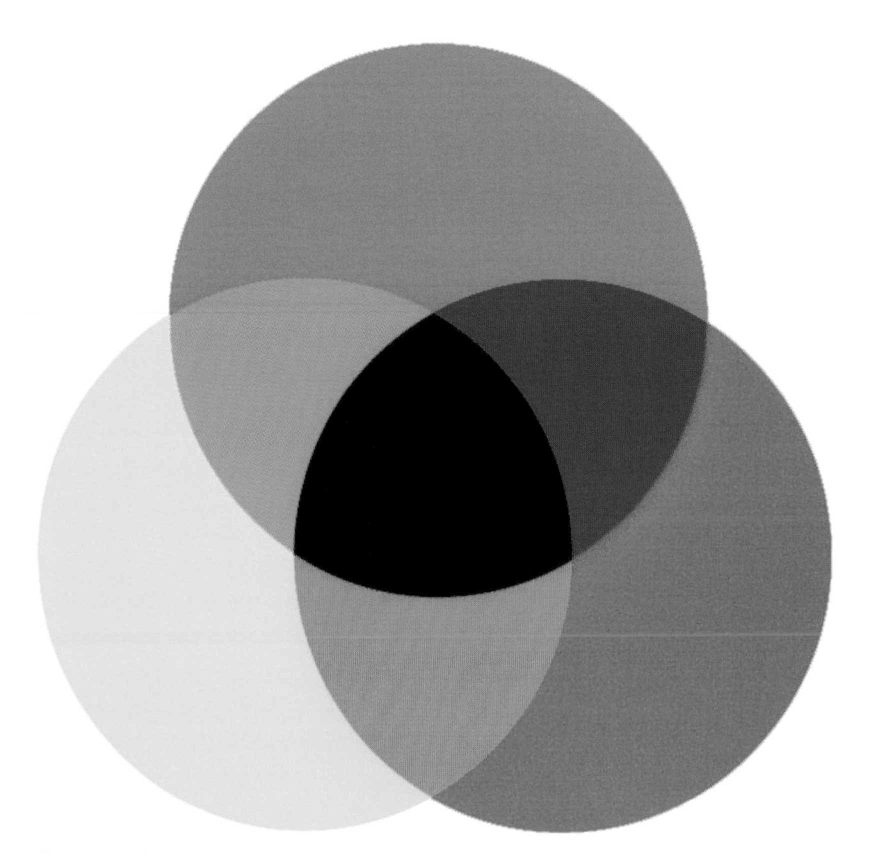

Figure 2.15 : Le modèle de couleur CMJN est basé sur un mélange d'encres cyan, magenta, jaune et noire.

modèle *CIE Lab* définit les couleurs à partir de trois couches chromatiques. Une couche contient les valeurs de luminosité, tandis que les deux autres, appelées *a* et *b,* définissent les couleurs. Le modèle TSL code les couleurs selon la teinte (la couleur), la saturation (pureté et intensité des couleurs) et la luminosité.

Ces options colorimétriques ne vous intéresseront qu'au moment où vous éditez vos images dans un logiciel de retouche. Des boîtes de dialogue et des nuanciers vous faciliteront considérablement la tâche.

Chapitre 3

Connaître le matériel

Dans ce chapitre :

- Déterminer le nombre de mégapixels indispensable.
- Déterminer les fonctions indispensables.
- Comprendre l'objectif et le flash.
- Appareils reflex et compacts bas de gamme.
- Quelques questions fondamentales avant d'acheter.

Dès la mise sur le marché des premiers modèles d'appareils numériques à prix raisonnable, de nombreuses entreprises se sont mises sur les rangs. L'on compte parmi elles Canon, Kodak, Nikon, Olympus et parmi celles issues de l'électronique et de l'informatique : Casio, Hewlett-Packard, Sony et d'autres. Toutes fabriquent à présent des appareils photo numériques.

Cette concurrence est la fois une bonne et une mauvaise chose. Davantage de concurrence signifie de meilleurs produits, un plus vaste choix et des prix plus bas. En revanche, la diversité qui en résulte complique le choix de l'appareil qui vous convient. Les fabricants ont élaboré différentes stratégies pour gagner le cœur des consommateurs, et faire le tri des options proposées est un véritable casse-tête.

Ne comptez pas sur moi pour vous indiquer exactement le modèle qu'il vous faut. Le choix final est extrêmement personnel et aucun appareil ne répond à tous les besoins. Celui qui convient à quelqu'un ne plaira pas forcément à autrui. Vous opterez peut-être pour un modèle équipé de nombreuses commandes alors que votre voisin préférera un modèle bas de gamme sans complication.

Mais, même s'il m'est impossible de vous diriger vers tel ou tel appareil, je puis vous aider à déterminer les fonctionnalités qui vous seront vraiment utiles. Vous trouverez aussi dans ce chapitre une liste de questions à vous poser pour comparer les différents modèles.

Mac ou PC, lequel choisir ?

Ce n'est plus une question cruciale car la plupart des appareils photo numériques – pas tous... – fonctionnent aussi bien dans un environnement Windows que dans un environnement Mac OS. Par "fonctionner", je veux dire qu'il vous sera possible de transférer les photos vers l'ordinateur à l'aide d'un câble, voire d'une liaison sans fil. Bien sûr, si les photos sont stockées dans une mémoire amovible, vous pourrez acheter un lecteur de cartes qui élimine l'obligation de brancher l'appareil directement à l'ordinateur. De nombreux PC sont équipés en standard de ces lecteurs. Nous en reparlerons dans la section "Les types de mémoire".

Vous n'aurez pas à vous soucier de savoir si votre ami équipé d'un Mac pourra ouvrir vos photos provenant d'un PC, ou inversement. Les formats d'image sont en effet compatibles avec n'importe lequel de ces ordinateurs. Il existe des logiciels graphiques pour PC et pour Mac, bien que sur ce dernier, le choix est un peu plus restreint. Reportez-vous au Chapitre 4 pour trouver des conseils sur le choix d'un logiciel.

Vérifiez l'équipement informatique recommandé, lorsque vous achetez un appareil photo numérique. Peut-être faudra-t-il procéder à une mise à jour du système d'exploitation ou installer de la mémoire vive (RAM) supplémentaire. A ce sujet, 256 Mo est un minimum.

A propos de la qualité d'image

Comme pour n'importe quel appareil photo, la qualité de l'objectif, la précision de la mise au point et du système d'exposition jouent un rôle décisif. A cela s'ajoutent trois paramètres numériques : la résolution (nombre de pixels), le format de fichier et la sensibilité ISO.

Les deux prochaines sections prodiguent des conseils pour choisir un appareil offrant la résolution et les formats de fichier appropriés au type de photographie que vous désirez prendre. La section "L'exposition exposée", plus loin dans ce chapitre, aborde la notion d'ISO.

Notez que sur de nombreux appareils, la résolution et le format de fichier sont choisis par une même commande ayant pour nom "Bon, Mieux, Maximum", ou "Fine, Basic, Normal". Les appareils équipés de commandes séparées pour la résolution et le format offrent bien sûr plus de souplesse, mais elles ne sont pas indispensables pour l'utilisateur occasionnel.

Quelle résolution adopter ?

Le Chapitre 2 explique la notion de résolution. Elle repose sur le nombre de pixels que l'appareil peut enregistrer. Les pixels sont de minuscules carrés colorés formant l'image numérique.

Le terme *mégapixel* est une unité de mesure égale à un million de pixels. Un appareil à 6 mégapixels contient environ 6 millions de pixels.

Il y a quelques années, le nombre de mégapixels (MP) était l'unique argument de vente. Depuis, et grâce au matraquage publicitaire, les consommateurs savent qu'ils ont intérêt à exiger toujours plus de pixels, même s'ils ne savent pas exactement pourquoi.

La notion de mégapixel était primordiale à l'époque où l'on ne trouvait rien au-dessus de 3 mégapixels. Or, il faut au moins 1 MP pour imprimer en petit format, et bien davantage pour un tirage en 13 x 18 cm ou plus.

Aujourd'hui, le moindre appareil, même ceux à moins de 150 euros, propose au moins 3 mégapixels, car c'est la résolution indispensable pour des tirages en 20 x 25 cm. La course aux mégapixels s'est un peu calmée, bien que ce paramètre influe encore au niveau du prix.

Faut-il en déduire qu'au-delà de 3 mégapixels, vous gaspillez votre argent ? Pas nécessairement. Le nombre requis dépend de ce que vous désirez faire de vos photos. La liste suivante aide à définir vos besoins en matière de résolution :

- **Résolution VGA** (640 x 480 pixels) : Si vous désirez uniquement partager vos photos *via* l'Internet, ou les utiliser dans des présentations multimédias, cette résolution est suffisante. Mais vous serez déçu des tirages. Reportez-vous au Chapitre 2 pour savoir comment la résolution affecte la qualité de l'impression.

- **Un mégapixel :** Impression de tirages en petit format. Valable aussi pour l'affichage à l'écran.

- **Deux mégapixels :** Pour de très bons tirages en 13 x 18 cm et acceptables en 20 x 25.
- **Trois mégapixels :** Très bons tirages en 20 x 25 cm.
- **Quatre mégapixels :** Pour des tirages en 20 x 25 et plus, optez un appareil à au moins 4 mégapixels.

Disposer de plus de pixels donne une meilleure latitude pour recadrer les photos et tirer la partie restante à une taille décente. Par exemple, photographier un animal en gros plan est souvent difficile sans un zoom puissant. L'illustration de gauche, à la Figure 3.1, montre le cadrage le plus serré que j'ai pu obtenir au zoo. Fort heureusement, l'excellente résolution de l'appareil m'a permis d'éliminer l'arrière-plan confus et obtenir ainsi une meilleure composition.

Figure 3.1 : Si le nombre de mégapixels le permet, l'image vue dans le viseur (à gauche) peut être recadrée (à droite).

Si vous optez pour un appareil à plusieurs mégapixels, vérifiez s'il permet de photographier à des résolutions moindres. Pourquoi ? Parce vous pourrez ainsi stocker davantage de photos dans la mémoire. De plus, la photo à la résolution maximale est plus longue à traiter et à enregistrer, d'où une latence plus élevée. Les meilleurs appareils proposent trois résolutions, que vous sélectionnerez selon la mémoire disponible et la cadence à laquelle vous désirez déclencher.

Un conseil : Sauf si vous envisagez d'imprimer les photos en grand format ou les recadrer, 4 mégapixels devraient suffire, voire 3 seulement. Au lieu d'investir votre budget dans un maximum de pixels, réservez-le plutôt pour un zoom plus puissant, une bonne imprimante photo ou d'autres accessoires.

CCD et CMOS

Le capteur photosensible, c'est-à-dire le composant chargé de l'acquisition des images, existe sous deux formes : CCD (Charge Coupled Device, dispositif à transfert de charge) et CMOS (Complementary Metal-Oxide Semiconductor, semiconducteur à oxyde métallique complémentaire).

Les capteurs CCD présentent une meilleure sensibilité que les composants CMOS (les dernières générations repoussent les limites encore plus loin). Vous obtenez de meilleures images lorsque l'éclairage est faible. La qualité intrinsèque de la photo est supérieure au CMOS, qui a tendance à produire plus de grain.

Par contre, les capteurs CMOS sont moins chers à fabriquer, ce qui retentit sur le prix de l'appareil, et ils consomment moins, d'où une plus longue autonomie de la batterie.

Les capteurs CMOS restituent mieux les reflets brillants (bijouterie, éclats de soleil sur l'eau...). Contrairement aux capteurs CCD, ils n'ont pas tendance à produire un effet de frange autour des reflets brillants.

La plupart des appareils photos sont équipés de capteurs CCD. Les fabricants s'efforcent toutefois d'améliorer la technologie CMOS. Un revirement du CCD au profit du CMOS n'est donc pas à exclure.

La souplesse des formats de fichier

Le nombre de pixels compte en photo numérique, mais le format de fichier dans lequel vous enregistrez les images joue lui aussi un rôle clé. Le *format de fichier* est la manière dont les données graphiques sont stockées dans le fichier informatique.

Il existe une multitude de formats, dont une dizaine appropriés à la photographie numérique. La plupart des appareils photo n'en utilisent que trois : JPEG, TIFF et Camera Raw.

Le Chapitre 5 décrit ces formats en détail. En attendant, voici une brève description de chacun d'eux :

- **JPEG :** C'est le format de fichier standard pour les images numériques. Tous les navigateurs Web et tous les logiciels de messagerie sont capables de l'afficher. De ce fait, les photos peuvent migrer directement de l'appareil vers le cyberespace. Le JPEG a cependant des défauts : au moment où il est créé, il est compressé afin d'occuper moins de place dans la mémoire. Or, ce processus détruit certaines informations.

  Des fichiers plus compacts, c'est génial, car vous pouvez ainsi stocker davantage de photos dans la mémoire et, sur l'Internet, la durée de téléchargement est réduite. Mais, si les effets d'un faible taux de compression sont à peine discernables, un taux de compression élevé dégrade sérieusement l'image.

- **TIFF :** Contrairement au JPEG, aucune donnée n'est perdue. La qualité de l'image est ainsi maximale, mais le fichier est autrement plus volumineux que son équivalent JPEG. De plus, vous ne pouvez pas le partager sur le Web sans le convertir d'abord en JPEG.

- **Camera Raw** (ou tout simplement Raw) : Quand vous photographiez en JPEG ou en TIFF, l'appareil photo applique aussitôt un traitement à l'image afin d'améliorer les couleurs, le contraste et d'autres paramètres. Rien de tel ne se produit pour le format Raw : le fichier contient les données brutes, directement issues du capteur.

  Ce format a été conçu pour les photographes qui tiennent à contrôler totalement leurs images, dans le même esprit que les photographes qui tiennent à développer et tirer eux-mêmes leurs œuvres. Comme un fichier Raw n'est pas compressé, il est volumineux. De plus, un logiciel spécial, appelé "convertisseur Raw", est nécessaire pour ouvrir les images et indiquer à l'ordinateur ce qu'il doit en faire.

  Notez que les fabricants ont leurs propres appellations pour les fichiers Raw. Par exemple, chez Nikon, ce sont des fichiers NEF.

Pour mieux comprendre l'impact du choix d'un format sur la qualité de l'image, examinez les Figures 3.2 et 3.3 qui montrent la différence entre du JPEG légèrement compressé (Figure 3.2) et fortement compressée (Figure 3.3). La différence entre du TIFF non compressé et du JPEG légèrement compressé est difficile à discerner, même dans les agrandissements. En revanche, l'effet destructeur d'un taux de compression excessif est évident. L'image présente des agglomérats de pixels et des franges caractéristiques de la compression JPEG.

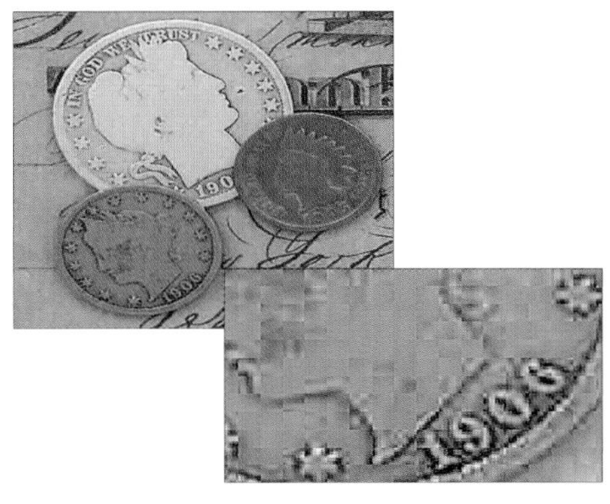

Figure 3.3 : Un taux de compression JPEG élevé agglomère des pixels et fausse les couleurs à certains endroits.

Figure 3.2 : Seul un examen attentif permet de déceler la différence entre du TIFF non compressé (à gauche) et du JPEG légèrement compressé (à droite).

Si vous avez lu les Chapitres 2 ou 5, vous avez remarqué que le sujet de la photo est le même que celui déjà utilisé pour illustrer les effets du nombre de pixels sur une photo. Dans les Figures 3.2 et 3.3, le nombre de pixels est égal ; seul le format de fichier est différent. Vous pouvez ainsi constater qu'une trop forte compression est tout aussi dommageable qu'un nombre de pixels trop réduit. Combinez une compression élevée avec une faible résolution, et le résultat sera vraiment affreux.

L'idéal est de disposer d'un appareil photo capable de travailler avec ces trois formats. Certains appareils offrent en plus une option JPEG+Raw ou JPEG+TIFF, qui produit deux versions de la même prise de vue, l'une en JPEG pour le partage sur le Web, l'autre en TIFF ou en Raw.

Bien souvent, le taux de compression est indiqué par un terme imprécis, comme Fine, Normal ou Basic. Par exemple, la Figure 3.4 montre les options d'un appareil photo Nikon proposant trois compressions JPEG, ainsi que les enregistrements Raw et Raw+JPEG. Ici, l'option Fine correspond à la compression la plus faible, produisant la meilleure qualité d'image.

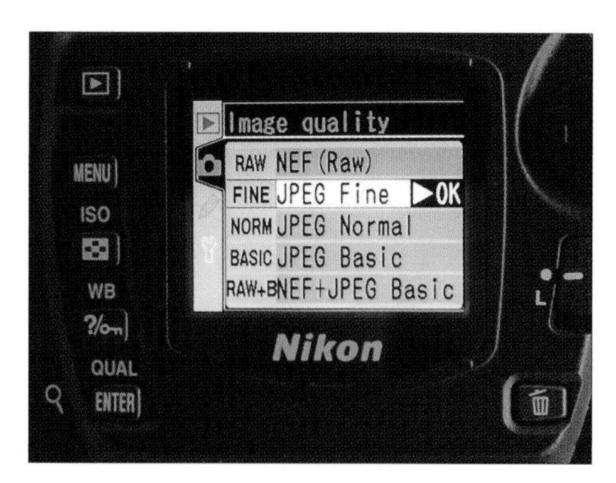

Figure 3.4 : Le choix du format de fichier s'effectue souvent sous le menu Qualité d'image.

Chaque fabricant utilisant ses propres appellations pour la qualité d'image, reportez-vous au manuel de l'appareil. Faites le tour des sites qui testent les équipements photo. Vous trouverez d'utiles adresses Web au Chapitre 16.

A propos de la mémoire

Dans un appareil argentique, l'information visuelle réside dans le film. Dans un appareil numérique, elle est stockée dans une *mémoire* magnétique.

Bon nombre de modèles sont équipés d'une mémoire interne, et la plupart peuvent recevoir une carte permettant d'étendre la capacité de stockage, ainsi que le montre la Figure 3.5.

La Figure 3.6 présente les cartes mémoire les plus usitées. Au milieu une classique disquette de 3,5 pouces de 1,44 Mo de capacité donne une idée de l'échelle. Il est vrai qu'avec l'avènement de ces minuscules cartes à grande capacité, la bonne vieille disquette paraît archaïque.

Figure 3.5 : La plupart des appareils stockent leurs images sur des supports amovibles, comme la xDPicture Card présentée ici.

Presque tous les appareils photo récents sont équipés d'un connecteur qui permet d'ajouter de la mémoire à celle qui est intégrée. Toutefois, si vous êtes tenté par un appareil dépourvu de connecteur de carte mémoire, réfléchissez à ces points :

- Si la mémoire intégrée est pleine, vous devrez cesser de prendre des photos et, soit en supprimer, soit en télécharger pour libérer de la place. Avec une carte mémoire supplémentaire, il suffit de l'insérer pour continuer à photographier. L'idéal est d'acheter une carte de très grande capacité que vous laissez à demeure dans l'appareil. Vous aurez ainsi une autonomie de plusieurs centaines de photos.

- Le téléchargement depuis la mémoire intégrée de l'appareil photo est assez long. Il faut relier un câble de l'appareil jusqu'à l'arrière de

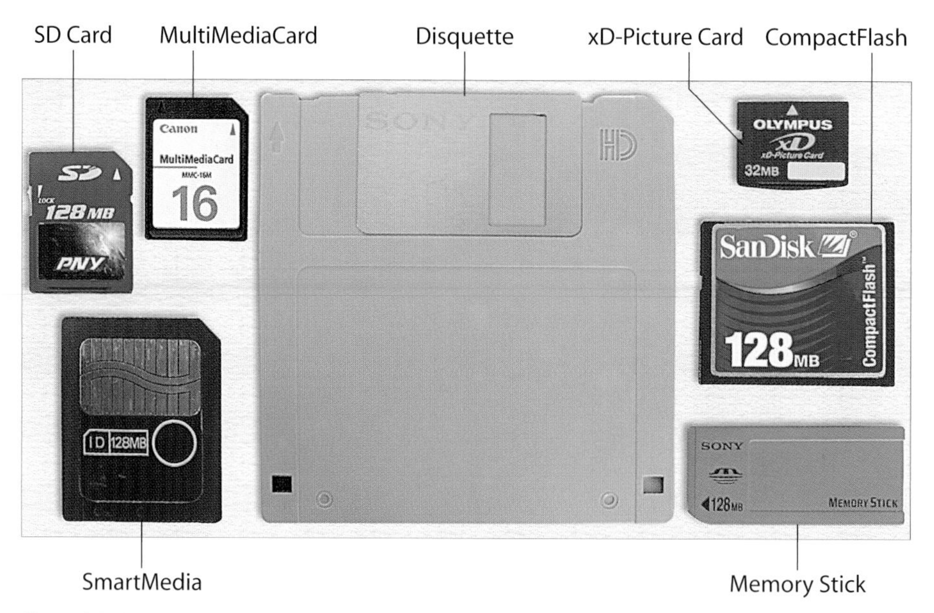

Figure 3.6 : Les appareils photo numérique utilisent diverses cartes mémoire.

l'ordinateur, ce qui est inconfortable. À moins de disposer de connexions en façade...

Les supports de stockage amovibles améliorent le processus de téléchargement. Un adaptateur connecté en permanence à l'ordinateur – ou mieux, un ordinateur équipé en standard de lecteurs de cartes – permet d'effectuer le transfert des images à grande vitesse. Il suffit d'insérer la carte et déplacer les fichiers qu'elle contient comme vous le feriez pour n'importe quel autre fichier informatique.

- Il est possible d'imprimer directement depuis une carte mémoire, soit à l'aide d'une imprimante équipée de lecteurs de cartes, soit en utilisant une borne interactive dans une boutique photo. Certaines imprimantes autorisent même la connexion directe de l'appareil photo, par câble ou sans fil.

- D'autres appareils électroniques, comme les lecteurs MP3, utilisent des cartes mémoire. Elles peuvent ainsi servir à plusieurs usages.

Comme vous le constatez, je ne pousse pas à l'achat d'appareils ne comportant qu'une mémoire intégrée. C'est surtout vrai si vous avez des enfants désireux de s'initier à la photo. Vous seriez rapidement agacé d'être dérangé toutes les demi-heures pour transférer leurs photos. J'insiste sur ce point car ces appareils limités en mémoire visent surtout la clientèle des jeunes.

Un dernier point concernant la mémoire, qu'elle soit intégrée ou amovible : au moment d'acheter, vérifiez attentivement la capacité maximale de stockage annoncée par le fabricant, c'est-à-dire le nombre de photos que vous pouvez stocker. Le chiffre correspond en général au nombre d'images en basse résolution, ou compressée au maximum (ou les deux à la fois). De ce fait, si à capacité de mémoire égale, si un appareil A est censé stocker plus d'images qu'un appareil B, cela signifie tout simplement que l'appareil A propose une résolution moindre et un taux de compression plus élevé, ce qui n'est pas forcément un avantage, comme nous l'avons vu précédemment.

Les écrans à cristaux liquides

Bon nombre d'appareils sont dotés d'un écran de contrôle à cristaux liquides. Les écrans LCD (*Liquid Crystal Dispaly,* affichage à cristaux liquides) sont de petits moniteurs capables de visualiser les images stockées dans l'appareil, ainsi que ses paramètres (voir la Figure 3.7).

Figure 3.7 : L'écran à cristaux liquides (LCD) permet de visionner immédiatement les photos.

Ce type d'écran permet de visualiser les prises de vue pour effectuer une sélection. Vous effacerez les clichés ratés ou inintéressants afin de libérer de la mémoire.

Sur la plupart des appareils photos, l'écran affiche un aperçu de la prise de vue. Beaucoup sont hélas dépourvus d'un viseur, soit parce que la marque veut réduire les coûts de fabrication, soit pour des raisons esthétiques. Personnellement, j'estime que cadrer uniquement avec l'écran LCD est pénible, car il faut éloigner l'appareil de l'œil, ce qui compromet la stabilité. Quand l'œil est au viseur, l'appareil est calé contre le visage. De plus, quand la lumière ambiante est forte, l'écran est très délavé, permettant à peine de distinguer ce que l'on photographie.

Beaucoup d'utilisateurs sont satisfaits de l'écran seul, sinon, les fabricants ne continueraient pas de proposer cette formule. Sur les appareils récents, l'écran est nettement amélioré, offrant une surface plus grande et une meilleure vision en pleine lumière.

Si vous décidez de vous passer d'un viseur optique, choisissez un appareil équipé d'un stabilisateur d'image. Demandez aussi à essayer l'appareil en plein jour pour vérifier le rendu de l'affichage. Enfin, certains modèles, comme le Konica-Minolta de la Figure 3.8, sont équipés d'un écran orientable permettant de cadrer sous des angles difficiles.

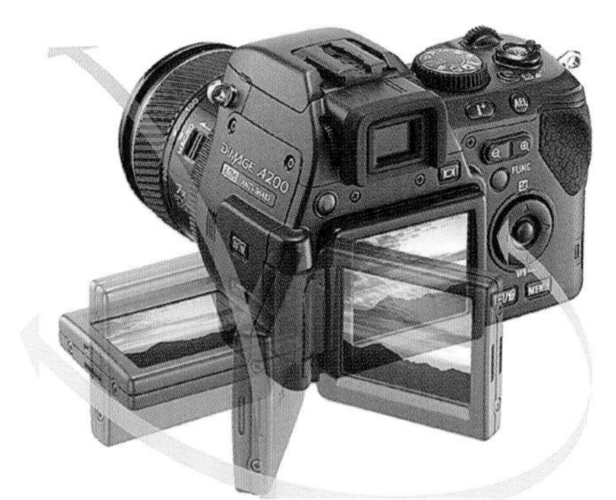

Konica Minolta Photo Imaging, Inc.

Figure 3.8 : L'écran orientable facilite la photo sous des angles difficiles.

Par ailleurs, si vous tenez au viseur, sachez qu'il existe sous deux formes : le traditionnel viseur optique, et le viseur électronique qui renvoie sur un mini-écran LCD. Le premier offre une image plus claire mais affectée d'une parallaxe (voir Chapitre 7), et il ne consomme pas d'énergie. Le second montre exactement l'image cadrée, mais du fait de la pixellisation, elle est peu détaillée. De plus, le viseur électronique est inutilisable tant que l'appareil n'est pas en marche et, à l'usage, il consomme de l'énergie, réduisant l'autonomie.

Reflex et bridge

La plupart des appareils photo numériques sont entièrement automatiques. Ils sont de ce fait faciles à utiliser, notamment grâce à la mise au point et à l'exposition automatiques. Mais les photographes plus exigeants, désireux de contrôler l'image, opteront pour un reflex numérique ou un bridge.

Les reflex

Tous les grands noms de la photographie, dont Canon, Nikon, Olympus et, désormais Sony qui vient de racheter Konica-Minolta, proposent des modèles reflex. La Figure 3.9 en montre quelques-uns (NdT : le RD-1 d'Epson, en bas à droite, n'est toutefois pas un reflex, mais un appareil à visée télémétrique).

Konica Minolta Photo Imaging, Inc. *Canon U.S.A. Inc.*

Olympus Imaging America Inc. *Seiko Epson Corp.*

Figure 3.9 : Quelques reflex numériques de Konica-Minolta, Canon, Olympus et un modèle à visée télémétrique d'Epson.

Un reflex numérique offre les mêmes caractéristiques qu'un reflex argentique, y compris les objectifs interchangeables, la mise au point et l'exposition manuelles et la connexion avec un flash externe. De plus, ils sont équipés d'automatismes débrayables, fort commodes pour la photo d'action, par exemple.

Bien sûr, un reflex est onéreux. Comptez un millier d'euros rien que pour le boîtier, et un budget assez conséquent pour les objectifs.

Visée reflex ou télémétrique ? Les appareils numériques à visée télémétrique sont rarissimes et très chers : plus de 3 000 euros pour l'Epson RD-1, inspiré du Leica. Quant à Leica, les fanas de la marque ne voient toujours pas venir le M7 numérique qui les fait rêver...

Si vous avez des objectifs provenant d'un équipement argentique, vous devriez pouvoir les utiliser sur un boîtier numérique. En revanche, les dimensions du capteur photosensible étant différentes de celles d'une pellicule, le cadrage ne sera pas le même. Il faudra tenir compte d'un coefficient d'équivalence par lequel vous multiplierez la focale de l'objectif pour trouver la focale équivalente dans le format utilisé, le 24 x 36 par exemple. Un objectif de 50 mm dont le coefficient d'équivalence est de 1,5 aura, monté sur un boîtier numérique, le même champ qu'un 75 mm. Autrement dit, votre objectif standard sera devenu un petit téléobjectif (la longueur focale est expliquée un peu plus loin dans ce chapitre).

Les bridges

Extérieurement, un appareil numérique de type "bridge" ressemble à un reflex, mais en un peu plus compact. Dans un bridge, le délicat et compliqué mécanisme de visée qui relève le miroir au moment de la prise de vue est remplacé par un écran LCD. Les coûts de fabrication sont de ce fait réduits.

Un bridge n'est cependant pas un "reflex à écran LCD". La plupart des modèles sont équipés d'un objectif fixe, donc non interchangeable. L'incorporation de l'écran LCD présente deux avantages : la visée est confortable même dans un environnement très lumineux, et comme l'écran est à l'intérieur du boîtier, il est à l'abri des rayures et des chocs.

Par contre, la visée ne pouvant se faire que sur l'écran – l'appareil étant en marche –, les bridges sont de gros consommateurs d'énergie.

Les appareils hybrides

La photographie n'est plus l'apanage des seuls appareils photo. Plusieurs équipements permettent d'en faire :

- **Webcam :** Devenues très abordables, les webcams sont des caméras vidéo conçues pour la vidéoconférence et la téléphonie sur l'Internet. Assis devant votre webcam, votre visage est visible sur l'ordinateur de tous ceux qui sont connectés avec vous.

  Quelques webcams, peuvent devenir autonomes et être utilisées comme des appareils numériques classiques. Malgré cette souplesse d'utilisation, n'espérez pas obtenir de superbes clichés. De plus, vous ne disposez pas d'un moniteur LCD pour revoir et sélectionner vos photographies, et il est généralement impossible d'adjoindre une carte de stockage amovible.

- **Caméscope numérique :** Ce sont de fabuleux petits bijoux, qui filment remarquablement, mais n'espérez pas une qualité photo comparable à celle fournie par un appareil photo numérique. A ce sujet, sachez que beaucoup d'appareils photo sont capables d'enregistrer des séquences vidéo sonorisées, mais sans offrir toutes les fonctionnalités d'un caméscope.

  Ceci dit, la convergence de ces technologies s'est améliorée. Si la vidéo numérique vous tente plus que la photo, pourquoi ne pas opter pour un caméscope capable de prendre des photos ? La Figure 3.10 montre le Concord DVx, un modèle capable de filmer au format MPEG-4, de prendre des photos de 2 mégapixels et même de lire des fichiers de musique MP3.

  Si la vidéo numérique vous intéresse, reportez-vous à l'ouvrage *La Vidéo numérique Pour les Nuls* de Martin Doucette, édité par First Interactive.

Concord Camera Corp.

Figure 3.10 : Ce caméscope Concord enregistre de la vidéo, des photos et joue de la musique.

- **Photophone :** La plupart des téléphones mobiles récents sont capables de prendre des photos et les envoyer par courrier électronique. Ou encore, si le correspondant possède lui aussi un photophone, il peut recevoir l'image directement sur son écran. Le modèle de Sanyo que montre la Figure 3.11 est même équipé d'un connecteur pour carte mémoire.

  La possibilité d'envoyer aussitôt la photo prise avec un téléphone mobile n'est pas un gadget. Un agent immobilier pourra ainsi alimenter sa base de données de biens en temps réel. N'attendez cependant pas la même qualité qu'avec un appareil photo. Même si certains modèles dépassent le mégapixel, la qualité optique n'est pas au rendez-vous.

Sprint PCS Model by Sanyo

Figure 3.11 : Les photophones sont commodes pour partager immédiatement les photos.

Le flash

Numérique ou argentique, la photo exige de la lumière. Le flash est le moyen le plus commode de la produire lorsqu'elle vient à manquer. Mais il peut aussi servir à déboucher les ombres en extérieur, compenser un contre-jour ou donner du modelé à un sujet à l'ombre.

Presque tous les appareils photo numériques sont équipés d'un flash incorporé, mais les options varient d'un modèle à un autre. Voici les principales :

- **Différents modes :** En général, trois modes sont proposés : *automatique* (activation du flash si la lumière est insuffisante), *flash d'appoint* (pour déboucher les ombres) et *flash désactivé*.

- **Elimination des yeux rouges :** Les yeux rouges sont produits par la réflexion du flash sur la rétine, lorsque la pupille est dilatée (ce qui est le cas quand la lumière est faible). Le flash est déclenché en deux temps, une fois pour obtenir, par réflexe, la contraction de la pupille et atténuer la réflexion, puis une deuxième fois, plus puissamment, pour éclairer le sujet. Le résultat n'est pas toujours à la hauteur des espérances, mais il reste possible d'éliminer cet effet indésirable dans un logiciel de retouche, comme nous le verrons au Chapitre 13.

- **Les fonctions avancées :** les appareils photo haut de gamme sont équipés d'une synchro flash lente, ce qui permet d'obtenir un arrière-plan moins sombre qu'avec un flash standard. Certains appareils permettent d'augmenter ou de réduire l'intensité du flash, ce qui est commode pour doser la lumière lorsque les conditions d'éclairage sont délicates.
- **Le flash externe :** Les appareils reflex et certains appareils automatiques haut de gamme sont équipés d'une griffe porte-accessoires visible sur la Figure 3.12, ou d'une prise pour le flash. Ces éléments intéressent le photographe professionnel et l'amateur averti, mais sont de peu d'utilité pour le photographe occasionnel. Notez que si votre appareil est dépourvu de connecteur pour flash externe, il reste la possibilité d'utiliser un *flash asservi ;* c'est un flash autonome qui se déclenche dès qu'il détecte l'éclair du flash incorporé.

Figure 3.12 : Une griffe porte-accessoires permet de brancher un flash externe.

Nous reviendrons sur les problèmes du flash au Chapitre 6.

À travers l'objectif

Quand on achète un appareil numérique, on se préoccupe des résolutions, du nombre de prises de vue, et j'en passe. Mais qui se soucie de l'objectif ?

L'objectif est l'"œil" de l'appareil. Composé d'un ou de plusieurs groupes de lentilles, il projette l'image sur la surface photosensible, c'est-à-dire le film ou le capteur.

A propos de la longueur focale

Chaque objectif se caractérise par sa *longueur focale*. C'est la distance, exprimée en millimètres, entre le centre du groupe optique et la surface sensible.

La longueur de la focale détermine l'angle de vue de l'objectif – ou "angle de champ" – et la taille du sujet dans le viseur, et donc sur le film ou le capteur.

- **Grand-angulaire :** Une courte focale se caractérise par un angle de prise de vue très étendu. Vous pouvez donc photographier plus large sans trop vous éloigner des objets ou du sujet.
- **Téléobjectif :** Son champ étroit donne l'impression de se rapprocher du sujet.
- **L'objectif normal :** Ni grand-angulaire, ni téléobjectif, l'objectif normal correspond, sur la plupart des appareils photo numériques grand public, à une focale de 35 mm.

- Le zoom intégré à l'objectif de nombreux appareils permet de varier la longueur focale vers le mode téléobjectif ou grand-angulaire.
- Quelques appareils, appelé *bifocaux,* sont équipés de deux objectifs. On dispose alors d'une focale normale pour les instantanés et d'une focale de type téléobjectif ou grand-angulaire. D'autres modèles ont aussi un mode macro pour les prises de vue très rapprochées.
- Examinez la Figure 3.13 pour vous rendre compte du champ couvert par différentes focales. Toutes les photos ont été prises du même endroit.

- Notez que les longueurs focales mentionnées ici ne sont pas les vrais chiffres, mais des *équivalences* d'objectifs 24 x 36. En raison de la diversité des tailles de capteurs, il n'est plus possible de se fier uniquement à la longueur focale pour se faire une idée du champ couvert. C'est pourquoi les fabricants ont recours à des "équivalents 24 x 36", une notion plus parlante pour les photographes éclairés.

24 mm

35 mm

36 mm

38 mm

Figure 3.13 : Plus la focale est élevée, plus le sujet est cadré serré.

> Dans cet ouvrage, quand une focale est mentionnée, c'est toujours un "équivalent 24 x 36".

Maintenant que vous savez à quoi correspond le chiffre associé à l'objectif, vous pouvez choisir un appareil numérique offrant des possibilités proches de celles des appareils argentiques. Comme je l'ai dit, un "équivalent 35 mm" est parfait pour des clichés ordinaires. Si vous envisagez les grands espaces, il faudra une focale plus courte couvrant un champ plus large. Un grand-angulaire est judicieux pour photographier dans de petites pièces ; un 35 mm vous placerait trop près du sujet pour le cadrer en pied. Les zooms sont appréciables, et équipent la plupart des modèles.

Avec un grand-angulaire, les lignes de fuite se manifestent d'autant plus que le champ est large. La convergence des lignes qui résulte, par exemple, de la photo d'un immeuble en légère contre-plongée, n'est pas très esthétique.

Zoom optique et zoom numérique

Comme cela est expliqué dans la précédente section, le zoom permet de varier le champ sans changer de place. Il est indispensable pour les photos de vacances et les portraits, ou pour isoler un sujet d'un arrière-plan, comme nous le verrons au Chapitre 7.

Si le zoom est pour vous un élément important, préférez le zoom optique, qui est un véritable zoom, au zoom numérique, qui n'est rien d'autre qu'un recadrage effectué à la prise de vue. Alors que le zoom optique utilise tous les pixels du capteur, le zoom numérique ne conserve que la partie centrale de l'image, prélevée directement sur le capteur, et l'agrandit. Il agit exactement comme vous le feriez dans un logiciel de retouche, en rognant l'image et en la redimensionnant ensuite. La qualité de l'image s'en ressent évidemment. Vous avez dit "arnaque" ? On peut le dire...

Pour plus de renseignements sur la résolution, reportez-vous au Chapitre 2. Pour en savoir plus sur les zooms optiques et numériques, lisez le Chapitre 7.

Les aides à la mise au point

Certains appareils ont une *mise au point fixe*, ce qui empêche tout réglage. Les images ainsi produites sont généralement nettes de un ou deux mètres jusqu'à l'infini.

D'autres appareils disposent d'une *mise au point manuelle* : un mode Macro pour les plans rapprochés, un mode Portrait pour les sujets situés à 4 ou 5 mètres de l'appareil et un mode Paysage pour les sujets éloignés.

Les plages de mise au point changent d'un appareil à un autre. C'est un détail important à ne pas négliger. Certains modèles permettent de photographier de très près, d'autres sont un peu moins performants. Si la photo rapprochée vous intéresse, vérifiez soigneusement la distance de mise au point minimale. En raison de la très courte focale des appareils numériques compacts, ils bénéficient d'une très grande profondeur de champ, d'où une zone de netteté plus vaste qu'en photo argentique.

Les appareils dits *autofocus* opèrent une mise au point automatique. Cette fonction est généralement accompagnée d'un *verrouillage* de la mise au point : après avoir mesuré la distance sur le sujet centré dans le viseur, le verrouillage permet de conserver le point pendant que vous changez le cadrage. Même si le sujet est à présent au bord du cadre, la mise au point reste bonne car elle a été mémorisée.

Les appareils haut de gamme permettent de débrayer l'autofocus. Vous disposez alors d'un contrôle total sur la mise au point. Celle-ci se fait en fonction de la distance qui sépare l'appareil du sujet. Vous sélectionnez cette distance, soit sur la bague des distances gravée sur l'objectif d'un appareil reflex, soit dans un menu affiché par le moniteur LCD.

Mais la mise au point manuelle n'intéresse que les photographes avertis qui tiennent à contrôler étroitement le point. Les autres utilisateurs s'en remettront à l'automatisme de l'appareil. Il peut arriver que la mise au point automatique soit difficile. Prenons l'exemple d'un tigre dans une cage (comme vous juste avant l'achat de votre nouvel appareil numérique). En général, l'autofocus fait le point sur les barreaux de la cage, laissant le tigre flou. Dans ce cas, débrayez l'autofocus et procédez à une mise au point manuelle.

Pour plus de détails sur la mise au point, reportez-vous au Chapitre 6.

Objectifs et filtres interchangeables

Un appareil photo numérique accepte la même diversité d'objectifs, de filtres et d'accessoires qu'un appareil argentique.

Si vous êtes passionné de photographie mais pas au point d'investir dans un reflex, optez pour un appareil de type bridge à objectifs interchangeables, ou acceptant des filtres. Beaucoup peuvent recevoir un élément optique additionnel – grand-angulaire et très grand-angulaire, téléobjectif ou macro – que l'on peut visser sur l'objectif de base.

De nombreux filtres sont disponibles, notamment des filtres correcteurs qui compensent la température de couleur. Ils ne sont toutefois pas indispensables car cette compensation s'effectue en modifiant la balance du blanc, comme nous le verrons au Chapitre 5. Des filtres logiciels permettent eux aussi d'appliquer des effets photographiques. Le seul filtre que vous ne pourrez pas simuler avec un logiciel est le filtre polarisant.

L'exposition exposée

Comme nous l'expliquions au Chapitre 2, l'exposition dépend de la vitesse, du diaphragme et de la sensibilité ISO. Le Chapitre 6 explique comment régler l'exposition, mais ce réglage dépend aussi des commandes de l'appareil, dont voici un rapide aperçu :

- **L'exposition automatique :** L'exposition est totalement prise en charge par l'appareil qui sélectionne la vitesse et le diaphragme.
- **Priorité à l'ouverture :** Vous réglez l'ouverture (le diaphragme) et l'appareil définit la vitesse d'obturation appropriée. Ce choix permet de définir la profondeur de champ. Les appareils d'entrée de gamme ne proposent que deux réglages : l'un pour la lumière atténuée, l'autre pour la lumière vive.
- **Priorité à la vitesse :** Vous réglez la vitesse en laissant à l'appareil le soin de régler le diaphragme. Vous privilégiez notamment cette fonction pour photographier des sujets en mouvement, et ainsi figer l'action.
- **Exposition manuelle :** Elle permet de régler aussi bien la vitesse que l'ouverture. Cette possibilité est appréciée des photographes avertis.
- **Compensation de l'exposition :** Vous décalez le couple diaphragme-vitesse – appelé "indice de lumination" – déterminé par l'exposition automatique. Ce réglage fort utile est présent sur presque tous les appareils.
- **L'exposition multiple** (ou *bracketing*) : Elle permet de prendre une série de photos à différentes expositions, comme le montre la Figure 3.14. Quand la lumière est difficile à mesurer, c'est un bon moyen pour s'assurer que dans la série, une photo au moins est parfaitement exposée. Des logiciels de retouche permettent de combiner une série de photos afin de conserver, pour chacune d'elles, la partie qui est la mieux exposée. Cela permet d'obtenir une photo dans laquelle les ombres denses et les très hautes lumières sont restituées avec un maximum de détails.
- **Les modes de mesure :** Ils quantifient la lumière disponible en fonction de l'exposition souhaitée. Les principaux modes sont :
  - **La mesure centrale :** la lumière est mesurée dans la zone centrale de l'image.

- **La mesure centrale pondérée :** L'ensemble de la lumière est mesuré, avec une prépondérance à la partie centrale de l'image.
- **Mesure matricielle ou multizone :** La lumière est mesurée sur la totalité de l'image, puis pondérée par la mesure dans les zones les plus claires et les zones les plus foncées.

Les appareils d'entrée de gamme ne disposent généralement que de la mesure multizone, parfaite pour les photos au quotidien. Les appareils plus perfectionnés proposent la mesure centrale et la mesure centrale pondérée, plus adaptées à la mesure des éclairages complexes.

Figure 3.14 : Le système d'expositions multiples automatique enregistre une série d'images dont chaque exposition est légèrement différente des autres.

- **Les modes Scène :** Ce sont des modes d'exposition qui imposent la vitesse et le diaphragme selon l'option choisie. Par exemple, le mode Portrait règle l'appareil au mieux pour photographier des visages, tandis que le mode Neige corrige l'extrême luminosité des paysages d'hiver, le mode Sport privilégiant, lui, une vitesse élevée.
- **La sensibilité ISO :** Plus elle est élevée, plus il est possible de travailler dans des conditions d'éclairage faible. Malheureusement, plus le réglage ISO est élevé, plus le capteur produit du grain. Ce problème est difficile à déceler sur l'écran LCD. Vous devrez faire des essais pour évaluer la tendance au grain.

Le bazar : est-ce vraiment une bonne affaire ?

Vous farfouillez dans l'un de ces bazars qui vendent n'importe quoi à vil prix et, entre un réveil qui dit l'heure avec l'accent chinois et des sets de table antidérapants, vous dénichez un appareil photo numérique à un prix défiant toute concurrence. Est-ce l'affaire du jour ?

Peut-être... Mais vous devez aussi savoir que c'est dans ces boutiques que les fabricants se débarrassent de leurs anciens modèles devenus invendables dans leurs boutiques habituelles. Bien que l'appareil ne soit pas foncièrement mauvais, il est sans doute dépassé et le rapport fonctionnalités-prix n'est plus à son avantage.

Des caractéristiques supplémentaires

Nous venons de voir les fonctions liées à la structure et au fonctionnement des appareils. Ajoutons-y quelques caractéristiques plus ou moins anecdotiques, mais qui ont le mérite d'exister.

Je passe à la télé !

Les appareils numériques possèdent, pour la plupart d'entre eux, une *sortie vidéo*. Elle permet de raccorder votre appareil à un téléviseur pour y contempler les photographies, voire les enregistrer sur cassette vidéo. La Figure 3.15 montre une photo affichée sur l'écran d'un téléviseur.

À quoi sert cette option ? À ennuyer un groupe d'amis avec vos dernières photos de vacances. De toute façon, ils ne se presseront pas pour les regarder sur votre moniteur informatique, aussi belles soient-elles.

La sortie vidéo est de type *PAL* ou *NTSC*. Le mode PAL est en vigueur essentiellement en Europe. En France, les chaînes hertziennes utilisent le système SECAM, tandis que le satellite et le câble diffusent les images en PAL. En revanche, le système NTSC, présent aux États-Unis et au Japon (entre autres), est pratiquement inconnu chez nous, ce qui n'a d'ailleurs rien de gênant (NdT : d'ailleurs, pour les Américains eux-mêmes, NTSC signifie *Never Try Same Color :* "ne donne jamais deux fois la même couleur").

Rappelez-vous que si la sortie vidéo est une fonction sympa, vous pourrez aussi acheter un périphérique capable de lire les images directe-

Figure 3.15 : Une soirée diapos sur la télé du salon.

ment depuis la carte mémoire. Le Chapitre 10 en présente un. Des lecteurs de DVD sont équipés de lecteurs de cartes mémoire.

En plus de ces performances vidéo, quelques appareils sont capables d'enregistrer du son pendant la prise de vue. À vous les commentaires enthousiastes sur cette belle vacancière qui oubliait systématiquement de mettre le haut de son bikini !

Retardateur et télécommande

Quoi de plus frustrant que de ne jamais être sur la photo ! Évidemment, il faut que quelqu'un soit derrière l'appareil et c'est toujours vous ! Le retardateur, bien connu sur les appareils classiques, existe aussi sur la plupart des appareils numériques.

Quelques rares appareils sont même équipés d'une télécommande : pratique pour déclencher depuis le groupe de joyeux drilles dans lequel on s'est glissé, ou pour photographier des animaux sans les effaroucher.

Il y a un ordinateur dans mon appareil !

Tous les appareils photo numériques et les ordinateurs ont des composants similaires, ne serait-ce que pour l'acquisition et le stockage des images. Les modèles les plus récents proposent cependant des fonctionnalités dignes d'un ordinateur :

- **La temporisation des prises de vue :** Quelques appareils permettent de photographier à intervalles de temps définis par l'utilisateur. Commode pour enregistrer toutes les phases d'une floraison, ou le déplacement apparent du soleil vers l'horizon.

- **La correction d'image intégrée :** De plus en plus fort, la correction des images à la volée. Plus besoin de transférer vos images sur ordinateur, c'est l'appareil lui-même qui les corrige. Ces fonctions de correction concernent le renforcement de la netteté, la correction chromatique, la balance de la luminosité, etc.

  Je ne suis pas une groupie de cette fonction ; le contrôle sur la correction est rudimentaire. J'admets cependant que les fonctions de correction intégrées peuvent sauver la mise à ceux que les logiciels de retouche impressionnent, et dont l'appareil se connecte directement à une imprimante. Dans ce cas, le traitement intégré peut sensiblement améliorer la qualité d'impression, ce qui est toujours mieux que rien.

- **PictBridge :** Cette technologie permet à l'appareil photo de communiquer directement avec une imprimante, à condition que tous deux soient compatibles PictBridge, et même s'ils sont de marques différentes. L'ordinateur n'est dès lors plus nécessaire.

- **DPOF** (*Digital Print Order Format,* Format de pilotage de l'impression numérique). Cette fonction permet de définir une tâche d'impression à partir des menus de l'appareil photo, et de marquer des photos afin de les imprimer ultérieurement. Un appareil offrant la technologie DPOF ne propose pas forcément, en plus, la technologie PictBridge.

Si votre objectif est d'imprimer vos photos le plus rapidement possible, partez à la recherche d'un appareil qui s'interface sans problème avec une imprimante. Il faut également trouver une imprimante qui peut se connecter avec l'appareil, ou qui dispose d'un lecteur de carte mémoire adapté. De nombreux modèles à jet d'encre offrent aujourd'hui une telle fonctionnalité. Le Chapitre 9 aborde ces notions plus en détail.

Un peu d'action !

Il n'est pas toujours facile de photographier des sujets en mouvement. La difficulté s'accentue lorsque vous souhaitez prendre plusieurs clichés successifs. Les fabricants viennent à votre secours avec le mode Rafale : les déclenchements se succèdent tant que le déclencheur est enfoncé. C'est parfois le seul moyen de contourner l'affichage systématique de l'image après chaque prise de vue.

Avec ce système, vous pouvez prendre un maximum de deux ou trois clichés par seconde. C'est une bonne cadence qui reste malgré tout insuffisante pour saisir tous les mouvements d'un sujet mobile.

Attention, le mode rafale est le plus souvent limité aux résolutions les plus basses de l'appareil ! Comme le flash n'a pas le temps de se recharger entre les prises, il faudra vous en passer. Nous y reviendrons au Chapitre 7.

La mode est aussi à l'enregistrement de courtes séquences vidéo au format MPEG ou MOV (QuickTime).Vous pourrez ensuite visionner les séquences sur un téléviseur ou sur l'écran de l'ordinateur, à condition qu'il dispose des logiciels requis pour lire des fichiers audiovisuels.

Quelques détails à ne pas négliger

Un bon appareil ne se résume pas à ses possibilités graphiques, encore faut-il qu'il soit accompagné d'un équipement efficace :

- **L'alimentation :** Penser que l'alimentation d'un appareil est un élément insignifiant est une profonde erreur. Son autonomie est primordiale, surtout s'il est équipé d'un écran à cristaux liquides.

  L'alimentation peut être assurée par des piles AA au lithium (voire NiMh, NiCad), qui garantissent une autonomie trois fois supérieure à celle des piles alcalines. Leur prix est en rapport avec leur grande autonomie. Le mode de fonctionnement "normal" est assuré par des batteries rechargeables. À vous de vérifier ce qui est fourni avec l'appareil (piles ou batteries), et si un chargeur est inclus ou non dans le paquet. Sinon, c'est un achat indispensable à prévoir.

Les piles ou les batteries sont un peu comme les cartouches d'encre des imprimantes. Du nombre de pages imprimées dépend l'économie substantielle réalisée. Aussi, essayez de savoir combien de photographies peuvent être prises avec le type d'alimentation fourni avec votre appareil photo numérique.

- **Adaptateur secteur :** Beaucoup d'appareils acceptent un adaptateur secteur qui permet de soulager les piles en le branchant sur une prise de courant. C'est notamment intéressant lors du transfert des images sur ordinateur. Comme l'adaptateur est le plus souvent livré en option, il faudra envisager de mettre une fois de plus la main à la poche.

- **L'ergonomie :** C'est une caractéristique essentiellement liée au design et à la disposition des différentes commandes. Observez si la personne qui vous montre le maniement de l'appareil est ou non à l'aise pour déclencher telle ou telle commande. La prise de vue est-elle intuitive ? La visualisation des images est-elle facile ? La résolution et la compression sont-elles aisément réglables ? Une fois que vous éteignez l'appareil, tous les réglages sont-ils ou non réinitialisés ? Si vous ne vous sentez pas à l'aise avec votre appareil, il deviendra très vite un fardeau.

- **Un trépied :** Les mouvements disgracieux provoqués par une maladie de Parkinson précoce ont tous le même effet : une photo floue, donc ratée (et ne prétendez pas qu'il s'agit d'un flou artistique). Pour assurer une parfaite stabilité, il est utile de fixer l'appareil sur un trépied. Ce matériel est optionnel (encore un achat supplémentaire à envisager). N'oubliez pas de vérifier que l'appareil dispose d'un pas de vis pour fixer un trépied ! La Figure 3.16 montre son emplacement.

- **La robustesse :** L'appareil est-il en plastique métallisé ou en métal massif ? La trappe d'accès à la batterie et à la carte mémoire semble-t-elle solide ? Les mécanismes d'extraction de l'objectif et de zoom fonctionnent-ils en douceur et sans à-coups ?

La connectique : Les appareils photo se connectent au port USB de l'ordinateur. Si votre PC de bureau ou portable en est dépourvu, sachez qu'il est possible d'installer une carte USB dont le prix est relativement modique. Un ancien appareil photo risque de devoir être connecté au port série, particulièrement lent. Enfin, certains appareils se connectent sans fil, *via* une liaison IrDA (infrarouge) ou Bluetooth.

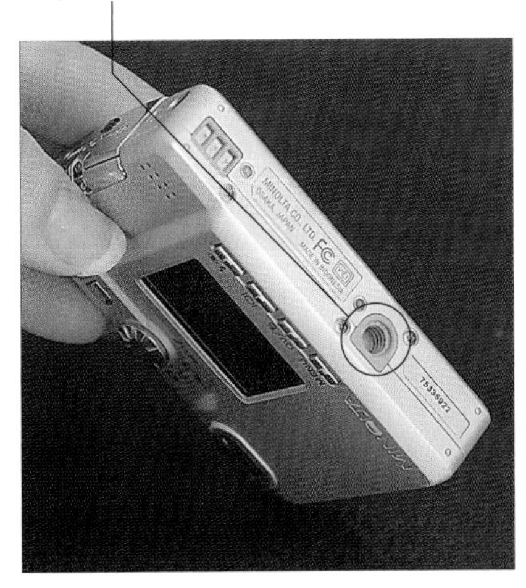

Figure 3.16 : Cet orifice fileté sert à fixer l'appareil sur un trépied.

Les appareils pour débutants proposent parfois un "transfert d'une seule touche". Le même système permet d'envoyer facilement les images à des correspondants via le Web.

Quoi qu'il en soit, assurez-vous toujours que l'ordinateur est équipé de la connectique requise par le matériel photo. Le cas échéant, des cartes d'extension peuvent être installées. D'autres appareils sont livrés avec une station d'accueil branchée à demeure à l'ordinateur, qui prend en charge les transferts, le rechargement de la batterie et propose même un diaporama du contenu de la mémoire. La station d'accueil est parfois intégrée à une imprimante photo.

Si vous utilisez des cartes mémoire, le transfert peut s'effectuer à partir d'un lecteur de carte connecté ou intégré à l'ordinateur. Vous devrez aussi connecter l'appareil photo à l'ordinateur pour télécharger de temps en temps la nouvelle version du microprogramme, le logiciel interne de l'appareil qui régit ses fonctions.

- **Le logiciel :** Tous les appareils sont fournis avec un logiciel de transfert d'images. Vous disposerez parfois d'un programme de retouche tel que Photoshop Elements. Une pareille offre logicielle n'est pas à négliger et peut même s'avérer déterminante dans votre prise de décision finale.

- **Garantie et retour :** comme pour tout achat, vous devez vous renseigner sur la garantie – elle est légalement de 2 ans – et sur les modalités de retour, en cas d'incident durant la période de garantie.

Quelques conseils d'achat

Ce chapitre vous a donné les bases d'un jugement "objectif" sur le ou les équipements à acquérir. Comme notre propos n'est pas d'établir un comparatif entre les différents modèles présents sur le marché, je vous engage à vous documenter sur les produits qui vous intéressent.

De nombreux magazines informatiques traitent de la photographie numérique, avec des comparatifs poussés. Vous pourrez aussi approfondir vos connaissances via des magazines consacrés partiellement ou totalement à la photo numérique, avec des tests extrêmement détaillés et instructifs.

Enfin, si votre curiosité n'est pas satisfaite, allez faire un tour sur les sites Internet des différents fabricants. Vous y découvrirez les caractéristiques "officielles" des modèles présents et même à venir. Reportez-vous au Chapitre 16 pour en savoir plus sur les sites Web.

Les magazines informatiques et les sites Web passent régulièrement en revue l'actualité de la photo numérique. Ne vous fiez pas à ce que vous lisez dans un journal ou sur un site. Forgez-vous une opinion sans faille en lisant les résultats de plusieurs essais.

Chapitre 4

Des accessoires supplémentaires

Dans ce chapitre :

- Acheter et utiliser une mémoire amovible.
- Transférer facilement les images dans l'ordinateur.
- L'archivage.
- Rechercher le meilleur logiciel de retouche.
- Stabiliser et éclairer.
- Protéger l'appareil photo.
- Quand la souris se fait stylet.

L'achat d'un appareil photo n'est souvent que le premier pas qui prélude à l'achat d'une foultitude d'accessoires et d'équipements plus ou moins indispensables. Ce chapitre présente tout ce que vous devez savoir sur le sujet pour mieux préparer votre prochaine commande au Père Noël.

Notez que les prix mentionnés ne sont qu'indicatifs et, comme c'est la règle en photographie numérique et en informatique, susceptibles d'une baisse rapide. Ce dont personne ne se plaindra.

Les cartes mémoire et autres supports

Si votre appareil stocke ses images sur un support amovible, il était certainement livré avec une carte mémoire d'une capacité de 16 ou 32 Mo.

A l'époque où la résolution des images était relativement faible, 16 Mo était largement suffisant. Mais aujourd'hui, avec les appareils à plusieurs mégapixels, cette capacité ne fait que dépanner en attendant d'acquérir une carte mémoire plus conséquente.

La bonne nouvelle est que le prix de ces cartes a considérablement baissé. Une carte mémoire de 256 Mo coûte une vingtaine d'euros.

Combien d'images peut contenir une carte mémoire ? Tout dépend de la résolution et du format de fichier. Tous deux contribuent en effet à rendre le fichier plus volumineux, et donc à accroître son encombrement en mémoire. Reportez-vous au Chapitre 3 pour les détails.

Le Tableau 4.1 indique le nombre approximatif d'images selon la taille de la carte mémoire. Les photos sont censées être au format JPEG, modestement compressées afin de préserver leur qualité. Si vous préférez photographier aux format TIFF ou Raw, sachez que les fichiers seront notablement plus volumineux. Et si vous optez pour un format JPEG encore plus compressé, ils seront moins volumineux.

Tableau 4.1 : Contenance approximative d'une carte mémoire.

Résolution	16 Mo	32 Mo	64 Mo	128 Mo
1 mégapixel	17	34	68	136
2 mégapixels	12	24	48	96
3 mégapixels	9	18	36	72
4 mégapixels	6	12	24	48

Le manuel de votre appareil contient sans doute un tableau à peu près identique à celui du Tableau 4.1, mais adapté aux spécificités de votre équipement. En emportant quelques cartes supplémentaires, vous bénéficierez d'une plus grande autonomie tout en ayant moins de transferts vers l'ordinateur à opérer.

Quelques conseils d'achat

Voici quelques recommandations utiles lors de l'achat d'une carte mémoire :

- La plupart des appareils photo n'acceptent qu'un seul type de mémoire. Reportez-vous au manuel pour le connaître (reportez-vous au Chapitre 3 pour connaître les types de mémoire les plus courants). Vous n'êtes pas obligé de vous en tenir à une marque. En revanche, vous devez respecter le type : SD, CompactFlash, Memory Stick...

- Certaines cartes sont plus rapides que d'autres. La photo est enregistrée plus vite, ce qui est un avantage pour les photographes d'action. Leur prix plus élevé n'est cependant pas toujours justifié pour un usage courant. De plus, l'appareil photo doit être capable d'exploiter cette vitesse accrue ; ce n'est pas le cas de la plupart des compacts. Ensuite, vous ne décèlerez peut-être pas la différence, sauf si vous travaillez en haute résolution (5 Mo et plus). Visitez le site du fabricant avant de craquer pour ce genre de carte mémoire.

- Le prix au méga-octet baisse lorsque la capacité s'accroît. Il est plus avantageux pour une carte de 256 Mo que pour une carte de 32 Mo.

- Un dernier conseil aux utilisateurs de cartes SmartMedia : la plupart des fabricants l'ont abandonnée, ce qui explique le prix relativement élevé de cette carte. Elles existent en deux voltages : 3,3 et 5 volts. Vérifiez bien ce détail au moment de l'achat. Notez aussi que certains appareils photo sont incapables d'exploiter toute la capacité d'une carte SmartMedia. Lisez attentivement le manuel de l'appareil avant d'en acheter une.

Précautions d'usage sur l'utilisation des cartes mémoire

La fiabilité des cartes miniatures n'est plus à démontrer. Cependant, pour assurer leur pérennité, il est préférable de se conformer aux règles d'utilisation ci-dessous :

- Une carte mémoire doit parfois être formatée avant sa première utilisation. Cette procédure est décrite dans le manuel livré avec votre appareil photo numérique.

  Veillez à ne pas formater une carte contenant des photos, car elles seraient irrémédiablement effacées.

- Ne retirez jamais une carte mémoire pendant que l'appareil prend une photo, filme ou accède aux données. Bon nombre d'appareils disposent d'un voyant lumineux qui témoigne de l'activité de la carte mémoire.

- Ne coupez pas l'alimentation de votre appareil quand il accède aux données de la carte mémoire.
- Ne touchez pas les connecteurs de vos cartes. Ce sont généralement des contacteurs plaqués or situés sur un côté de la carte.
- Nettoyez une carte avec un chiffon doux et sec. La saleté et les empreintes digitales peuvent compromettre les performances d'une carte mémoire.
- Évitez de stocker vos cartes dans un endroit ensoleillé, poussiéreux ou humide. Attention aussi à l'électricité statique.
- Oubliez la rumeur selon laquelle les scanners à rayons X des aéroports auraient tendance à détruire les données contenues dans les cartes mémoire.
- Pour conserver les cartes mémoire dans de bonnes conditions, rangez-les dans l'étui ou le boîtier d'origine. Pour transporter plusieurs cartes, achetez un porte-cartes. Celui de Lowepro (voir Figure 4.1) est équipé d'emplacements pour des cartes et pour des batteries (`www.lowepro.com`).

LowePro USA

Figure 4.1 : Un étui pour cartes mémoire et batteries supplémentaires..

Les périphériques de transfert

Autrefois, la plupart des appareils photo numériques étaient livrés avec un câble Série destiné à transférer les images vers l'ordinateur. Ce procédé était terriblement lent : il fallait compter une vingtaine de minutes, voire plus, pour transférer une douzaine de photos en basse résolution.

Les fabricants ont tous adopté le transfert par le port USB. (NdT : attention au standard USB. Seul l'USB 2.0 *High Speed,* dont le taux de transfert est de 480 mégabits par seconde (mp/s), est valable. L'autre, le port USB 2.0 *Full Speed,* est une honteuse arnaque, car le taux de transfert n'est que de 12 mp/s, soit 40 fois moins !)

L'USB permet de transférer rapidement les images de l'appareil vers l'ordinateur. Mais vous devez avoir le câble sous la main chaque fois que vous comptez faire des transferts et l'appareil photo doit être allumé au cours du processus, ce qui pompe la batterie, à moins de disposer d'une alimentation externe.

Une meilleure solution consiste à recourir à l'un de ces accessoires :

- **Lecteur de cartes mémoire :** Branché à l'ordinateur, ce dernier le considère comme n'importe quel autre lecteur (disque dur externe, lecteur de disquette 3"1/2...) connecté à un port USB. Ensuite, vous manipulez les fichiers des photos comme n'importe quel autre fichier informatique, par des glisser-déposer d'un dossier à un autre.

  Vous trouvez des lecteurs n'acceptant qu'un seul type de carte à une quinzaine d'euros, mais pour un surcoût modique, vous obtiendrez un lecteur multicartes comme celui de Sandisk que montre la Figure 4.2, qui accepte 12 types de cartes. Commode si des invités équipés d'un autre matériel que le vôtre vous proposent de laisser chez vous une copie des photos de la soirée.

SanDisk Corporation

Figure 4.2 : Un lecteur de cartes mémoire facilite le transfert des images.

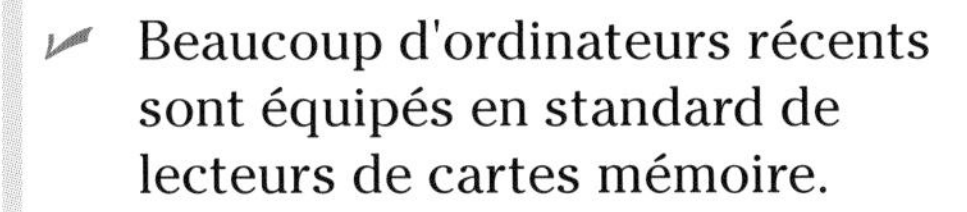

- Beaucoup d'ordinateurs récents sont équipés en standard de lecteurs de cartes mémoire.

- **Adaptateur de PC Card :** Les ordinateurs portables sont souvent équipés d'un connecteur PCMCIA qui permet de brancher des cartes spéciales – les PC Card – qui ajoutent une fonctionnalité nouvelle : disque dur, modem, carte réseau, ports USB rapide, mais aussi : lecteur de carte mémoire. Il existe également des modèles acceptant les disques durs IBM Microdrive. La Figure 4.3 montre un adaptateur pour carte CompactFlash. Une fois la carte introduite, vous l'utilisez comme un disque dur classique.

MediaGear

Figure 4.3 : Cet adaptateur de MediaGear (`http://web.mymedia-gear.com/`) rend les cartes CompactFlash compatibles avec les connecteurs PCMCIA d'un ordinateur portable.

- **Station d'accueil :** Des fabricants ont développé des *stations d'accueil*, c'est-à-dire un périphérique qui peut rester connecté en permanence au port USB de l'ordinateur, voire à une imprimante. Pour transférer des photos, insérez l'appareil dans sa station d'accueil et appuyez sur un ou deux boutons pour lancer la procédure, qui s'effectue automatiquement.

  La plupart des stations rechargent aussi la batterie de l'appareil, et quelques-uns offrent une fonction d'envoi des photos par courrier électronique. Il existe même des stations d'accueil intégrés à une imprimante photo, comme le modèle de chez Kodak que montre la Figure 4.4.

  Peu d'appareils sont vendus avec la station d'accueil. Vendue séparément, elle coûte de 50 à 150 euros, selon qu'il s'agisse d'un modèle simple ou intégré à une imprimante. Consultez le site Web du fabricant de votre appareil pour vous informer.

- **Imprimante photo avec connecteur de carte mémoire :** Si vous disposez d'une imprimante capable d'imprimer les images depuis la carte mémoire de votre appareil, vous pouvez peut-être l'utiliser pour transférer vos photos dans l'ordinateur. Cependant, cette opération est d'une lenteur décourageante si l'imprimante est connectée au port parallèle de l'ordinateur. Vérifiez dans le guide

Figure 4.4 : Certaines stations d'accueil sont intégrées à une imprimante.

> d'utilisation de votre matériel si le transfert des images est possible par le biais de ce lecteur incorporé.

L'archivage des photos

La gestion des archives numériques – vos photos, en l'occurrence – ne doit pas être négligée. En effet, s'il était de bon ton, par le passé, d'engranger films et tirages dans des boîtes à chaussures, cette désinvolture n'est plus de mise pour les fichiers d'image. Si vous tenez à conserver vos précieux souvenirs, vous devez vous en occuper.

Les solutions de stockage à long terme ne manquent pas. Vous choisirez celle qui correspond le mieux à vos exigences et à votre budget. Pour commencer, vous pouvez envisager d'ajouter un deuxième disque dur à votre ordinateur ou mieux, un disque dur externe de 150 ou 200 Go, voire plus.

Bien qu'un deuxième disque dur puisse temporairement résoudre le problème du stockage des photos, vous devrez néanmoins investir dans un périphérique externe amovible. Un disque dur pouvant tomber en panne, il est indispensable de disposer aussi de copies sur l'un des supports décrits ci-dessous.

Examinons les trois supports de stockage les plus utilisés actuellement par les particuliers et dans les petites entreprises. Nous aborderons les logiciels d'archivage au Chapitre 8.

- **La disquette :** C'était le support de stockage de prédilection il y a quelques années. Mais comme sa capacité n'est que de 1,44 Mo, donc insuffisante pour l'archivage des documents audiovisuels, elle est tombée en désuétude. A tel point que beaucoup d'ordinateurs ne sont même plus équipés de lecteur de disquette (il existe toutefois les lecteurs de disquette externes, fonctionnant sur le port USB).

- **Les disquettes de grande capacité :** Certains fabricants proposent ce que l'on pourrait appeler une superdisquette (Zip, Jaz et ainsi de suite). Ici les capacités sont bien plus importantes, puisqu'elles peuvent atteindre le gigaoctet. Certains ordinateurs sont équipés en standard de lecteurs Zip Iomega capable de lire des disquettes de 100, 250 et 270 Mo. Ce support est peu à peu supplanté par la clé USB.

- **La clé USB :** Cet accessoire connaît un succès qui ne se dément pas en raison de sa compacité – une tige de quelques centimètres –, de sa fiabilité et de sa capacité phénoménale. La plupart des clés stockent 64, 128 ou 256 Mo, mais certaines ont une capacité de 1 ou 2 Go (2 048 Mo). Leur contenu peut être protégé par un mot de passe et/ou crypté, et pour fonctionner, une clé USB ne nécessite aucun logiciel (sauf sous l'antique Windows 98).

- **Le CD-ROM :** Le support le moins onéreux et le plus fiable, à long terme, est le CD-ROM. Si votre ordinateur est récent, il est sans doute équipé d'un graveur de CD. Autrement, vous trouverez des modèles externes à moins de 100 euros. Le CD lui-même est bon marché, surtout s'il est acheté par lot de 50 ou de 100. Reportez-vous à l'encadré "CD-R ou CD-RW ?" pour en savoir plus sur les types de CD.

  Il y a quelque temps, j'aurais déconseillé la gravure sur CD car elle était un peu délicate et compliquée. Elle est a présent extrêmement facile et à la portée de tous. La capacité d'un CD-ROM est de 650 Mo.

  Ceci dit, la gravure d'un CD n'est pas aussi simple que la copie sur une clé USB car :

  - Des problèmes de compatibilité peuvent empêcher les vieux ordinateurs de lire tel ou tel type de CD-ROM.

  - Pour le choix des CD, vous serez confronté à des notions techniques pas toujours évidentes.

  Donc, si la technique vous rebute, vous préférerez sans doute confier la gravure de vos CD à un professionnel. Les boutiques photo peuvent s'en charger. Les photos seront copiées directement depuis la carte mémoire. Et si le CD n'est pas plein, vous pourrez rajouter des photos par la suite.

- **DVD :** Proche cousin du CD-ROM, le DVD offre une capacité plus élevée que le CD-ROM. Un DVD simple couche contient jusqu'à 4,7 Go de données.

  Bien que le DVD semble l'emporter sur le CD-ROM, pour l'archivage, je ne recommande pas trop cette formule car les fabricants ne se sont pas encore mis d'accord sur un standard. De plus, de nouvelles technologies, comme le disque Blu-ray – destiné plutôt au *home cinema* – risquent de changer la donne. Bref, il n'est pas certain que les DVD gravés aujourd'hui soient lisibles avec les équipements à venir. De plus, Un DVD n'est pas lisible par un lecteur de CD-ROM.

Comme toutes les données informatiques, l'image numérique se dégrade avec le temps. A quelle vitesse ? Tout dépend du support. Sur les supports magnétiques, comme les disquettes, disques durs et clés USB, cette dégradation se manifeste après une dizaine d'années. Autrement dit : n'archivez pas à long terme sur ces supports.

Le stockage sur CD-ROM est plus sûr. Certains fabricants annoncent une durée de vie de plus de 100 ans, celle des CD-RW se limitant à 30 années. Ces chiffres ne sont valables que si les conditions de stockage (température, hygrométrie, lumière...) sont idéales. Mais la controverse n'est pas close. Un CD est fragile, se raye facilement et son substrat acrylique tend à jaunir et se craqueler. Pour plus se sécurité, gravez toujours deux CD : l'un pour l'archivage à long terme, l'autre pour être manipulé au quotidien.

Pour encore plus de sécurité, imprimez vos photos. Ainsi, en cas d'incident avec l'informatique, il vous restera la possibilité de numériser les tirages avec un scanner – la qualité ne sera plus tout à fait celle des originaux – et obtenir ainsi de nouveaux fichiers. Le Chapitre 9 explique comment imprimer.

CD-R ou CD-RW ?

Il existe deux types de CD : les CD-R, où le "R" signifie Recordable, enregistrable, et les CD-RW, où "RW" signifie ReWritable, réinscriptible. La plupart des graveurs de CD s'accommodent des deux.

Un CD-R peut être gravé et regravé jusqu'à ce qu'il soit plein. Mais il est impossible de supprimer des fichiers pour libérer de la place. L'avantage est que les fichiers ne risquent pas de disparaître accidentellement. Les CD-R sont bon marché (moins d'un quart d'euro l'unité). Je vous conseille toutefois de ne pas acheter les CD-R sans marque, bon marché mais peu fiables.

Un peu plus cher, le CD-RW s'utilise comme le CD-R, mais si son contenu ne vous intéresse plus, vous pouvez l'effacer entièrement et graver de nouvelles données (l'effacement partiel n'est pas possible). En raison des risques d'effacement accidentel – confondre un CD avec un autre est vite fait –, le CD-RW ne se prête pas à l'archivage à long terme. De plus, il vieillit plus vite que le CD-R.

Le CD-R se distingue aussi du CD-RW sur un autre point important : la compatibilité avec les lecteurs de CD. Si vous confiez un CD-RW à quelqu'un d'autre, ce dernier doit disposer d'un lecteur à la norme Multiread. Tous les nouveaux lecteurs la reconnaissent. Les vieux lecteurs lisent les CD-R sans problème, bien que parfois, le CD doive être gravé en tenant compte des spécificités des anciens matériels.

Stockage et visualisation

Même si vous possédez plusieurs cartes mémoire de grande capacité, vous les aurez rapidement remplies si vous travaillez au format Raw. Fort heureusement, plusieurs fabricants proposent des unités de stockage autonomes dans lesquelles vous transférerez vos images, libérant ainsi vos cartes pour de nouvelles aventures.

Un modèle comme l'Epson P-200 que montre la Figure 4.5 est équipé d'un écran de visualisation. Pour montrer les photos à votre entourage, cette option est plus commode que faire passer l'appareil photo de main en main pour que chacun puisse voir.

Seiko Epson Corp.

Figure 4.5 : Cette unité de stockage autonome d'Epson est équipée d'un écran de visualisation de grande taille.

Le prix d'une unité de stockage autonome varie selon sa capacité. L'Epson P-200, qui contient jusqu'à 40 Go, coûte environ 500 euros. Plusieurs modèles peuvent être connectés directement à une imprimante, jouer des fichiers de musique ou être branchés à un téléviseur.

Les solutions logicielles

Beaux et séduisants, les appareils photo tiennent la vedette dans le monde de l'imagerie numérique. Mais, sans un logiciel qui permette d'intervenir sur les images, votre appareil serait bien moins attrayant. C'est pourquoi les sections qui suivent sont consacrées aux logiciels qui vous aideront à mieux l'exploiter.

Les logiciels de retouche

Un logiciel de retouche – qui appartient à la famille des logiciels graphiques – permet de faire quasiment ce que vous voulez de vos images : corriger la luminosité, le contraste, la température de couleur, recadrer l'image, appliquer des effets spéciaux et des filtres, faire des montages photo, etc. La Quatrième partie de ce livre est consacrée aux manipulations que vous pouvez infliger à vos photos.

Les logiciels de retouche ne manquent pas. Certains sont destinés aux débutants, d'autres aux utilisateurs plus avertis. Les sections qui suivent vous aideront à déterminer ceux qui correspondent à vos besoins.

Les logiciels d'entrée de gamme

Il s'agit de programmes réservés aux débutants. Leur fonctionnement est structuré autour d'assistants qui guident l'utilisateur pas à pas dans ses créations. Corel Photo Album (`www.corel.fr`) et Microsoft Picture It! font partie de cette gamme.

Ces logiciels offrent des outils de correction de base ainsi que bon nombre de fonctions de prise en main. Les *assistants* qui vous guident étape par étape simplifient la réalisation de tâches comme la création de cartes de visite, de calendriers ou de cartes postales virtuelles. La Figure 4.6 montre la création d'un calendrier avec Corel Photo Album.

Chaque programme essaie de se distinguer des autres en proposant des fonctions inédites. Mais tous poursuivent le même but : améliorer la qualité des photographies.

Les logiciels professionnels

Conçus pour la presse, le design, l'illustration et les artistes expérimentés, les programmes professionnels sont plus puissants et offrent des fonctions graphiques inégalées par les logiciels grand public.

Observons un exemple significatif avec la retouche d'une photo surexposée. Dans un programme d'entrée de gamme, vous réduirez l'exposition sur la totalité des couleurs de l'image. Dans un logiciel professionnel, vous pourrez modifier les tonalités claires, sombres ou intermédiaires, indépendamment les unes des autres.

De plus, des outils de modification de la densité permettent d'appliquer à une photo le même traitement que sous l'objectif d'un agrandisseur : des parties de l'image peuvent être "retenues" afin qu'elles ne soient pas

Figure 4.6 : Les programmes d'entrée de gamme sont dotés d'assistants qui guident l'utilisateur dans toutes sortes de créations.

trop denses ou au contraire, on peut "donner de la lumière" pour éclaircir des ombres bouchées.

Dans un logiciel comme Photoshop, il est possible de définir des scripts permettant d'appliquer automatiquement des modifications et des effets spéciaux sur un lot de nombreuses images, ce qui évite la répétition d'opérations fastidieuses.

Si les fonctions de tels programmes sont impressionnantes, il faut avouer que leur interface l'est aussi. Ne comptez pas sur des assistants, absents dans ce genre de logiciel. La seule manière de les maîtriser, c'est d'apprendre et de pratiquer. La Figure 4.7 montre l'interface d'Adobe Photoshop (`www.adobe.fr`), le logiciel de retouche le plus connu. Ce n'est pas exactement ce qu'il y a de plus intuitif... Prévoyez l'achat d'ouvrages techniques. Autre point quelque peu rebutant pour un amateur : son prix d'environ 1 000 euros.

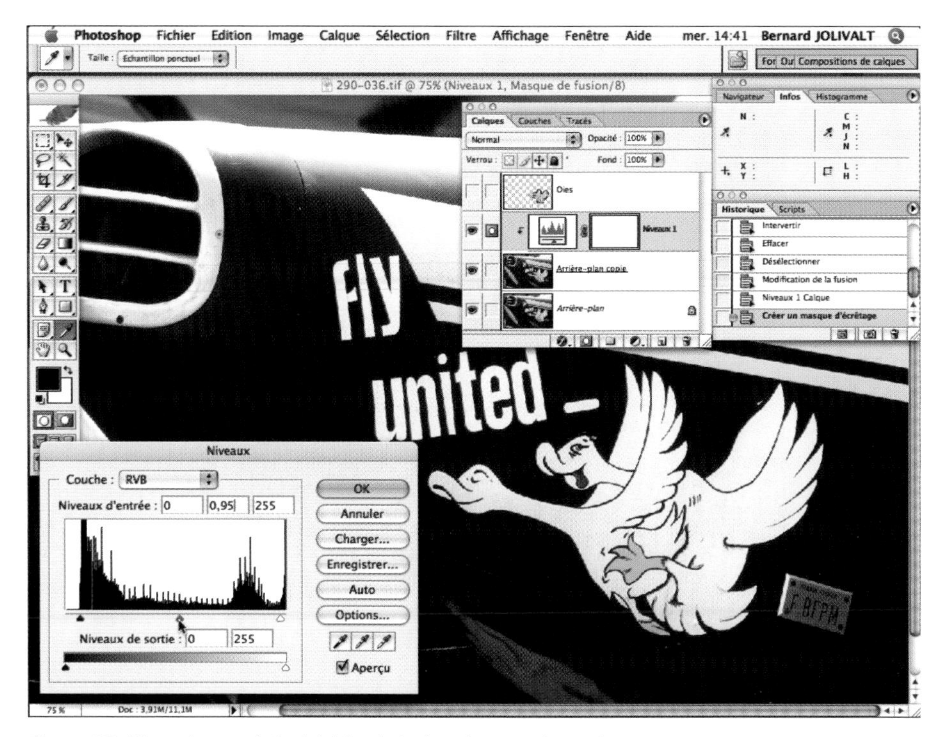

Figure 4.7 : Photoshop est le logiciel de choix des photographes exigeants.

Il existe heureusement des solutions moins onéreuses pour les passionnés non fortunés. L'un des plus connus est sans doute Photoshop Elements, vendu 150 euros environ, que nous utiliserons dans la Quatrième partie de ce livre (voir Figure 4.8). Il comporte tous les outils de base de son aîné, avec en prime une aide intégrée qui facilite leur prise en main. Vous pouvez aussi porter votre choix sur d'autres logiciels du même niveau, comme Corel Paint Shop Pro (`www.corel.fr`), Ulead PhotoImpact (`www.ulead.fr`).

Avant de commander ou d'acheter un logiciel graphique, faites un tour sur le Web et téléchargez des versions d'évaluation. Vous pourrez ainsi essayer les produits, généralement pendant 30 jours, vous faire une idée précise de leurs fonctionnalités et opter pour celui qui vous convient le mieux.

Figure 4.8 : Pour 150 euros, Photoshop Elements 4 comble les besoins des photographes numériques débutants.

Les logiciels spécialisés

En plus d'un logiciel destiné à la correction et la retouche des photos, vous en trouverez d'autres concernant la photographie numérique. En voici quelques-uns :

- **Les logiciels d'archivage :** Ils servent à classer rationnellement les photos. La Figure 4.9 montre l'un des plus connus : ACDSee (`http://fr.acdsystems.com/`).
- **Les logiciels pour diaporamas :** Ils permettent de créer des présentations multimédias. La plupart, comme SimpleStar PhotoShow Deluxe (`www.simplestar.com`) montré au Chapitre 1, sont en anglais.
- **Les modules pour effets spéciaux :** Ils ajoutent des fonctionnalités à un logiciel graphique. L'un de mes préférés est Nik Color Efex Pro

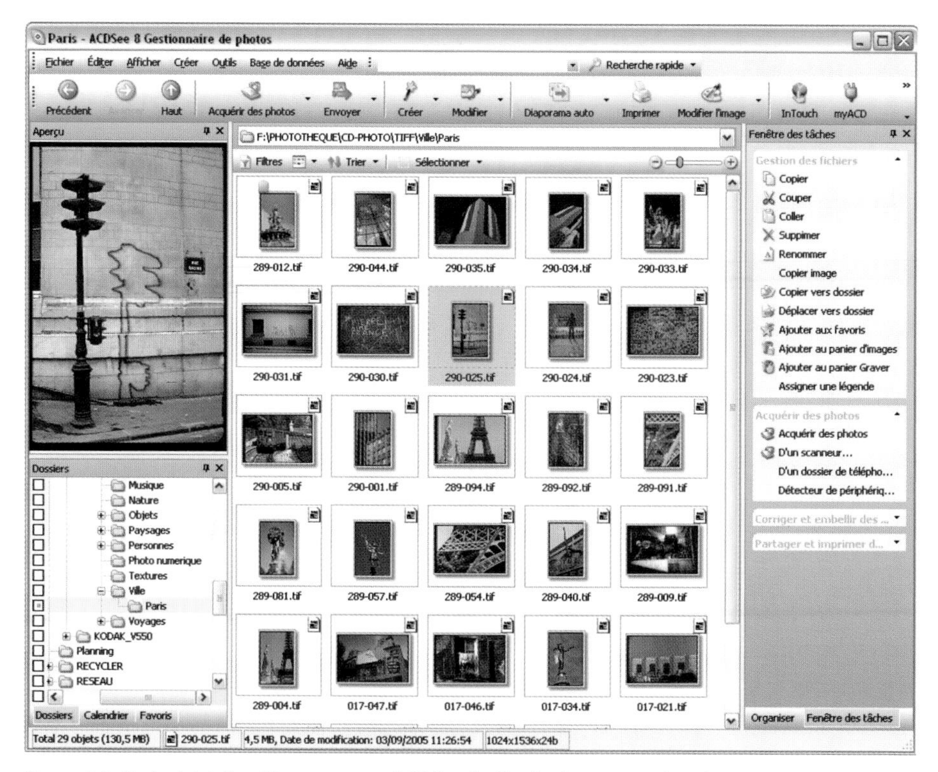

Figure 4.9 : Un logiciel d'archivage comme ACDSee facilite le classement des photos.

(`www.nikmultimedia.com`) que montre la Figure 4.10. Utilisable avec Photoshop et Photoshop Elements, il applique des effets habituellement obtenus avec des pellicules spéciales ou des filtres d'effets.

- **Les logiciels de peinture :** Ils simulent les supports traditionnels (papier, toile...) ainsi que les instruments (pinceaux, fusains, couteaux...). Au Chapitre 13, vous découvrirez l'un des plus connus de cette catégorie, Corel Painter.

Enfin, vous pourrez envisager l'achat de logiciels carrément ludiques, comme BrainsBreaker (`www.brainsbreaker.com`), illustré à la Figure 4.11. Ce programme peu onéreux (10 dollars) transforme une photo en puzzle. Les pièces sont déplacées à la souris.

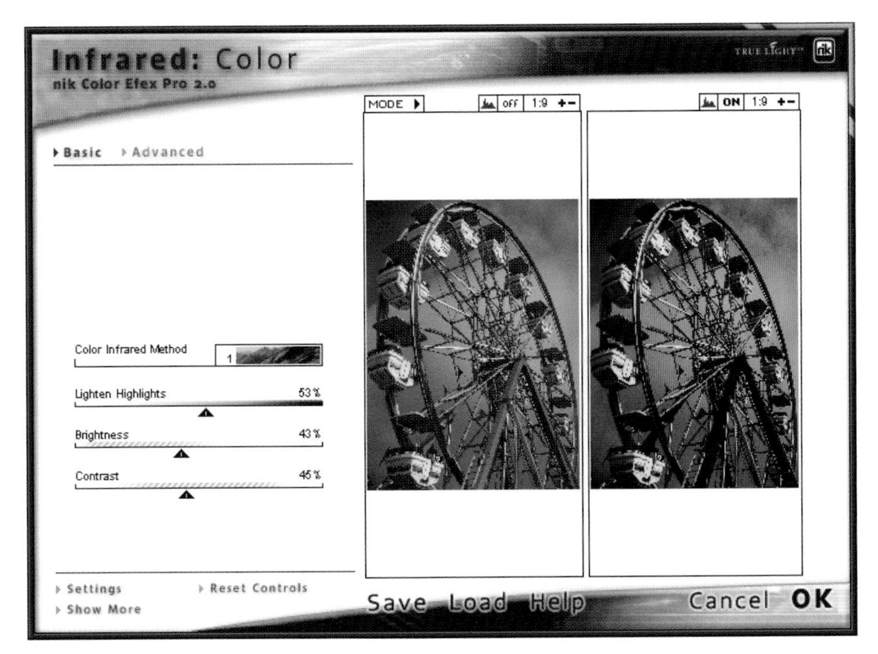

Figure 4.10 : Des modules comme ceux de Nik Multimedia ajoutent des fonctionnalités spéciales au logiciel de retouche.

Quelques accessoires

Outre les éléments qui facilitent les échanges entre l'appareil et l'ordinateur, il existe des accessoires qui, sans être indispensables, sont utiles à un photographe avisé.

- **Objectifs supplémentaires :** Améliorez vos prises de vue en investissant dans des objectifs : grand-angulaire, macro, téléobjectif... Certains appareils acceptent des objectifs complémentaires : ce sont des éléments optiques vissés sur l'objectif fixe pour le convertir en grand-angulaire, téléobjectif ou objectif macro.

- **Trépied :** Même avec un temps de pose normal, le moindre mouvement compromet la netteté de la photo. Pour réussir vos prises de vue, il est indispensable que l'appareil soit parfaitement immobile. Si vous constatez que vos images semblent un peu enveloppées, investissez dans un trépied. Il assurera une stabilité parfaite lors de la prise de vue.

Figure 4.11 : BrainsBreaker transforme une photo en puzzle.

Alfred DeBat, l'éditeur technique de cet ouvrage, conseille cette méthode pour tester la stabilité d'un trépied : déployez-le à sa hauteur maximale, rentrez la colonne centrale, puis essayez de pivoter la tête comme si elle était un bouton de porte. Si le trépied pivote aisément, choisissez un autre modèle.

- **Pare-soleil pour écran LCD :** Que ce soit en vidéo ou en photo, les écrans de contrôle sont illisibles en cas de luminosité intense. Un pare-soleil y remédiera. Plusieurs fabricants en proposent. Une société comme Hoodman (`www.hoodmanusa.com`) en fabrique sur mesure.

- **Une boîte à lumière :** Si vous devez photographier des objets de petite taille sans qu'ils projettent des ombres disgracieuses et sans que l'environnement se reflète dedans (c'est le cas des bijoux, des articles chromés...) placez-les dans une sorte de tente qui diffuse la lumière. Des exemples sont montrés au Chapitre 6.

- **Un fourre-tout :** Les appareils photo sont fragiles. Assurez leur sécurité et leur longévité en les transportant dans un sac prévu à cet effet. Vous pourrez, en outre, y ranger tous vos accessoires. Le sac de transport est le compagnon idéal du reporter numérique.

Quand la souris se fait stylet

Pour terminer ce chapitre, je vais parler d'un périphérique qui fait un peu bande à part : la tablette graphique.

Elle permet de dessiner à l'aide d'un stylet, restituant à l'utilisateur toutes les sensations qu'il peut avoir en maniant un crayon, un pinceau, un feutre ou un aérographe. L'essayer, c'est l'adopter.

Une tablette graphique pour professionnel est onéreuse, mais il existe des modèles grand public d'excellente qualité, comme la Graphire de Wacom (`www.wacom-europe.com/fr`).

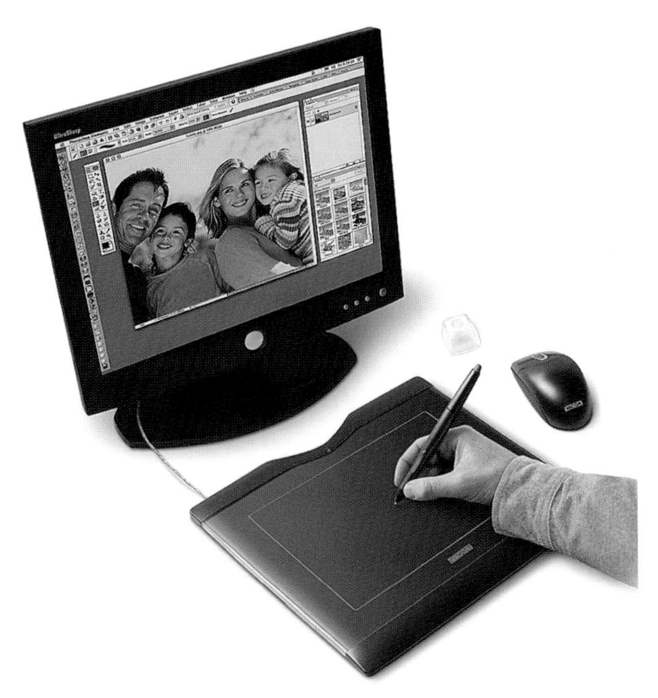

Wacon Technology

Figure 4.12 : Les retouches compliquées sont beaucoup plus faciles à réaliser avec une tablette graphique comme la Graphire de Wacom.

Les infographistes utilisent des tablettes de grande dimension dont le prix dépasse allègrement plusieurs centaines d'euros. Le modèle de la Figure 4.12 est doté d'une zone active d'environ 15 x 20 cm. Il existe un modèle plus petit, dont la surface active est d'environ 10 x 13 cm, largement suffisant pour un travail sporadique. La tablette Graphire est livrée avec un stylet et une souris sans fil, ce qui permet de passer rapidement de l'un à l'autre de ces périphériques.

Métadonnées dans le fichier

La plupart des appareils photo, notamment ceux des gammes moyenne et supérieure, enregistrent des métadonnées en même temps que la photo. Les métadonnées sont des informations techniques – diaphragme, vitesse, compensation de l'exposition... – introduites dans le fichier d'image.

Les métadonnées sont enregistrées dans une variante du format JPEG appelée EXIF (eXchangeable Image Format, format d'image échangeable). Beaucoup de logiciels de retouche, dont Corel Photo Album, sont capables de lire les métadonnées EXIF, comme le révèle l'illustration.

Grâce aux métadonnées, vous n'avez plus à trimballer le carnet que les passionnés de photo trimballaient partout avec eux, notant scrupuleusement les réglages de la photo qu'ils venaient de faire (NdT : certains appareils couplés à un GPS enregistrent même les coordonnées géographiques de la prise de vue).

Deuxième partie

La prise de vue sans prise de tête

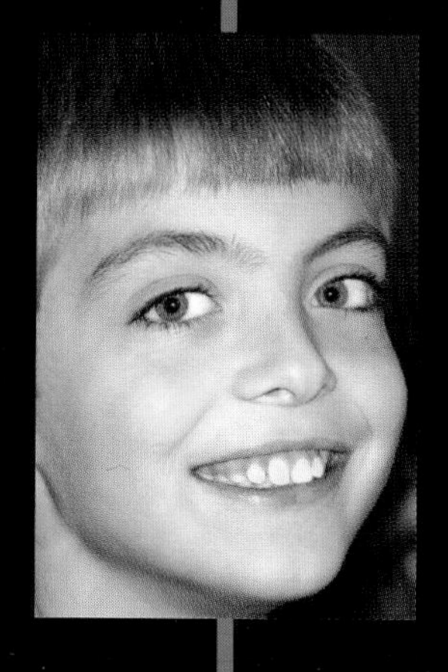

Dans cette partie...

La plupart des appareils photo numériques sont à automatisme intégral. Autrement dit, vous cadrez le sujet et vous appuyez sur le bouton.

Mais, comme pour la photo argentique, la prise de vue en numérique n'est pas aussi simple que les fabricants voudraient nous le faire croire. Avant de viser et de déclencher, vous devrez tenir compte de quelques paramètres, si vous tenez à faire de belles images. C'est ce que nous verrons dans cette partie du livre.

Le Chapitre 5 explique les réglages de base d'un appareil photo. Au Chapitre 6, vous découvrirez ce qui fait une belle photo : une mise au point et une exposition précises. Le Chapitre 7 est consacré à la composition, la photo d'action, l'utilisation du zoom, etc.

En substituant l'approche "réfléchir, déclencher" à l'automatisme intégral et passif, vous produirez des images plus fortes. Finies les photos où le sujet est mal cadré, trop loin ou flou. Vos photos seront désormais dignes d'intérêt.

Chapitre 5

Savoir régler l'appareil photo

Dans ce chapitre :

- Les réglages initiaux.
- Choisir un format de fichier.
- Qualité et taille de l'image.
- La compression JPEG.
- Les options de balance du blanc.
- Les paramètres d'amélioration de l'image.

Les fabricants d'appareils photo s'efforcent de créer des appareils qui, sitôt sortis de leur boîte, sont faciles et agréables à utiliser. Dans ce but, le mode automatique est enclenché dès la première mise en route. Vous êtes ainsi censé obtenir des bonnes images dès la première fois.

Les paramètres par défaut de l'appareil photo ne sont toutefois pas capables de produire la meilleure image dans toutes les conditions. Photographier un match de foot ou de handball en nocturne exige d'autres réglages que s'il se déroulait en plein soleil.

C'est pourquoi, après avoir cédé à l'excitation et pris quelques photos, plongez-vous dans le manuel et lisez-le attentivement afin de découvrir toutes les fonctionnalités de votre appareil. Pour vous aider à mieux comprendre le manuel, ce chapitre explique les bases de la prise de vue numérique, notamment les formats de fichiers, la résolution (le nombre de pixels) et la balance du blanc. Cet exposé se poursuit au Chapitre 6, largement consacré à l'exposition et à la mise au point.

Les réglages de base

Au dos de l'appareil se trouve un bouton qui affiche un menu sur l'écran, comme le montre la Figure 5.1. En plus des options photo classiques, comme l'exposition et le flash, beaucoup d'appareils proposent les réglages de base suivants :

Figure 5.1 : Parcourez les menus pour découvrir les diverses options disponibles.

- **Date et heure :** Ces paramètres sont plus importants qu'il n'y paraît car, au moment de la prise de vue, l'appareil photo inscrit non seulement les différents réglages dans le fichier d'image, mais aussi la date et l'heure. Ces informations, visibles dans un logiciel d'archivage ou de retouche, sont inscrites sous la forme de métadonnées EXIF.

  Régler correctement la date et l'heure permet d'utiliser la fonction de tri par date, dans un logiciel de retouche comme ACDSee (`http://fr.acdsystems.com/`), que montre la Figure 5.2.

- **Arrêt automatique :** Afin de préserver la batterie, beaucoup d'appareils photo s'arrêtent automatiquement après quelques minutes d'inactivité. Le risque est de manquer une opportunité : le temps de redémarrer l'appareil, le moment décisif est passé.

  Si l'arrêt automatique ne peut pas être désactivé, vous pouvez le réinitialiser en appuyant légèrement sur le déclencheur afin de mémoriser la mise au point et l'exposition (ces notions sont expliquées au prochain chapitre). Ou alors, si l'appareil est équipé d'un zoom, actionnez-le légèrement.

- **La visualisation immédiate :** Après avoir pris une photo, l'appareil l'affiche pendant quelques secondes. Vous devrez désactiver cette fonction pour déclencher à un rythme soutenu car il est impossible de prendre une autre photo tant que cet affichage est en cours. Comme il consomme du courant, le désactiver augmente l'auto-

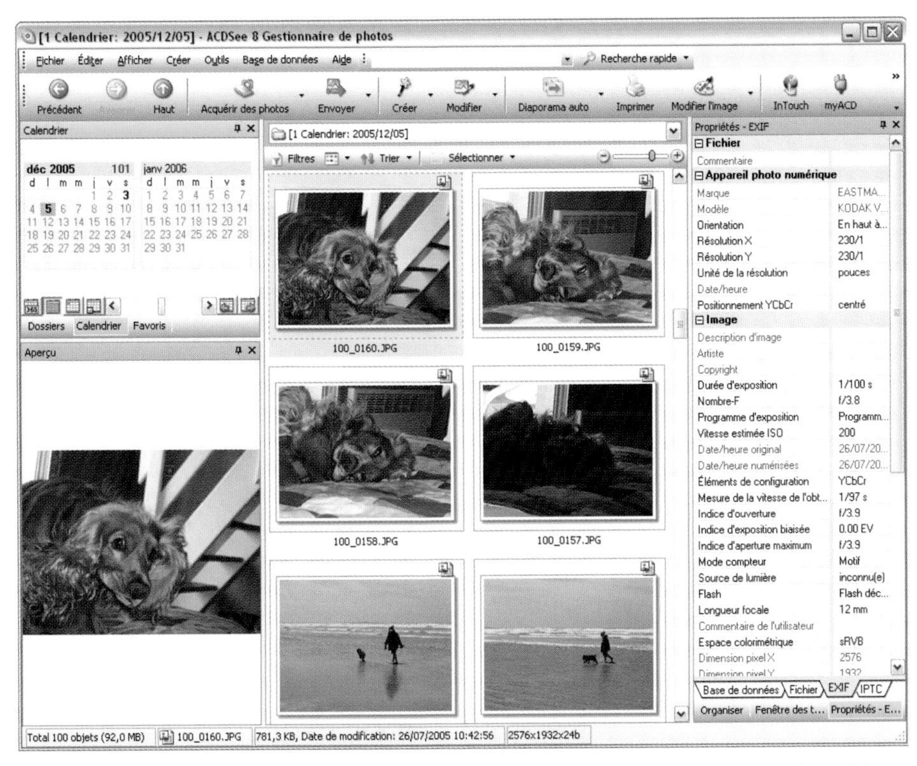

Figure 5.2 : La date étant enregistrée dans le fichier d'image, il est facile de rechercher les photos faites tel ou tel jour.

nomie de l'appareil (NdT : sur certains appareils, la visualisation ne peut être désactivée qu'en sélectionnant le mode Rafale).

- **La luminosité de l'écran :** Modifier la luminosité de l'écran facilite la lecture de l'image dans un environnement très clair. Mais attention : l'écran risque alors de fausser le rendu de l'exposition. Avant de ranger l'appareil, vérifiez les images avec la luminosité par défaut de l'écran.
- **La rotation automatique :** Cette fonction pivote automatiquement le fichier d'image lorsque vous cadrez en hauteur, afin qu'elle soit affichée correctement lorsque vous visionnez vos photos. Rien à redire.
- **Les normes télé/vidéo (PAL, NTSC ou SECAM) :** Si votre appareil possède une sortie vidéo, qui permet de le connecter à un télévi-

seur, un magnétoscope ou un lecteur de DVD, vous aurez le choix entre trois types de sortie vidéo. La norme PAL est en vigueur en Europe, le SECAM l'est en France et le NTSC est utilisé en Amérique du Nord et au Japon. Vous trouverez la norme des autres pays en cherchant sur le Web.

- **Les effets sonores :** Les appareils photo numériques adorent couiner. Certains émettent un jingle à l'allumage, d'autres un bip pour signaler que la mise ou point ou l'exposition ont été mesurés, voire un bruit de déclencheur à rideaux au moment de la prise de vue. J'ai même entendu un appareil dire "au revoir" au moment où on l'éteint ! Avant d'utiliser votre appareil dans une cérémonie ou dans un lieu où le silence est de mise, désactivez les options sonores, ou réduisez au moins le volume.

Certains appareils proposent un mode Musée. Il désactive les sons ainsi que le flash, interdit dans la plupart des musées.

Choisir un format de fichier

Votre appareil photo peut offrir un choix de type de fichiers, ou "format", en jargon infographique. Ce format définit comment chacun des éléments d'une image numérique est enregistré et stocké. Ces éléments sont les dimensions de l'image, sa qualité et le type de logiciel nécessaire pour la visionner et l'éditer.

Bien qu'il existe des dizaines, voire des centaines de formats d'image, les fabricants s'en sont tenus – du moins pour le moment – à trois : JPEG, TIFF et Camera Raw. Chacun a ses avantages et ses inconvénients, qui dépendent du type de photos que vous faites.

Certains appareils ne proposent aucun choix de format de fichier. Ils permettent en revanche de choisir la résolution (nombre de pixels) et les dimensions de l'image. Reportez-vous au manuel pour en savoir plus.

Ne confondez pas la notion de "format de fichier" avec celle de formatage de la carte mémoire. Le formatage efface totalement son contenu. Mais pas de panique : avant de formater une carte mémoire, l'appareil vous met explicitement en garde et demande confirmation. Aucun message n'est affiché pour un changement de format de fichier.

JPEG

Ce format est devenu un standard sur tous les appareils photo. JPEG sont les initiales de *Joint Photographic Experts Group,* groupe de travail d'experts en photographie, l'organisme qui a développé ce standard.

Le format JPEG s'est imposé en photographie pour deux importantes raisons :

- **Il est parfait pour le Web :** Tous les navigateurs Web et tous les logiciels de messagerie sont capables d'afficher des images au format JPEG. De ce fait, vos photos peuvent être partagées sur l'Internet quelques secondes seulement après avoir été prises.
- **Il est compact :** Les fichiers JPEG sont beaucoup moins volumineux que ceux enregistrés sous d'autres formats. Vous pouvez donc en stocker davantage dans la mémoire de l'appareil. De plus, un fichier de petite taille est plus rapidement transmis sur le Web.

NdT : En infographie, il faut bien faire la différence entre la taille d'un fichier, exprimée en octets, kilo-octets ou méga-octets, et les dimensions de l'image exprimées en nombre de pixels. A nombre égal de pixels, la taille d'un fichier peut varier considérablement selon le format et le taux de compression.

L'inconvénient du JPEG est le compromis que vous devez faire entre la taille du fichier et la qualité de l'image. Pour rendre le fichier moins volumineux, le format JPEG applique une *compression à pertes de données* qui élimine des informations graphiques dans l'image originale.

Comparez le portrait non compressé de la Figure 5.3 avec celui, fortement compressé, de la Figure 5.4. Dans ce dernier, des agglomérats de pixels révèlent les pertes de données et les couleurs sont faussées. Remarquez les nuances bleutées autour des cils et autour du menton.

Fort heureusement, la compression JPEG appliquée par les appareils photo est faible, d'où une réduction de la taille du fichier sans trop compromettre la qualité de l'image. Avec une compression minimale, le format JPEG est parfait pour la plupart des photographes, hormis les plus exigeants.

La Figure 5.5 montre une version peu compressée du portrait. Le fichier est passé de 2,8 Mo à 400 Ko, et il faut y regarder de près pour déceler une perte de données.

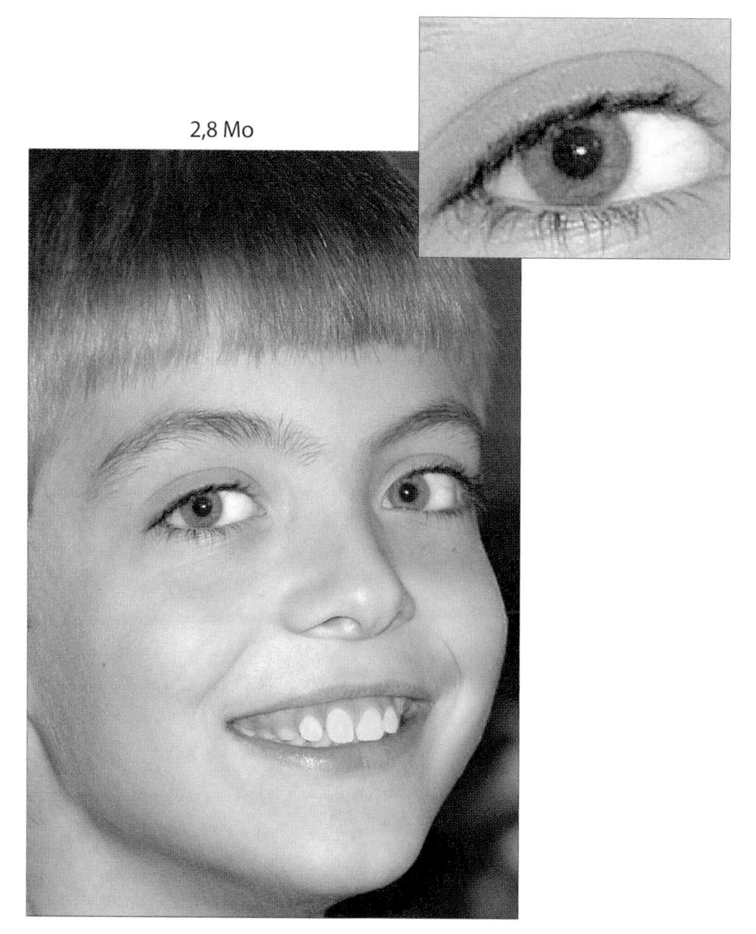

Figure 5.3 : L'absence de compression garantit une qualité maximale, mais le fichier est volumineux.

Pour régler les options JPEG de votre appareil, reportez-vous à son manuel. Généralement, elles sont indiquées par de vagues qualificatifs : Excellent, Normal, Réduit, par exemple.

Ces termes ne se rapportent pas au taux de compression, mais à la qualité d'image qui en résulte. En choisissant Excellent, la compression est moindre qu'en mode Normal, mais le fichier est plus volumineux. Vous stockerez moins d'images dans la mémoire de l'appareil.

Le manuel contient sans doute un tableau indiquant combien d'images peuvent être stockées dans une mémoire de telle ou telle taille, selon le taux de compression. Vous devrez cependant procéder à des essais pour

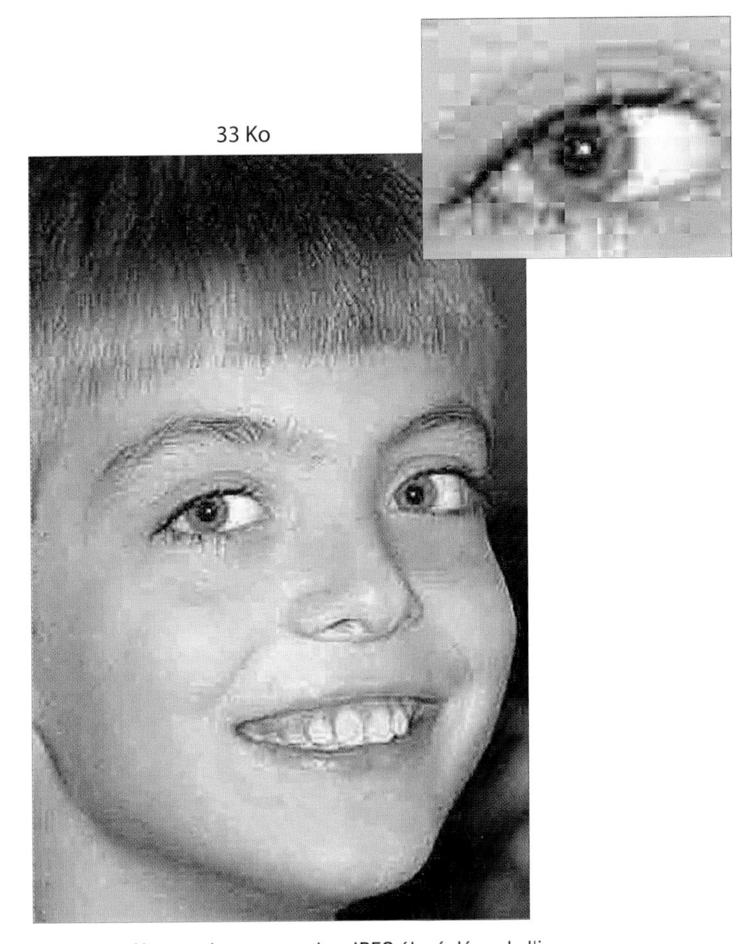

Figure 5.4 : Un taux de compression JPEG élevé dégrade l'image.

connaître les effets d'un réglage sur la qualité de l'image. Pour cela, photographiez un même sujet avec différents réglages.

Si votre appareil offre plusieurs réglages de la résolution, effectuez le test de compression pour chacun d'eux. Rappelez-vous que la qualité de l'image dépend à la fois du taux de compression et de la résolution. Une basse résolution associée à une forte compression produit une image où une chatte n'y retrouverait pas ses petits.

Quand vous éditez une photo dans un logiciel de retouche, vous avez la possibilité de l'enregistrer de nouveau au format JPEG, d'où une nouvelle compression à pertes de données. Comme chaque réenregistrement dégrade un peu plus la photo, le résultat final risque d'être affreux. Pour

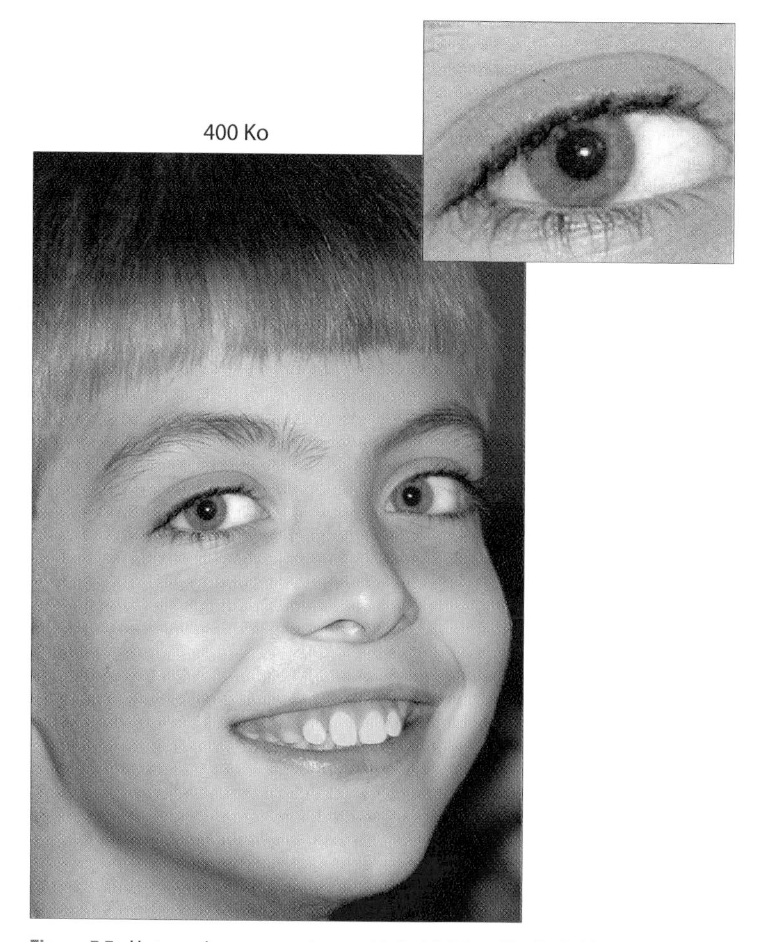

Figure 5.5 : Un taux de compression modéré réduit la taille du fichier sans trop dégrader l'image.

éviter cette dégradation, enregistrez le travail en cours dans un format sans perte de donnée, le TIFF par exemple, décrit à la prochaine section. Reportez-vous au Chapitre 11 pour en savoir plus sur l'enregistrement des photos modifiées, et au Chapitre 10 pour des détails sur l'enregistrement au format JPEG.

TIFF

TIFF sont les initiales de *Tagged Image File Format,* format de fichier d'image à balises. Il se caractérise par une compression sans perte de données.

Pouvoir discerner une différence qualitative significative entre une image TIFF et une image JPEG légèrement compressée dépend de l'appareil photo. La photo de la Figure 5.3 est en TIFF, et il serait bien difficile de faire la différence avec celle en JPEG peu compressé, de la Figure 5.5.

Un fichier TIFF est beaucoup plus volumineux qu'un fichier JPEG, et il ne peut pas être affiché par un navigateur Web ou dans un logiciel de messagerie. Pour cela, vous devez l'ouvrir dans un logiciel de retouche puis le convertir en JPEG. La procédure est expliquée au Chapitre 10.

Le JPEG est le choix le plus approprié, sauf si vous recherchez une qualité maximale. Vous risquerez ainsi moins de manquer de place en mémoire, et vous n'aurez pas à procéder à des conversions de formats.

Camera Raw

Quand vous photographiez en JPEG ou en TIFF, l'appareil applique un traitement – correction de l'exposition et des couleurs, netteté... – aux données issues du capteur photosensible, avant d'enregistrer le fichier. Ces traitements sont basés sur des caractéristiques de l'imagerie qui, à en croire le fabricant, devraient plaire au plus grand nombre d'utilisateurs.

Le format Camera Raw, ou plus simplement Raw ("brut", en anglais), a été développé pour les puristes qui ne veulent pas des traitements imposés par le fabricant. Dans un fichier Camera Raw, les données sont enregistrées telles qu'elles proviennent du capteur photosensible, sans aucun traitement ultérieur. Ce sont en quelque sorte des données "brut de capteur".

Contrairement aux formats JPEG et TIFF, le format Camera Raw n'est pas standardisé. Chaque fabricant de matériel photo utilise ses propres spécifications et noms. Par exemple, chez Nikon, le format Camera Raw s'appelle NEF et chez Canon, CRW.

Les fichiers Raw n'étant pas compressés, ils sont plus volumineux que des fichiers JPEG. De plus, pour les ouvrir, vous devez disposer d'un logiciel spécial, appelé Convertisseur Raw, qui permettra de les convertir au format TIFF ou JPEG afin de pouvoir travailler dessus. La Figure 5.6 montre le convertisseur Raw d'Adobe Elements 4.0. Le processus de conversion, ou "dérawtisation" en jargon photo, est expliqué au Chapitre 8.

Figure 5.6 : Les fichiers Raw ne peuvent être ouverts qu'avec un convertisseur spécial.

En raison du surcroît de complications engendré par le format Raw, je recommande de s'en tenir au JPEG ou au TIFF, ni vous débutez en photo. Franchement, le traitement appliqué à ces fichiers d'image est au moins aussi efficace, sinon mieux, que celui que vous leur infligeriez avec un logiciel de retouche.

Pour ma part, je trouve le format Raw trop compliqué à gérer. Les seules fois où je l'utilise, c'est quand le résultat recherché ne peut être obtenu avec les formats JPEG et TIFF. C'est le cas, par exemple, pour des éclairages particulièrement difficiles, quand il est quasiment impossible d'équilibrer à la fois la couleur, l'exposition et le contraste. Le format Raw permet de contrôler très étroitement ces paramètres.

Quelques appareils photo proposent un choix JPEG+Raw. Dans ce cas, deux fichiers sont produits, dans chacun des formats. C'est commode pour disposer à la fois d'une image brute et d'une autre prête à être partagée sur le Web, mais bien sûr, cette option nécessite plus de place en mémoire.

DNG : le format du futur ?

Adobe System a récemment présenté un autre format de photo numérique, appelé DNG (Digital Negative Format, format de négatif numérique). Il a été développé en réponse à la tendance des fabricants de matériel photo à ne concocter que leurs propres formats Raw. Cette tour de Babel des formats ne fait pas l'affaire des programmeurs, qui doivent faire en sorte que leurs logiciels s'accommodent d'une foultitude de formats, ni celle des utilisateurs, pour qui cette diversité est source de complications. Le problème ne se pose pas véritablement pour l'utilisateur lambda, mais bien plutôt pour les agences de photo ou de publicité qui doivent travailler sur des fichiers Raw de diverses provenances. De plus, le risque existe que les logiciels à venir ne supportent plus les premières versions de fichiers Raw, laissant leurs propriétaires avec des images qui ne peuvent plus être ouvertes (souvenez-vous du format vidéo Betamax et de l'enregistrement audio sur huit pistes).

L'objectif du DNG est d'imposer un standard de format de fichier de données brutes que tout fabricant de matériel photo pourra adopter. Plusieurs dizaines d'éditeurs de logiciels (Apple, Canto, Extensis...) l'ont déjà intégré à leurs produits et des fabricants comme Hasselblad, Leica, Ricoh et Samsung l'ont intégré à certains de leurs appareils. Si vous voulez convertir vos fichiers Raw en fichiers DNG, téléchargez l'outil gratuit DNG Converter depuis le site d'Adobe (`www.adobe.fr`). Il prend en charge les fichiers de la plupart des marques d'appareils photo. Rien ne garantit que le format DNG existera encore dans un siècle et pour le moment, la plupart des logiciels ne savent pas ouvrir ce format. Mais quand on voit comment Adobe a réussi à imposer le format PDF pour les documents textuels, on peut être optimiste pour le format DNG.

Régler le nombre de pixels (résolution)

Selon le modèle d'appareil photo, vous aurez le choix entre deux ou davantage de résolutions. Cette option définit le nombre total de pixels de l'image, et non le nombre de pixels par pouce (ppp). Vous configurez ce dernier dans le logiciel de retouche, avant d'imprimer la photo (reportez-vous au Chapitre 2 pour en savoir plus).

Le choix de la résolution se présente différemment d'un appareil à un autre. Vous aurez soit un sélecteur de dimensions, comme sur l'illustration supérieure, à la Figure 5.7, soit un indicateur de la quantité de pixels exprimée en mégapixels (MP), comme à l'illustration inférieure. D'autres appareils affichent une indication plus vague, comme Normal, Fin ou Très fin, une notion qui englobe généralement le nombre de pixels, le format de fichier et le taux de compression. Le manuel de votre appareil devrait vous indiquer à quoi correspondent les résolutions ainsi que le nombre de pixels de chacune d'elles.

Pensez toujours à l'impression lorsque vous choisissez une résolution. Pour des images destinées au Web, 640 x 480 pixels, voire 320 x 240 sont suffisants. Mais si vous désirez les imprimer, choisissez la résolution la plus proche – en pixels par pouce, ou *ppp* – de celle recommandée par le manuel de l'imprimante.

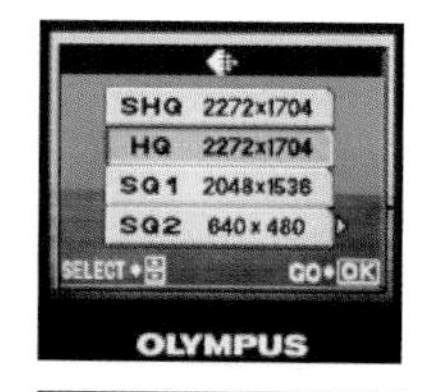

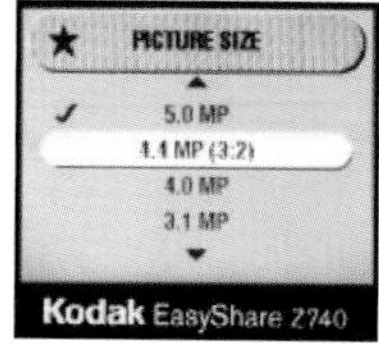

Figure 5.7 : Du nombre de pixels à la prise de vue dépend la taille du tirage imprimé.

Là encore, le Chapitre 2 explique tout ceci en détail, avec des illustrations démontrant l'effet du nombre de pixels sur la qualité finale. Le Tableau 5.1 indique le nombre de pixels minimal nécessaire pour produire un tirage de qualité acceptable aux dimensions d'impression standard. A cette fin, nous présumons que la résolution d'impression de l'image est de 200 points par pouce (elle peut même être inférieure ; faites des essais). Pour vous rappeler combien un choix erroné de la résolution peut être dommageable, la Figure 5.8 montre des exemples de résolution faible, moyenne et élevée issues du Chapitre 2.

Tableau 5.1 : Combien de pixels pour une bonne impression ?

Dimensions du tirage (cm)	Pixels à 200 ppp	Megapixels (approximatif)
10 x 15	800 x 1 200	1
13 x 18	1 000 x 1 400	1,5
20 x 25	1 600 x 2 000	3
30 x 40	2 200 x 2 800	6

Gardez ces quelques recommandations à l'esprit :

- Plus les pixels sont nombreux, plus le tirage peut être de grande taille et plus l'image consomme de la mémoire. Si la mémoire de votre appareil est limitée, et que vous photographiez en un lieu où il n'est pas possible de transférer les images, vous devrez choisir une résolution moindre afin de stocker davantage de photos dans le peu de mémoire. Ou alors, vous devriez pouvoir réduire la taille des fichiers en choisissant un autre format de fichier et en recourant à un taux de compression plus élevé, comme nous l'avons expliqué précédemment dans ce chapitre.

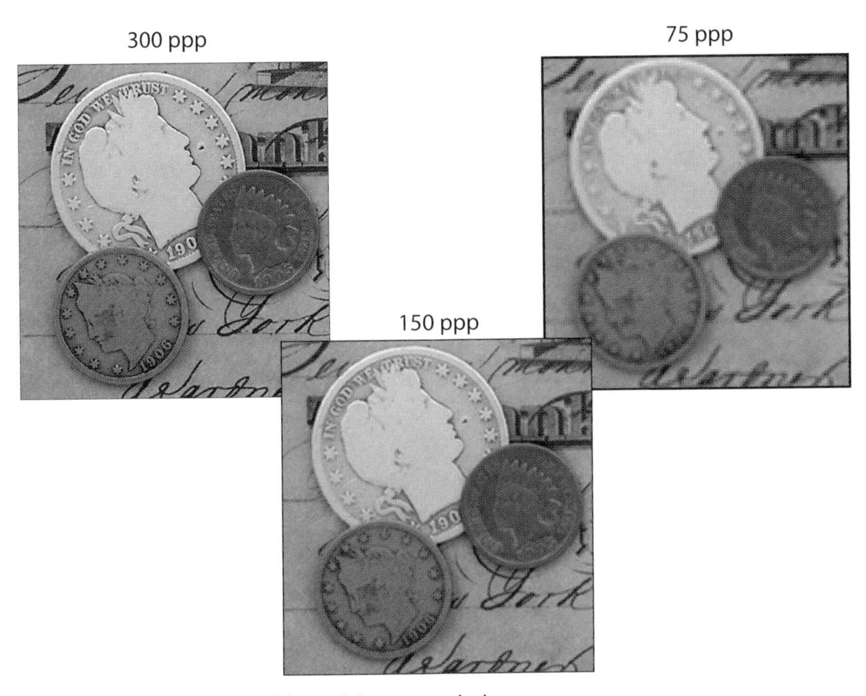

Figure 5.8 : Une résolution faible produit un mauvais tirage.

- Des appareils proposent un double enregistrement de la photo : en haute résolution pour l'impression et simultanément à une taille moindre pour le Web.

- Le réglage de la résolution de votre appareil ne correspondra peut-être pas exactement aux valeurs du Tableau 5.1, car le rapport largeur/hauteur des photos numériques est différent de celui de la photo argentique. Le rapport largeur/hauteur d'une photo numérique est de 4:3 – soit quatre unités en largeur et trois en hauteur –, c'est-à-dire celui d'un écran informatique, alors que le rapport du film 24 x 36 est de 3:2, d'où le format standard des tirages de 10 x 15 cm. Pour la résolution à la prise de vue, efforcez-vous de choisir celle qui se rapproche au plus près des chiffres du Tableau 5.1.

Des modèles d'appareils proposent cependant une résolution de 3:2 équivalente au 24 x 36. Elle est sélectionnée sur l'écran de l'appareil Kodak que montre la Figure 5.7. Les modèles récents proposent même une résolution en 16:9, qui est celle des écrans de télévision panoramiques.

- Les chiffres du Tableau 5.1 s'appliquent à l'impression de la totalité de l'image. Si vous la recadrez, il faudra une résolution plus élevée pour compenser la perte des parties éliminées.

- Quelques appareils réduisent automatiquement la résolution dans certaines conditions. Par exemple, de nombreux appareils proposent un mode Rafale permettant de photographier une succession rapide de vues (nous y reviendrons au Chapitre 7). Dans ce mode, certains appareils réduisent la résolution à 640 x 480 pixels, voire moins.

Couleurs et balance du blanc

Les sources de lumière se caractérisent par leur *température de couleur*. Cette dernière est la lumière émise par un corps noir lorsqu'il est chauffé. Elle est mesurée en degrés Kelvin. Sur cette échelle, 0° Kelvin correspond au zéro absolu, soit -273, 15° Celsius.

L'échelle de la Figure 5.9 montre la température de couleur émise par diverses sources lumineuses. Celle du soleil à midi est de 5 500° K. La température de couleur d'une ampoule à incandescence, qui est de 3 000° K, tire sur l'orangé tandis qu'une température de couleur élevée, comme celle de la neige, est riche en bleu.

2000
3000
5000
8000

Bougie
Ampoule à incandescence
Ampoule au tungstène
Tube fluorescent
Soleil dégagé
Flash
Ciel couvert
Neige, eau, ombre

Figure 5.9 : Chaque source de lumière se caractérise par une dominante de couleur.

Ce qu'il faut retenir, à propos de la température de couleur, est qu'elle se manifeste sur les photographies, alors que l'œil, lui, compense naturellement la dominante de couleur. Par exemple, si vous lisez sous un éclairage fluorescent, les pages vous paraissent blanches. Mais si vous prenez une photo, vous remarquerez une dominante verte, qui découle de la température de couleur de ce type d'éclairage.

Les photographes utilisent des films équilibrés pour telle ou telle température de couleur ou des filtres de correction. En revanche, en photo numérique, la correction de la dominante de couleur s'effectue par la *balance du blanc.* Ce procédé consiste à fausser la perception du rouge, du bleu et du vert par le capteur photosensible afin de compenser la dominante introduite par la température de couleur. Ainsi, toutes les couleurs de la scène sont fidèlement restituées.

La plupart des appareils photo numériques règlent automatiquement la balance du blanc, mais beaucoup permettent aussi de la contrôler manuellement. Pourquoi ? Parce qu'il arrive parfois que la balance automatique ne soit pas suffisante pour supprimer la dominante de couleur. Si vous remarquez qu'un blanc n'est pas véritablement blanc, ou qu'une teinte uniforme apparaît sur toute l'image, un autre réglage de la balance du blanc pourra y remédier. Le Tableau 5.2 montre les réglages les plus courants.

Tableau 5.2 : Les modes de balance du blanc.

Option	Utilisation
Lumière du jour	Extérieur par temps clair.
Nuageux	Extérieur par temps couvert.
Fluorescent	Intérieur. Eclairage par des tubes à fluorescence.
Lumière artificielle	Intérieur. Eclairage par des ampoules à incandescence.
Flash	Flash intégré ou couplé.

La Figure 5.10 montre l'effet des réglages de la balance du blanc. Les photos ont été prises avec un Nikon numérique. Normalement, comme sur tous les appareils, la balance du blanc automatique fonctionne parfaitement. Mais cette scène pose un problème à l'appareil car elle est éclairée par trois sources différentes : un plafonnier fluorescent, de la lumière du jour qui arrive par une fenêtre située à droite de l'image et, histoire de compliquer la situation, l'éclair du flash intégré.

En mode Automatique, l'image présente une légère dominante jaunâtre. Elle tient au fait que, dans ce mode, l'appareil que j'ai utilisé sélectionne

Figure 5.10 : La balance du blanc affecte la perception de la couleur.

la balance du blanc pour le flash. C'est ce qui explique la similitude des résultats des modes Flash et Automatique. Le mode Flash ne corrige cependant le blanc que pour la lumière du flash, sans tenir compte des deux autres sources qui éclairent le sujet. De tous les modes, Fluorescent est le plus approprié car il restitue le plus fidèlement les couleurs, suivi de près par le mode Lumière du jour.

Bien que la balance du blanc serve avant tout à améliorer le rendu des couleurs, certains photographes s'en servent pour imiter les effets d'un filtre classique, par exemple pour réchauffer les couleurs. Comme le montre la Figure 5.10, il est possible de créer diverses atmosphères en variant simplement la balance du blanc. Le résultat final dépend des conditions d'éclairage.

Si votre appareil ne permet pas de choisir la balance du blanc, ou si vous avez oublié de la régler au moment de la prise de vue, vous pourrez éliminer la dominante, ou réchauffer ou refroidir les couleurs, au moment de l'édition de la photo. Le Chapitre 11 est consacré à la correction des couleurs.

Traiter l'image à la prise de vue

Vous découvrirez sans doute, en parcourant les menus de votre appareil, un réglage de la saturation des couleurs, du contraste et d'autres aspects de l'image. En photo argentique, ces paramètres sont contrôlés lors du développement du film et du tirage. En photo numérique, ils sont appliqués directement à l'image, sauf si vous avez opté pour le format Raw, décrit précédemment dans ce chapitre.

Comme chaque appareil applique ces traitements différemment, vous devrez procéder à des essais pour voir quels avantages ils apportent. Personnellement, je préfère intervenir par la suite, dans le logiciel de retouche, d'une part parce que je bénéficie d'un plus grand contrôle sur les opérations, et d'autre part parce que l'écran de l'appareil n'affiche pas toujours une image exacte de la photo.

L'une des options dont vous devez particulièrement vous méfier est le mode Netteté, qui renforce le contraste pour donner l'illusion d'une meilleure définition. Si vous y tenez, sachez que cet effet est facile à appliquer dans un logiciel de retouche. En revanche, corriger une photo prise en mode Netteté – qui présente du grain – est difficile.

Enfin, de nombreux appareils proposent des modes Niveau de gris ou un virage Sépia (Figure 5.11). Ces options fonctionnent bien, mais gardez à l'esprit que vous ne pourrez plus obtenir ces photos en couleur. Dans le doute, photographiez en couleur, puis convertissez-les en noir et blanc ou virez-les en sépia à l'aide de votre logiciel de retouche. La plupart proposent des filtres qui le font d'un seul clic.

Figure 5.11 : Beaucoup d'appareils offrent des modes Niveau de gris et Sépia.

Chapitre 6

L'exposition et la mise au point

Dans ce chapitre :

- Régler la sensibilité ISO.
- Mieux utiliser l'exposition automatique.
- Priorité à la vitesse et priorité à l'ouverture.
- Les modes de mesure de l'exposition.
- La compensation IL.
- Utiliser différemment le flash.
- Eclairer des objets brillants.
- La mise au point.
- La profondeur de champ.
- Savoir exploiter les modes Scène.

Comprendre les aspects numériques de votre appareil – la résolution, la balance du blanc... – est important, mais cela ne saurait vous dispenser d'acquérir les bases de la photo, notamment l'exposition et la mise au point. Tous les mégapixels du monde ne pourront rien si votre image est trop sombre, trop claire ou floue.

Nous avons vu au Chapitre 2 les bases de l'exposition et étudié les interactions entre la vitesse d'obturation, l'ouverture et la sensibilité ISO. Au Chapitre 3, vous avez appris ce qu'est une mise au point. Ce chapitre fournit des conseils et des astuces qui vous permettront de mieux contrôler l'exposition et le point. Lorsque vous maîtriserez ces notions, vous pourrez donner libre cours à votre créativité.

La sensibilité ISO

Comme vous l'avez appris au Chapitre 2, la quantité de lumière qui pénètre dans l'appareil dépend de l'ouverture du diaphragme et de la vitesse d'obturation. La quantité de lumière nécessaire pour obtenir une photo correctement exposée dépend, elle, de la sensibilité de la surface : le film en photo argentique, le capteur en photo numérique.

La sensibilité d'un film est indiquée par sa valeur ISO. Plus elle est élevée, plus le film réagit à la lumière, permettant de photographier en lumière faible, ou avec un diaphragme très fermé, ou encore à une vitesse très élevée.

Beaucoup d'appareils numériques sont dotés d'un réglage ISO qui, théoriquement, octroie la même souplesse que le travail avec des films de différentes sensibilités. Je dis "théoriquement" car l'augmentation de la valeur ISO présente un sérieux inconvénient, à savoir l'apparition d'un *bruit* optique. Il se manifeste par des pixels colorés aléatoires qui donnent un aspect granuleux à l'image. Les films aussi ont du grain, d'autant plus fort que la sensibilité est élevée, mais il est plus esthétique que le grain optique, beaucoup plus visible.

La Figure 6.1 montre l'effet de l'ISO sur la qualité. Les quatre photos ont été prises en mode automatique mais avec une sensibilité de 200, 400, 800 et 1 600 ISO. L'intervalle entre les valeurs – remarquez la progression arithmétique – correspond à une valeur de diaphragme ou un cran de vitesse.

Quand vous imprimez une photo en petit format, le bruit ne sera sans doute pas décelable. L'image paraîtra seulement un peu enveloppée, comme à la Figure 6.1. En revanche, comme le révèle la Figure 6.2, le bruit est apparent lorsqu'elle est agrandie.

Dans certaines conditions, vous êtes obligé d'augmenter la sensibilité. Si j'avais attendu que le crépuscule soit plus avancé, il aurait été impossible de travailler avec les sensibilités les plus faibles. Pour photographier un sujet en mouvement, vous devez aussi augmenter la sensibilité pour pouvoir utiliser une vitesse d'obturation élevée capable de figer l'action.

Faites des essais avec les diverses valeurs ISO et ne choisissez les plus élevées que si vous n'avez pas le choix. Pour une qualité optimale, travaillez avec une valeur ISO faible.

200 ISO

400 ISO

800 ISO

1 600 ISO

Figure 6.1 : Augmenter la valeur ISO augmente la sensibilité à la lumière, mais produit un défaut appelé "bruit".

Je déconseille le réglage automatique de la sensibilité ISO, car l'appareil risque d'en choisir une produisant beaucoup trop de bruit. Il est préférable de contrôler vous-même ce paramètre.

L'exposition automatique

La plupart des appareils photo numériques, du plus rudimentaire au reflex le plus perfectionné, offrent l'exposition automatique : l'appareil règle automatiquement la quantité de lumière nécessaire.

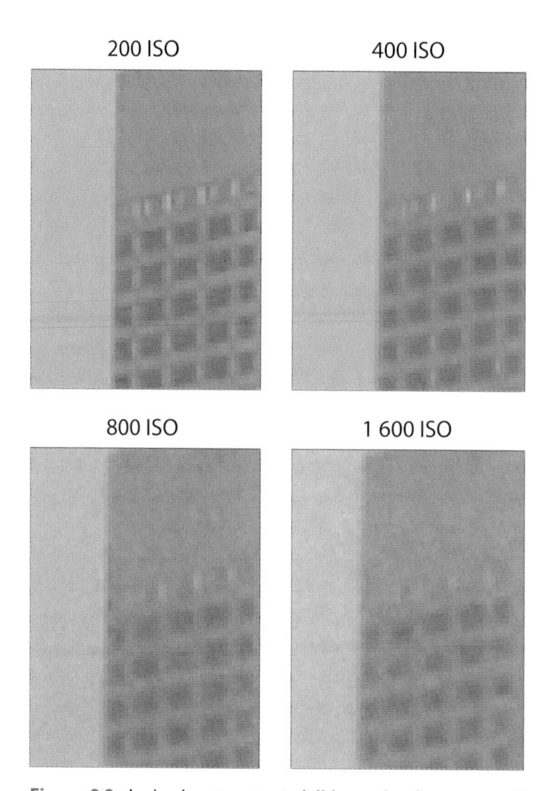

Figure 6.2 : Le bruit est surtout visible sur les forts agrandissements.

Le système d'exposition automatique des appareils récents produit de très bons résultats, à condition toutefois de procéder comme suit :

1. **Cadrez le sujet.**

2. **Appuyez très légèrement sur le déclencheur, à mi-course.**

   L'appareil analyse la scène et règle l'exposition. Si la mise au point automatique est enclenchée (voir la section "La mise au point automatique"), le réglage de distance s'effectue simultanément. Un voyant lumineux ou un petit signal sonore indique que la photo peut être prise.

3. **Appuyez complètement sur le déclencheur pour prendre la photo.**

Sur les appareils bon marché, il n'existe que deux modes d'exposition automatique : l'un pour la photo en lumière forte, l'autre pour la photo en lumière moyenne. Sur les appareils haut de gamme, vous disposez d'un meilleur contrôle de l'exposition.

Choisir un mode de mesure

Sur les appareils coûteux, le contrôle de l'exposition se fait par l'intermédiaire de plusieurs *modes de mesure*. Les mesures les plus courantes sont les suivantes :

- **Matricielle :** Également connue sous le nom de *multizone*, cette méthode quadrille l'image et mesure la lumière en différents points de ce quadrillage. Une moyenne est ensuite calculée afin que l'exposition soit équilibrée entre les zones les plus claires et les plus sombres. Ce mode de mesure s'adapte à la plupart des conditions de prise de vue.
- **Centrale pondérée :** Elle effectue une mesure globale de la lumière en donnant la priorité au quart central de l'image. Utilisez ce mode lorsque les éléments placés au centre du cadre importent plus que leur environnement.
- **Ponctuelle :** La lumière est mesurée au centre de l'image.

Les mesures pondérée et centrale pondérée sont particulièrement utiles lorsque l'arrière-plan est beaucoup plus clair ou sombre que le sujet. En mesure matricielle, le sujet risque d'être sous ou surexposé parce que l'arrière-plan est pris en compte.

La Figure 6.3 montre des exemples de mesures de l'exposition. A gauche, la photo a été prise en mesure matricielle. Comme le fond est très sombre et que l'appareil a tenté de l'éclaircir, la rose est d'autant plus surexposée. Tous les détails sont perdus dans les pétales.

Choisir la mesure ponctuelle expose correctement la rose blanche, mais la rose rouge est trop sombre. La meilleure exposition est produite par la mesure centrale pondérée. Mais si la rose rouge ne faisait pas partie de l'image, j'aurais préféré la mesure centrale car elle donne plus de profondeur au sujet.

Vous pouvez tirer parti de la mesure ponctuelle ou de la mesure centrale pondérée même si le sujet n'occupe pas le centre de l'image. Commencez par centrer le sujet et appuyez sur le déclencheur à mi-course afin de

Mesure matricielle

Mesure ponctuelle

Mesure centrale pondérée

Figure 6.3 : Optez pour la mesure ponctuelle ou la mesure centrale pondérée si le sujet est beaucoup plus clair ou plus foncé que l'arrière-plan.

mesurer la lumière puis cadrez à votre guise. Tant que le déclencheur est légèrement enfoncé, l'appareil conserve la mesure.

Bien sûr, opter pour la mesure ponctuelle ou pour la mesure centrale pondérée peut assombrir ou éclaircir le fond. Pour corriger cet inconvénient, reportez-vous à la section "Compenser le contre-jour", plus loin dans ce chapitre.

Sachez que de légers problèmes d'exposition peuvent aussi être corrigés dans un logiciel de retouche. En règle générale, il est plus facile de corriger une photo trop sombre qu'une photo surexposée, trop claire. De ce fait, si vous avez le choix, optez plutôt pour une sous-exposition.

Le mode semi-automatique

Les appareils perfectionnés permettent de privilégier le diaphragme ou la vitesse lors des prises de vues. Ces options autorisent un meilleur contrôle de l'image.

- **La priorité à l'ouverture :** Vous gardez le contrôle sur le diaphragme. Après l'avoir réglé, vous cadrez puis vous appuyez sur le déclencheur afin que l'appareil fasse la mise au point et définisse l'exposition, comme vous le feriez en mode automatique. Mais cette fois l'appareil est assujetti à l'ouverture que vous imposez. Il sélectionne alors la vitesse d'obturation appropriée.

En modifiant l'ouverture, vous contrôlez la profondeur de champ. Cette importante notion est expliquée à la fin de ce chapitre.

- **La priorité à la vitesse :** Vous choisissez la vitesse d'obturation. L'appareil se base sur ce réglage pour définir automatiquement l'ouverture appropriée.

Théoriquement, l'exposition devrait être identique, que vous optiez pour la priorité à la vitesse ou pour la priorité à l'ouverture. En principe. Mais n'oubliez pas un détail : vous travaillez avec une plage limitée de vitesses d'obturation et d'ouvertures. Ainsi, selon les conditions d'éclairage de la scène, l'appareil sera ou non capable de compenser correctement la vitesse d'obturation ou l'ouverture.

Supposons que vous preniez des photographies à l'extérieur par une belle journée ensoleillée. Vous enregistrez votre premier cliché à une ouverture de f/11. L'image est géniale. Vous prenez une seconde photo, avec cette fois une ouverture de f/4. Résultat : l'appareil sera incapable de compenser cette grande ouverture faute de disposer d'une vitesse d'obturation suffisamment élevée, et l'image sera de ce fait surexposée.

Voici un autre exemple : vous essayez de photographier un joueur de tennis en pleine action. Ce jour-là, le temps est maussade, la lumière plutôt grise. Vous savez que la netteté ne sera acquise qu'avec une vitesse d'obturation très rapide, puisque les sujets sont en mouvement. Vous donnez alors la priorité à la vitesse en sélectionnant $1/500^e$ de seconde. Mais, au regard des conditions d'éclairage, l'appareil sera incapable de compenser par une ouverture de diaphragme suffisante. Résultat : l'image sera sous-exposée.

Tant que vous tenez compte de la plage disponible pour les rapports entre vitesse d'obturation et diaphragme, le choix entre les deux sera bénéfique dans les situations suivantes :

- **Vous essayez de photographier une scène d'action, mais la vitesse d'obturation imposée par le mode automatique est trop faible.** A la Figure 6.4, une vitesse de $1/60^e$ de seconde est insuffisante : les enfants sont flous. La priorité à la vitesse a permis de régler l'obturateur à $1/300^e$, ce qui a permis de figer les mouvements (Notez que la vitesse appropriée dépend de la rapidité à laquelle le sujet bouge).

- **Vous souhaitez volontairement utiliser une vitesse d'obturation plus faible pour obtenir un effet de flou** – un filé – qui renforce l'impression de mouvement. Par exemple, photographier une cascade à faible vitesse produit un effet filandreux comme le

$1/60^{e}$ $1/300^{e}$

Figure 6.4 : Avec une faible vitesse d'obturation, les sujets en mouvement sont flous (à gauche) tandis qu'une vitesse plus élevée les fige.

montre la Figure 6.5. A gauche, la photo a été prise à $1/200^{e}$, à droite à $1/20^{e}$.

- **Vous désirez régler la profondeur de champ.** Plus l'objectif est ouvert, plus la profondeur de champ est réduite. Reportez-vous à la dernière section de ce chapitre pour plus de détails.

Compenser l'exposition

Que vous travailliez en mode automatique ou semi-automatique, vous pouvez corriger l'exposition en modifiant l'indice de lumination (IL). L'indice de lumination correspond à un couple vitesse-diaphragme.

La correction de l'exposition est définie par une échelle graduée ainsi : +0.7, +0.3, 0.0, -0.3, -0.7, où 0.0 représente la valeur d'exposition par défaut.

Quel que soit le mode choisi, la correction de l'exposition fonctionne toujours de la même manière :

Figure 6.5 : Une faible vitesse d'obturation donne à l'eau un aspect filandreux.

- Pour éclaircir l'image, augmentez l'indice de lumination.
- Pour assombrir l'image, réduisez l'indice de lumination.

La plage des indices de lumination – et par conséquent les possibilités de correction – est différente d'un appareil à un autre. Les Figures 6.6 à 6.8 montrent les effets de la correction.

La photo de la bougie met en évidence les avantages de la compensation de l'exposition. Je voulais obtenir une exposition suffisamment sombre pour obtenir une belle flamme et souligner le contraste entre les rais de lumière et d'ombre filtrés par un store en bois. L'exposition normale (0.0) était un peu trop claire. J'ai donc joué sur l'indice de lumination jusqu'à ce que j'obtienne la densité d'ombre et de lumière désirée, c'est-à-dire une correction de -0.3.

Si l'appareil offre des modes de mesure, n'hésitez pas à les tester au même titre que la compensation. Un mode de mesure indique sur quelle partie de l'image la mesure doit être effectuée. Pour la photo de la bougie, j'ai utilisé la mesure matricielle, qui prend en compte la totalité du champ.

Utiliser un flash

Si les techniques précédentes ne permettent pas d'exposer correctement le sujet, vous devrez apporter la lumière manquante. Le choix évident est alors le flash.

De nombreux appareils sont équipés d'un flash incorporé fonctionnant en plusieurs modes. En plus du mode automatique où l'appareil définit la durée de l'éclair selon l'éclairage ambiant et la distance du sujet, vous avez le choix entre les modes Flash d'appoint ou de remplissage, Flash désactivé, Réduction des yeux rouges et Synchronisation lente (pour la photo de nuit). Les appareils les plus perfectionnés permettent d'utiliser un flash externe.

IL=0.0

Figure 6.6 : L'exposition automatique produit une image un peu trop claire à mon goût.

IL=-0.3

IL=-1.0

Figure 6.7 : Pour assombrir l'image, réduisez la correction.

Figure 6.8 : Pour éclaircir l'image, augmentez la correction.

Figure 6.9 : Un flash d'appoint débouche les ombres.

Flash d'appoint (ou forcé)

Ce mode déclenche le flash indépendamment de la lumière existante. Il est particulièrement utile pour les photos en extérieur, comme celle de la Figure 6.9. Comme la photo est prise en plein jour, l'appareil estime que le flash n'est pas nécessaire. Or, une ombre très dense marque le regard. Le mode Flash d'appoint a débouché l'ombre, dévoilant les yeux du sujet.

Flash inactif

Choisissez cette option lorsque vous désirez ne pas utiliser le flash. Par exemple, le flash est à proscrire lorsqu'un élément réfléchissant (vitre, verre recouvrant un tableau...) ou très brillant se trouve dans le champ, car la réflexion crève littéralement l'image, ne laissant qu'une tache toute blanche à cet endroit. La section "Eclairer des objets brillants", un peu plus loin, explique comment résoudre ce problème.

Vous désactiverez aussi le flash lorsque vous désirez préserver l'atmosphère d'une scène, comme ce fut le cas pour la photo de la bougie à la Figure 6.6. Les jeux d'ombre et de lumière, qui donnent tout son charme à cette image, auraient été écrasés. Utilisez le flash, et vous n'aurez plus qu'une photo sans intérêt.

Quand le flash est désactivé, l'appareil risque de réduire la vitesse d'exposition si la lumière est insuffisante. Dans ce cas, vous devrez l'immobiliser, soit en le plaçant sur un trépied, soit en le calant fermement contre votre visage.

Réduction des yeux rouges

Tous les utilisateurs d'appareils à flash incorporé, qu'ils soient argentiques ou numériques, ont été confrontés à ce problème. Ce phénomène est dû à la réflexion de la lumière du flash sur la rétine du sujet. La technique utilisée pour le réduire est simple : un ou deux préflashs atténués provoquent la contraction de la pupille, réduisant le risque de réflexion, aussitôt suivi de l'éclair du flash.

Ce système, s'il est performant, n'est pas infaillible. C'est pour cela qu'il est question de *réduction* et non de *suppression* de l'effet "yeux rouges". Pire, le sujet croit parfois, dès les préflashs, que la photo est prise et se détourne. C'est pourquoi, quand vous activez le dispositif anti-yeux rouges, il vaut mieux prévenir ceux que vous photographiez.

Comme vous photographiez en numérique, la correction peut s'effectuer directement sur l'image. Certains appareils sont dotés d'une fonction de réduction automatique des yeux rouges qui corrige l'image après la prise de vue. Ou alors, vous pouvez corriger l'effet dans un logiciel de retouche, comme nous le verrons au Chapitre 13.

Flash à synchronisation lente

Il augmente le temps d'exposition normalement défini pour une prise de vue avec flash.

Avec un flash classique, le sujet est éclairé, mais l'arrière-plan, qui est hors de portée de l'éclair, reste dans le noir comme le montre l'illustration du haut, à la Figure 6.10. La durée d'exposition plus lente permet de laisser pénétrer plus de lumière ambiante dans l'appareil, d'où un environnement plus clair. C'est ce qui fut fait pour l'illustration du bas, à la Figure 6.10.

Savoir s'il faut exposer aussi pour l'arrière-plan dépend de l'atmosphère que vous désirez donner à la photo. Sachez toutefois que la pose longue qu'impose la synchro lente risque de produire une image floue. Le sujet et l'appareil doivent tous deux être parfaitement immobiles durant l'exposition. A titre indicatif, les photos de la Figure 6.10 ont été prises, l'une au 1/60e, l'autre à cinq secondes de pose. De plus, les couleurs de la photo prise en synchro lente risquent d'être un peu plus chaudes en raison de la température de couleur de l'environnement, un phénomène évoqué au Chapitre 5.

Figure 6.10 : La synchronisation flash lente permet de mieux exposer l'arrière-plan.

Flash externe

Les appareils haut de gamme permettent d'utiliser un flash séparé. Dans ce cas, le flash incorporé est désactivé. Cette possibilité est très prisée par les amateurs avertis et les professionnels, car elle permet de travailler parfaitement l'éclairage.

Si votre appareil n'est pas équipé d'une griffe ou d'une prise pour un flash externe, vous pourrez néanmoins utiliser un flash asservi. Placé à l'endroit qui vous convient, il est automatiquement déclenché par le flash incorporé de l'appareil photo. Vous l'utiliserez par exemple pour produire un éclairage indirect, en l'orientant vers le plafond ou un mur clair.

Mais c'était parfait sur l'écran LCD !

L'écran LCD de l'appareil donne une bonne idée de l'exposition de votre image, mais ne vous y fiez pas entièrement car le rendu n'est pas très fidèle. Bien souvent, la photo sera plus claire ou plus sombre que ce qui apparaît dans le petit moniteur, surtout si votre appareil permet de régler sa luminosité.

Pour être certain d'obtenir au moins une photo correctement exposée, prenez-en plusieurs en activant l'exposition multiple, si votre appareil le permet. Il suffira alors d'appuyer longuement sur le déclencheur pour prendre plusieurs fois la même photo mais à différentes valeurs d'exposition.

Les éclairages auxiliaires

Bien que le flash soit commode, il n'offre pas que des avantages. A faible distance, il a tendance a surexposer complètement le sujet, d'où les portraits du genre "fromage blanc". Sans parler des yeux rouges...

Certains appareils acceptent un flash auxiliaire qui, placé à bonne distance, réduira le risque de surexposition. Si le vôtre n'offre pas cette option, il sera préférable de désactiver le flash et d'éclairer la scène avec une autre source.

Les photographes avertis ou les professionnels ont la chance de disposer d'un studio équipé de projecteurs et de réflecteurs. Mais si vous n'avez pas cet équipement, investissez dans un ou deux projecteurs à lampe survoltée, semblables à ceux utilisés pour la vidéo.

Mais la plupart d'entre vous n'ont comme seul studio que leur cuisine, leur salon ou leur salle à manger. Il va falloir bricoler. Souvent, un simple morceau de carton blanc fera office de réflecteur de fortune. La Figure 6.11 montre un studio improvisé. NdT : si vous ne tenez pas à bricoler voyez le ministudio Xelum, de Provilux, visible sur le site `www.provilux.com`.

Figure 6.11 : Avec quelques lampes de bureau, un trépied et du carton, vous pouvez improviser un studio.

Evitez d'orienter les projecteurs directement sur le sujet. Placez-les toujours de manière à obtenir un éclairage indirect. Par exemple, dans une configuration comme celle de la Figure 6.11, la lumière doit être dirigée vers les panneaux réflecteurs. Vous obtiendrez ainsi un meilleur modelé du sujet et des ombres très douces.

Si vous placez votre minitudio près d'une fenêtre, rappelez-vous que la température de couleur de la lumière artificielle est différente de celle de la lumière du jour. Faites quelques tests et, si les photos présentent une dominante de couleur indésirable, réglez la balance du blanc. Une autre solution consiste à utiliser des ampoules de type "lumière du jour". Le Chapitre 5 donne des précisions sur la balance des blancs.

Eclairer des objets brillants

Lorsque vous photographiez des objets qui brillent, comme des bijoux, du verre, du chrome ou de la porcelaine, la lumière est un vrai problème. Toute source lumineuse qui frappe directement l'objet produit une zone de réflexion intense comme sur l'image de gauche de la Figure 6.12. De plus, d'autres objets peuvent se refléter à la surface de l'objet photographié.

Pour éviter ces problèmes, les photographes professionnels ont recours à des éclairages très sophistiqués. Si vous n'avez pas les moyens de vous équiper, voici quelques conseils pour photographier des objets brillants :

Figure 6.12 : Un éclairage direct produit des reflets crevés (à gauche), tandis qu'un éclairage diffus produit un beau modelé.

- **Désactivez le flash intégré et éclairez les objets autrement.** Le flash incorporé produit une lumière dure et puissante, source de problèmes. Consultez les précédentes sections de ce chapitre pour savoir comment obtenir une bonne exposition sans recourir au flash.

- **Essayez de diffuser la lumière.** Par exemple, placez un voile ou une feuille blanche entre la source de lumière et l'objet, pour adoucir son impact et prévenir tout effet étincelant ainsi que les réflexions parasites.

- **Si vous photographiez fréquemment des objets brillants,** achetez une boîte à lumière semblable au Cloud Dome que montre la Figure 6.13. Placez l'objet dessous puis fixez l'appareil photo sur le support situé au sommet. Le dôme diffuse la lumière dirigée dessus, et empêche l'environnement de se refléter sur le sujet.

  Le Cloud Dome (`www.cloudome.com`) est vendu à partir de 200 dollars. Des extensions permettent de photographier des objets plus gros. Une autre option consiste à recourir à une sorte de tente conique, à travers laquelle vous photographiez. Lastolite (`www.lastolite.com`) propose différents modèles, à partir de 65 dollars pour celle de 50 cm de diamètre.

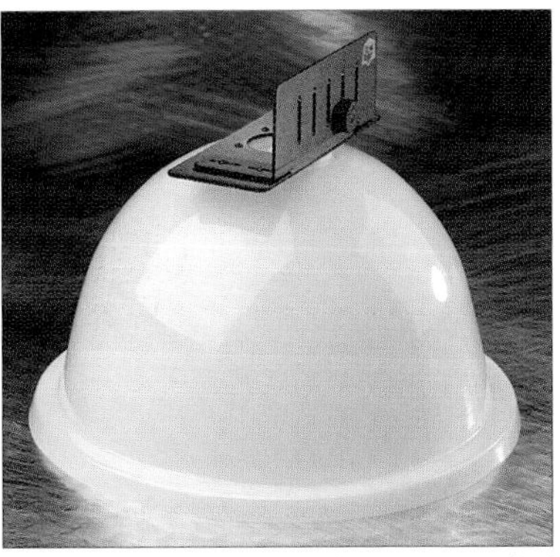

Avec l'aimable autorisation de Cloud Dome, Inc et Lastolite Limited.

Figure 6.13 : Des dispositifs comme le Cloud Dome (à gauche) ou la tente Lastolite (à droite) facilitent la photographie des objets brillants.

Compenser le contre-jour

Un *contre-jour* se produit lorsque le sujet est placé devant une source de lumière. Cet éclairage fausse la mesure automatique de la lumière, assombrissant le sujet. La première des photos de la Figure 6.14 est un exemple classique. Elle a été prise au milieu de la matinée, alors que le soleil était encore derrière la statue, comme le révèlent les reflets sur les épaules.

Figure 6.14 : Un éclairage à contre-jour risque d'entraîner une sous-exposition du sujet (à gauche). Choisissez un autre mode de mesure (au milieu), ou corrigez l'exposition ou utilisez un flash d'appoint. Ou les trois à la fois (à droite).

Excusez-moi, vous pourriez éteindre le soleil ?

Ajouter de la lumière est plus facile que d'en enlever. En extérieur, atténuer la lumière du jour n'est pas envisageable. Vous devrez trouver d'autres solutions : placer le sujet à l'ombre, où vous utiliserez un flash d'appoint ou encore, corriger l'exposition. De grands panneaux de carton gris neutre, tenus par un ou deux assistants entre le sujet et le soleil, peuvent être utiles. En les orientant judicieusement, vous pourrez même travailler la lumière.

Pour remédier à cette situation, je vous propose plusieurs solutions :

- **Déplacez le sujet de telle sorte que la source de lumière ne se trouve plus derrière lui.** Mais pour la statue de la Figure 6.14, ce n'est pas envisageable.
- **Placez-vous ailleurs pour changer d'angle de prise de vue.** Là encore, pour la statue, c'est raté...
- **Si l'appareil photo le permet, choisissez la mesure ponctuelle ou centrale pondérée.** Pour la photo du milieu, à la Figure 6.14, j'ai choisi la mesure ponctuelle. L'image est meilleure mais la statue est encore un peu sous-exposée.
- **Trompez l'exposition automatique.** Visez un élément relativement sombre, appuyez légèrement sur le déclencheur pour mémoriser la valeur d'exposition ainsi calculée par votre appareil, cadrez le sujet et prenez la photo.

  N'oubliez pas que la mise au point est aussi réglée lorsque vous appuyez légèrement sur le déclencheur. Il est impératif de viser un élément situé à la même distance que le sujet à photographier, sinon ce dernier sera flou.

- **Utilisez le flash.** Vous déboucherez ainsi le sujet, à condition cependant qu'il se trouve à portée du flash. Or, la portée de la plupart des flashs incorporés est extrêmement faible.

Pour la photo de droite de la Figure 6.14, j'ai opté pour la mesure ponctuelle, poussé l'IL à +0.3 et utilisé le flash. Notez qu'en plein jour, le flash peut réchauffer légèrement les couleurs, en raison du réglage de la balance du blanc évoqué au Chapitre 5. L'appareil le choisit en effet en fonction du flash, qui est plus froid (il tire sur le bleu) que la lumière du soleil.

Le point sur la mise au point

La plupart des appareils, qu'ils soient numériques ou argentiques, disposent d'une mise au point automatique qui permet d'obtenir des images nettes dans la majorité des conditions. Dans les sections qui suivent, nous examinerons les différents types de mesure de la distance.

La mise au point fixe

Comme son nom l'indique, la mise au point fixe ne peut pas être modifiée. L'appareil est préréglé à quelques mètres. Les éléments placés trop près sont flous tandis que ceux situés au loin, jusqu'à l'infini, sont suffisamment nets.

Reportez-vous au manuel de l'appareil pour connaître la distance de netteté maximale.

La mise au point automatique

Beaucoup d'appareils numériques disposent d'une *mise au point automatique*. Vous ne pouvez cependant pas vous y fier aveuglément (eh oui...). Voici comment procéder pour que la mise au point soit irréprochable :

1. **Visez le sujet.**
2. **Appuyez sur le déclencheur jusqu'à mi-course et maintenez-le ainsi.**

   L'appareil analyse et mesure la distance et effectue la mise au point. Souvent, l'exposition automatique est réglée simultanément. Un signal sonore et/ou visuel prévient que la photo peut être prise.

3. **Appuyez complètement sur le déclencheur pour prendre la photo.**

Pour mieux tirer profit de la mise au point automatique, je vous propose d'en résumer brièvement les caractéristiques :

- Il existe deux méthodes de mise au point automatique :

- **Mise au point centrale :** L'appareil lit la distance qui le sépare de l'élément situé au centre de l'image pour faire la mise au point.

- **Mise au point multizone :** L'appareil mesure la distance de plusieurs éléments, dans le viseur, et fait la mise au point sur le plus proche.

Comme la mise au point s'effectue lorsque vous appuyez à mi-course sur le déclencheur, il est important de comprendre ce mécanisme afin d'éviter les images dont le sujet est flou alors qu'un élément inintéressant, lui, est net. Une fois la mise au point bloquée, vous pouvez recadrer la photo à votre convenance. Tant que vous maintenez votre doigt appuyé à mi-course sur le déclencheur, la mise au point reste bloquée. Assurez-vous toujours que la distance entre l'appareil et le sujet ne change pas. Sinon vous devrez refaire le point.

- Dans le viseur d'un appareil à mise au point centrale, des repères indiquent la zone prise en compte. Reportez-vous au manuel pour savoir à quoi ils correspondent. Parfois, ce sont des repères de compensation de la parallaxe, une notion décrite au prochain chapitre.

- Des appareils à mise au point automatique disposent également de réglages manuels. Il s'agit généralement d'un réglage en *mode Macro* pour les prises de vue très rapprochées et d'un réglage en *mode Paysage* ou *Infini* pour les photos d'ensemble. Lorsque vous commutez l'appareil sur l'un de ces réglages, la mise au point automatique est désactivée.

La mise au point manuelle

Des appareils grand public proposent la mise au point automatique et une ou deux options de mise au point manuelle. Sur les modèles bas de gamme, la mise au point automatique n'est pas toujours débrayable.

Quelques appareils haut de gamme disposent d'une mise au point manuelle sophistiquée. Ici, vous sélectionnez dans un menu la distance qui sépare l'appareil du sujet, au lieu de la régler avec la traditionnelle bague de mise au point.

Gardez ceci en mémoire !

Une image floue n'est pas toujours due à une mise au point hasardeuse. Elle peut l'être à cause d'une vitesse d'obturation insuffisante. Dans le premier cas, il s'agit d'un flou de mise au point, dans le deuxième d'un flou de mouvement. Le flou de bougé, lui, est dû au déplacement de l'appareil au moment du déclenchement.

Quelles que soient les circonstances, il faut impérativement que votre appareil soit immobile. Cette affirmation est encore plus vraie lorsque la lumière ambiante est faible. La durée d'exposition est alors plus longue, et le moindre mouvement risque de provoquer du flou.

Voici quelques bonnes habitudes à prendre :

- Plaquez votre coude contre votre buste pendant que vous déclenchez.
- Appuyez doucement sur le déclencheur afin d'éviter un flou de bougé.
- Placez l'appareil sur un élément stable : un trépied ou alors un sac de microbilles, comme le Pod vendu chez Photim (`www.photim.com`).
- Si votre appareil est équipé d'un retardateur, utilisez-le lorsque vous photographiez sur pied. Vous éviterez ainsi de bouger l'appareil par indavertance en appuyant sur le bouton.

Si vous avez la chance de posséder un déclencheur télécommandé, ne vous privez pas de l'utiliser, même si vous êtes à proximité de l'appareil.

Ce réglage prend toute sa signification lorsque vous devez prendre plusieurs photos d'un sujet immobile. Vous n'êtes plus contraint de débrayer la mise au point automatique à chaque prise de vue. Assurez-vous simplement que la distance est correctement mesurée.

Si vous utilisez la mise au point manuelle pour photographier en gros plan, mesurez la distance précise qui sépare l'objectif de l'objet, et ne vous fiez surtout pas à ce que montre l'écran LCD, car il est trop imprécis.

La profondeur de champ

Tout photographe averti sait que la *profondeur de champ* est l'un des aspects essentiels de la mise au point. Elle dépend en partie de l'ouverture du diaphragme. La profondeur de champ est une zone qui s'étend en deçà et au-delà du plan de mise au point. Contrairement à une idée reçue, il ne s'agit pas d'une zone de netteté, mais d'une zone de netteté tolérable. La netteté n'est optimale que sur le plan de mise au point. Pour faire simple, disons qu'elle décroît peu à peu de part et d'autre de ce plan jusqu'au moment où le flou devient discernable.

La Figure 6.15 montre l'incidence du diaphragme sur la profondeur de champ. Pour ces deux images, j'ai utilisé le mode Macro de l'appareil. Les photographies ont été prises avec une ouverture de 3.4 à gauche, et de 11 à droite.

Figure 6.15 : A une ouverture f/3.4 (à gauche), l'arrière-plan est plus flou qu'à f/11 (à droite).

Sur l'image de gauche, seuls les objets les plus proches sont nets. En d'autres termes, la profondeur de champ est très faible. Réduire l'ouverture augmente la profondeur de champ, ce qui englobe davantage d'éléments dans la zone dite de netteté (souvenez-vous que plus la valeur du diaphragme est élevée, plus l'ouverture est petite).

Si votre appareil photo numérique ne permet pas de contrôler l'ouverture ou ne possède pas de zoom, sachez que la profondeur de champ peut être simulée avec un logiciel de retouche, comme vous le découvrirez au Chapitre 11. Vous pouvez aussi recourir à un des modes Scène pour imposer une ouverture de diaphragme.

Exploiter les modes Scène

Pour un débutant, se souvenir de toutes les règles qui régissent la sensibilité, la vitesse, le diaphragme et la mise au point peut être ardu, pour ne pas dire plus. C'est pourquoi beaucoup d'appareils proposent des *modes Scène*. Ce sont des réglages prédéfinis selon diverses conditions de prise de vue.

Prenons par exemple le portrait. Les gens aiment bien que l'arrière-plan soit légèrement flou. A cette fin, le mode Portrait ouvre automatiquement le diaphragme afin de réduire la profondeur de champ.

Le Tableau 6.1 énumère quatre modes Scène standard. Reportez-vous au manuel de votre appareil pour savoir combien il en propose. Vous en découvrirez sans doute beaucoup d'autres, pour bien d'autres types de photo.

Tableau 6.1 : Les modes Scène.

Mode	Ce qu'il fait
Portrait	Ouvre le diaphragme au maximum afin de réduire la profondeur de champ et rendre l'arrière-plan flou. L'appareil augmente la vitesse pour compenser la grande ouverture.
Paysage	Réduit le diaphragme au minimum afin d'étendre la profondeur de champ. Comme l'appareil est obligé de réduire la vitesse en raison du diaphragme fermé, il doit être particulièrement stable. La mise au point est parfois automatiquement réglée à une distance proche ou égale à l'infini.
Action	Sélectionne une vitesse rapide afin de figer le mouvement. Le diaphragme risque d'être grand ouvert, d'où une profondeur de champ réduite.
Nuit	Utilise le flash associé à une vitesse faible pour éclaircir l'arrière-plan. N'utilisez pas ce mode si vous tenez à avoir un arrière-plan bien noir.

Chapitre 7

Optimiser vos prises de vue

Dans ce chapitre :

- Plus de force grâce à la composition.
- Eviter les problèmes de parallaxe.
- De la bonne utilisation du zoom.
- La photo d'action.
- Créer un panorama.
- Atténuer le bruit optique.

Les Chapitres 5 et 6 étaient consacrés aux notions techniques de la photographie numérique, comme la résolution, l'ouverture, la vitesse d'obturation, etc. Mais la photographie est aussi et avant tout un art. Car après tout, une image inintéressante reste une image inintéressante, même si elle est techniquement parfaite.

Ce chapitre vous aidera à prendre des photos plus fortes, plus captivantes. Que vous preniez des instantanés de vos enfants ou que vous ayez à photographier des objets pour les exposer dans votre boutique en ligne, ces techniques vous seront utiles. Avec un peu de talent artistique, vos photos cesseront d'être banales et attireront l'attention.

La composition d'une image

Regardez la photo de la Figure 7.1. L'exposition, la mise au point et les autres aspects sont corrects. Quant au sujet, une statue à la base du Monument aux soldats et aux marins, à Indianapolis, elle est intéressante mais... l'image manque de force.

Regardez maintenant la Figure 7.2, qui montre deux autres photos du même sujet, mais plus intéressantes. Qu'est-ce qui fait la différence ? La *composition*. Un autre angle et un cadrage plus serré rendent l'image autrement plus intéressante.

Figure 7.1 : Cette photo est insipide à cause d'un angle de prise de vue très banal.

Il n'existe pas de règle absolue, incontournable, sur l'art de composer une image. Cependant, il est possible de rendre vos photographies plus vivantes en appliquant les quelques conseils qui suivent :

- **Souvenez-vous de la règle des tiers.** Pour un impact maximal, ne centrez pas le sujet comme à la Figure 7.1. Je vous recommande de diviser mentalement l'image en tiers, comme à la Figure 7.3. Placez les éléments forts du

Figure 7.2 : Dynamisez vos photos en faisant varier l'angle de prise de vue et en zoomant sur le sujet.

sujet à l'intersection des lignes. C'est le cas, ici, de la tête du chevreuil.

Ce chevreuil était si occupé à brouter le feuillage que j'ai largement eu le temps de bien cadrer. Mais si vous n'en avez pas la possibilité, cadrez large puis recadrez l'image dans un logiciel de retouche, comme nous le verrons au Chapitre 11.

Figure 7.3 : L'une des règles de la composition consiste à diviser l'image en tiers et à placer le sujet principal sur l'une des intersections.

- **Photographiez sous des angles inattendus.** Revenez à la Figure 7.1. La photo reproduit fidèlement la statue, mais elle n'est pas aussi intéressante que celles de la Figure 7.2, qui montre le même sujet sous des angles plus originaux.

- **Tenez compte du parcours des yeux.** Pour rendre une image plus dynamique, composez la scène de manière à ce que l'œil de celui qui regarde la photo ait naturellement tendance à suivre une ligne de force, comme à la Figure 7.4. Le sujet de cette photo, elles aussi prises au Monument aux soldats et aux marins, semble s'élancer dans le bleu du ciel. La flamme abaissée et le mouvement de la robe soulignent cette impression.

Figure 7.4 : Pour rendre une photo dynamique, cadrez-la de telle sorte que l'œil suive naturellement le mouvement en se portant d'un bord de l'image à l'autre.

- **Restez proche de votre sujet.** La photo qui fait la différence est souvent celle mettant en évidence un détail qui a échappé à tout le monde, comme la petite ride d'expression du grand-père ou la goutte de rosée sur une fleur au petit matin. N'ayez pas peur de vous approcher des sujets photographiés. La règle qui recommande de "laisser de l'air" autour du sujet doit parfois être transgressée.

- **Ne négligez pas l'arrière-plan.** Assurez-vous que des éléments inopportuns, comme la fleur et l'écran d'ordinateur à la Figure 7.5, ne gênent pas.

Figure 7.5 : Un sujet plaisant sur un fond affreux.

Pour photographier des enfants sans montrer la pagaille qui règne souvent dans leur chambre, photographiez-les pendant qu'ils sont vautrés sur le sol et regardent vers vous, comme à la Figure 7.6.

Figure 7.6 : Pour éviter un arrière-plan encombré de meubles et d'objets, prenez la moquette ou le tapis comme toile de fond.

- **Essayez d'exprimer la personnalité de vos sujets.** Trop souvent, les photographies qui mettent en scène des personnes et même parfois des modèles sont fort ennuyeuses. Pourquoi ? Parce que la mise en scène est affligeante. Plutôt que de faire poser les personnes qui vous entourent et les voir se figer, tentez de les saisir sur le vif. Les photos seront plus naturelles et surtout plus vivantes.

Du côté de la parallaxe

Vous composez parfaitement l'image, vous déclenchez et, sur l'écran de contrôle, la photo est décadrée, comme si vous vous étiez légèrement décalé lors de la prise de vue.

Ce problème de cadrage est dû à la *parallaxe,* c'est-à-dire la distance qui sépare l'axe optique – qui traverse l'objectif en son centre – de l'axe de visée.

Le viseur optique d'un appareil est une petite fenêtre placée au-dessus ou à côté de l'objectif. Il est généralement placé au-dessus de ce dernier. Cet écart minime est suffisant pour que l'angle sous lequel le sujet est vu diffère légèrement. L'image photographiée est légèrement décalée par rapport à l'image cadrée dans le viseur. Le sujet est "coupé", comme à la Figure 7.7.

Figure 7.7 : L'erreur de parallaxe a coupé les oreilles de ce petit chien.

Dans le viseur, des repères affichent parfois la limite du cadrage qui sera effectivement pris en compte. Respectez-les pour cadrer correctement vos photos lorsque vous photographiez à courte distance. Reportez-vous au manuel de votre équipement pour en savoir plus.

Avec un écran LCD, l'erreur de parallaxe – en fait, ce n'est pas une erreur mais un phénomène physique – est inexistante puisque l'image qu'il affiche est celle transmise par le capteur. Sur certains appareils, l'écran LCD est automatiquement allumé lorsque vous choisissez le mode Macro.

Composer pour des montages

Issues de la peinture, les règles de composition sont plus anciennes que la photographie. Mais quand vous créez des photos numériques, un autre aspect doit être pris en compte : la finalité de l'image. Si vous désirez ôter l'arrière-plan de l'image – une opération appelée "détourage"

– afin de coller le sujet dans une autre image, vous devez accorder une attention particulière à l'environnement et au cadrage.

Supposons que pour un catalogue, vous désirez montrer quatre objets sur une même photo. Pour vous faciliter l'existence, vous les photographierez sur un fond uni. Il sera ainsi très facile de les détourer puis les monter.

Comme nous le verrons au Chapitre 12, vous devez *sélectionner* dans le logiciel de retouche l'élément à copier. En quoi un fond uni facilite-t-il le travail ? Tout simplement parce que la plupart des logiciels disposent d'un outil qui, d'un seul clic, sélectionne la totalité d'une zone de couleur. Il suffit ensuite d'intervertir la sélection pour que ce ne soit plus le fond, mais le sujet, qui soit sélectionné.

Figure 7.8 : Evitez un fond trop chargé lorsque vous envisagez de détourer un objet.

Les Figures 7.8 et 7.9 illustrent ce processus. Le tissu ancien à l'arrière-plan, à la Figure 7.8, met l'appareil de collection en valeur. Comme le contraste est assez faible entre le tissu et les parties chromées du boîtier, la sélection automatique du fond ne pourra pas être utilisée. Vous devrez tracer manuellement le contour de sélection autour de l'appareil.

Figure 7.9 : Choisissez un fond uni et cadrez aussi serré que possible.

Vous trouverez tous les détails sur les sélections au Chapitre 12, et sur le montage au Chapitre 13. Pour le moment, retenez que si vous envisagez de détourer un objet, dans un logiciel graphique, vous devrez le photographier sur un fond à peu près uni, comme à la Figure 7.9. Assurez-vous que sa couleur soit très différente de celle des contours de l'objet (peu importe celle de l'intérieur) afin de faciliter la sélection automatique du fond, dans le logiciel.

Une autre règle pour le détourage : le sujet doit être cadré aussi serré que possible, comme à la Figure 7.9. Le maximum de pixels sera ainsi consacré à l'objet, et non au fond qui disparaîtra. Plus une image comporte de pixels, plus grande vous pourrez l'imprimer, comme nous l'avons expliqué au Chapitre 2.

Gros plan sur les zooms

Beaucoup d'appareils disposent d'un zoom pour cadrer plus large ou plus serré à partir d'un même endroit.

Certains appareils sont munis d'un *zoom optique* qui est un véritable objectif. D'autres (ou les mêmes) disposent d'un *zoom numérique* qui effectue un simple recadrage de l'image au moment de l'enregistrement de l'image.

Le zoom optique

Si votre appareil est équipé d'un zoom optique, gardez en tête ces quelques points :

- Plus vous êtes proche de votre sujet, plus l'effet de la parallaxe est important.
- Lorsque vous zoomez sur un sujet, l'arrière-plan est plus réduit que lorsque vous vous déplacez physiquement vers lui. Les deux images de la Figure 7.10 illustrent ce principe dont la cause est toute simple : dans le premier cas, vous photographiez au téléobjectif, avec un angle de champ étroit. Dans le second cas, vous photographiez au grand-angulaire avec un champ large.
- Zoomer avec un téléobjectif rend l'arrière-plan plus flou. Ceci est dû à la *profondeur de champ* (voir Chapitre 6), d'autant plus faible que la focale est longue. La profondeur de champ définit la zone de mise au point en deçà et au-delà de laquelle une image est considérée comme floue. Avec une profondeur de champ étroite, le sujet proche, sur lequel le point a été fait, est net, et l'arrière-plan flou. Lorsque le zoom est en position grand-angulaire, la profondeur de champ est plus étendue, procurant une netteté générale quelle que soit la distance des éléments.

Figure 7.10 : Zoomer sur un objet (à gauche) diminue le champ. Se rapprocher du sujet donne une vue plus étendue (à droite).

- N'oubliez pas que l'ouverture du diaphragme affecte elle aussi la profondeur de champ. Consultez la dernière section du Chapitre 6 pour en savoir plus à ce sujet. A la Figure 7.10, l'ouverture est la même pour les deux photos. La différence de netteté est uniquement due à la profondeur de champ.

Le zoom numérique

Quelques appareils recourent à un traitement numérique à défaut d'un véritable zoom optique. Dans bien des cas, vous avez le choix entre les deux techniques. Avec le zoom numérique, l'appareil recadre la partie centrale de l'image pour donner l'*illusion* du zoom en avant.

Par exemple, si vous zoomez numérique sur un bateau naviguant au milieu d'un lac, votre appareil cadrera le bateau au niveau du capteur et redimensionnera – agrandira – l'image. Ce procédé ne donne rien de plus que ce que vous obtiendriez avec un logiciel de retouche. Vous pouvez l'utiliser si vous ne disposez pas de logiciel, mais sachez que, quoi qu'il en soit, la qualité de l'image sera très amoindrie.

La photo d'action

Voici une chose bien difficile à réaliser avec un appareil photo numérique. Cela est dû au temps de latence entre le moment où vous appuyez sur le déclencheur et celui où la photo est réellement prise (voir le Chapitre 6). De fait, le temps d'exposition s'en trouve augmenté, produisant un flou de mouvement.

L'appareil photo nécessite quelques secondes pour faire la mise au point et régler l'exposition automatique. Après le déclenchement, il enregistre l'image dans la mémoire, ce qui nécessite aussi un peu de temps. Si vous photographiez au flash, son condensateur doit être rechargé avant de pouvoir prendre une nouvelle photo.

La technique progresse rapidement et la plupart des appareils disposent aujourd'hui d'une option de prises de vues à intervalle réduit, le mode *Rafale*. Ce système permet de prendre une série de photo en maintenant le doigt sur le déclencheur. Le nombre total d'images dépend de la cadence de prises de vues et de la capacité mémoire de votre matériel. Les modèles bas de gamme limitent le nombre de photos à quelques-unes, cinq ou six seulement. Les cinq photos de la Figure 7.11 ont été prises en mode Rafale.

Vérifiez si votre appareil permet de régler la cadence de prise de vue. Pour les photos de la Figure 7.11, j'ai sélectionné la cadence la plus élevée, soit trois images par seconde.

Pour des raisons de stockage et de technique, le mode Rafale impose parfois la diminution de la résolution. En plus, le flash ne peut pas être utilisé dans ce mode. L'intervalle entre les prises ne permet pas toujours de saisir le moment le plus important. Par exemple, à la Figure 7.11, il n'a pas été possible de saisir l'instant où le club percute la balle.

Quand vous photographiez une scène en mouvement, n'oubliez pas les préconisations suivantes :

- **Bloquez la mise au point et l'exposition.** Appuyez jusqu'à mi-course sur le déclencheur pour effectuer la mise au point, fixer l'exposition, cadrer et être ainsi prêt au moment décisif. Reportez-vous au Chapitre 6 pour en savoir plus sur le verrouillage de la mise au point et de l'exposition.

- **Anticipez la prise de vue.** Un bref délai s'écoule toujours entre le moment où vous appuyez sur le déclencheur et celui où l'appareil

Figure 7.11 : Le mode Rafale, réglé ici à trois photos par seconde, permet de décomposer une action.

enregistre la photo. Essayez, dans la mesure du possible, d'appuyer sur le bouton un peu *avant* que l'action survienne. Il faut de la pratique pour évaluer efficacement ce temps de latence, quasiment inexistant sur les appareils argentiques.

- **Activez le flash.** L'utilisation du flash, y compris en plein jour, augmente parfois la vitesse d'obturation et contribue ainsi à figer l'action. Dans ce cas, utilisez si possible le mode Flash d'appoint ou de remplissage, comme expliqué au Chapitre 6. Rappelez-vous que le flash a besoin de recharger son condensateur avant de pouvoir prendre une nouvelle photo.

- **Enclenchez la priorité à la vitesse** (si votre appareil le permet). Sélectionnez la vitesse d'obturation la plus rapide et prenez quelques photos de test. Si l'image est trop sombre, sélectionnez une vitesse plus faible et faites un nouvel essai. Souvenez-vous qu'en mode priorité à la vitesse, l'appareil analyse la lumière ambiante et règle ensuite le diaphragme selon la vitesse d'obturation. Si l'éclairage est insuffisant, la compensation ne sera pas efficace. Pour plus d'informations, reportez-vous au Chapitre 6.

Si votre appareil ne permet ni la priorité à la vitesse ni les réglages manuels, choisissez le mode de scène Sport ou Action, qui augmente la vitesse d'obturation. Reportez-vous au manuel pour les détails.

- **Optez pour une résolution réduite.** Plus la résolution est faible, plus l'image est rapidement enregistrée. L'appareil sera ainsi de nouveau prêt plus rapidement.

- **Désactivez la visualisation instantanée.** Beaucoup d'appareils affichent la photo pendant quelques secondes, juste après l'avoir prise. Tant que l'image est affichée, vous ne pouvez pas en prendre une autre.

- **Laissez toujours votre appareil allumé.** Comme ils consomment énormément d'énergie, nous avons tendance à éteindre au plus vite les appareils numériques. Or, il leur faut un certain délai, après allumage, pour être opérationnels. N'éteignez que le viseur LCD afin de préserver l'autonomie de la batterie.

Le montage panoramique

Si vous avez eu la chance de visiter le Grand Canyon (ou, plus près de nous, les gorges du Verdon), je vous sais frustré de ne pas avoir pu photographier toute l'étendue de cette formation rocheuse. Les formats d'image ne sont pas faits pour les grands espaces.

Aujourd'hui, la limite du cadre n'est plus un obstacle aux prises de vue panoramiques. Grâce au numérique, il est possible de photographier différentes parties d'une scène pour ensuite les combiner. La Figure 7.12 montre les photos d'une très jolie maison de campagne. L'angle de prise de vue est toutefois différent d'une vue à l'autre. Une fois les photos raccordées à l'aide d'un logiciel de retouche, on obtient la vue panoramique de la Figure 7.13.

Figure 7.12 : Ces photos ont été raboutées pour obtenir le panorama de la Figure 7.13.

Figure 7.13 : La vue panoramique offre des perspectives plus larges.

Il n'est pas rare que les appareils numériques soient livrés avec un petit programme qui permette de réaliser des montages panoramiques. Mais ces petits programmes n'atteignent généralement pas la précision d'un logiciel comme Photoshop Elements, dont la fonction Photomerge est illustrée sur la Figure 7.14. Vous pouvez aussi acheter un logiciel spécialisé, comme Panorama Maker, d'Arcsoft (`www.arcsoft.com`). Les professionnels opteront pour Stitcher, édité par RealViz (`www.realviz.fr`).

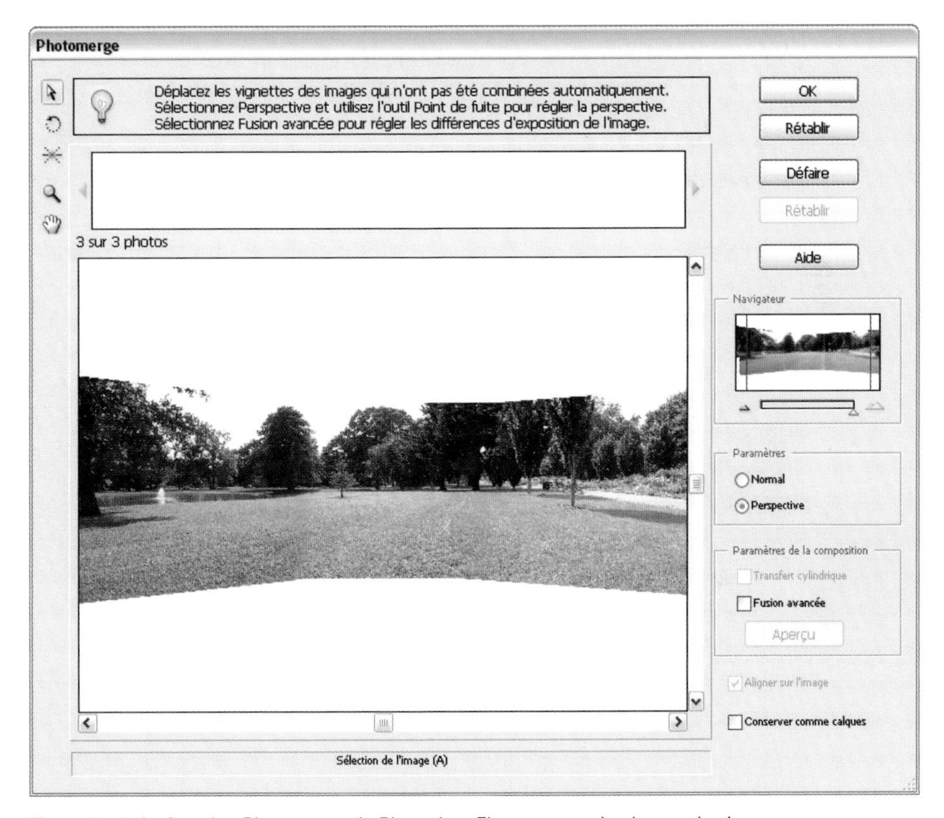

Figure 7.14 : La fonction Photomerge de Photoshop Elements sert à rabouter des images.

La création du panorama est facile pour peu que vous preniez les photos correctement. A cette fin respectez les règles de prise de vue ci-dessous :

- **Chaque photo doit respecter une distance et un angle de prise de vue vertical identiques.** Ne vous rapprochez pas trop de l'immeuble que vous photographiez et faites en sorte que l'une de ses extrémités ne soit pas plus éloignée de vous que l'autre extrémité.

- **Les photos doivent se recouvrir d'au moins 30 % les unes les autres.** Chacun des clichés doit posséder des zones communes avec les autres pour un montage réaliste. Par exemple, si vous photographiez dix voitures, la première photo sera composée des deux premières voitures, la deuxième inclura la troisième, la quatrième et la cinquième voiture ; enfin, la dernière photographie contiendra les voitures 6 à 10. C'est la superposition des éléments communs qui permet d'obtenir un panoramique sans raccord apparent.

- **Assurez-vous de l'horizontalité.** Certains trépieds sont équipés d'un niveau à bulle. Si ce n'est pas le cas du vôtre, vous trouverez des niveaux à bulle autocollant dans un magasin photo.

- **Ne modifiez pas la mise au point.**

- **Ne modifiez pas l'exposition.** Pour éviter les différences de tonalité, une exposition constante s'impose. De même, évitez d'espacer vos clichés. Quelques minutes suffisent pour qu'un nuage vienne assombrir la scène, provoquant ainsi des variations de luminosité.

Si votre appareil ne permet pas de désactiver l'exposition automatique, vous risquez de vous retrouver avec une partie de la scène dans l'ombre, alors que l'autre est bien ensoleillée. L'exposition automatique compense les différences de luminosité pour éclaircir les ombres ou réduire l'exposition des zones fortement éclairées. Ce procédé est certes commode, mais pas pour les panoramas, car ces compensations produisent des nuances totalement différentes, de sorte que le raboutage sera imparfait. Pour éviter cela, verrouillez la mise au point et l'exposition, afin que toutes les vues soient prises dans les mêmes conditions. Le meilleur résultat est obtenu avec une luminosité ambiante moyenne.

- **Les sujets en mouvement sont à proscrire.** Une personne qui traverse la scène risque de se retrouver sur les autres photos, mais à un emplacement différent. Excepté pour créer des effets surréalistes, évitez ce qui bouge.

Si la réalisation de panorama vous tente, vous vous faciliterez la tâche en investissant dans un trépied spécial, équipé de niveaux à bulles et d'une graduation en degrés pour orienter chaque vue à intervalle régulier. Voyez les produits de chez Manfrotto (`www.manfrotto.com`), Gitzo (`www.gitzo.fr`) ou Kaidan (`www.kaidan.com`). Attendez-vous toutefois à des prix assez élevés.

Vos photos ont la rougeole ?

Vos images présentent-elles une granulation colorée disgracieuse comme à la Figure 7.15 ? Des parties de l'image sont-elles crénelées (effet d'escalier) ?

Figure 7.15 : Avec un faible éclairage, le capteur de l'appareil produit du grain.

Si oui, voici quelques remèdes :

- **Optez pour un taux de compression JPEG plus faible.** Les images pixellisées ou tachetées résultent souvent d'une compression trop forte (voir Chapitre 5). Consultez le manuel de votre appareil pour savoir comment modifier la compression JPEG.

- **Augmentez la résolution.** Peu de pixels produit un effet de blocs – appelé *pixellisation* – typique des images numériques. Pour éviter ce phénomène, choisissez une résolution élevée. (Consultez le Chapitre 2 pour connaître le rapport qui existe entre une faible résolution et une piètre qualité d'impression.)

- **Augmentez l'éclairage.** Les images prises dans des conditions lumineuses déficientes présentent du grain, comme l'illustre la Figure 7.15. Augmentez la valeur de l'exposition ou utilisez un flash afin de compenser le manque de luminosité.

- **Réduisez la sensibilité ISO** (si l'appareil le permet). Reportez-vous au Chapitre 6 pour en savoir plus.

Troisième partie

De l'appareil photo à l'ordinateur

Dans cette partie...

L'un des principaux avantages de la photo numérique est son instantanéité. Si vous êtes atteint d'une impatience chronique, vous serez content d'éviter l'attente du développement.

Cette partie du livre vous apprendra tout ce qu'il faut savoir pour extraire les photos de l'appareil et en faire profiter votre entourage. Le Chapitre 8 est consacré au transfert et des images et au classement des fichiers. Le Chapitre 9 décrit les diverses options d'impression. Le Chapitre 10 décrit les diverses manières de distribuer électroniquement les images – publication sur le Web, courrier électronique... – et propose d'autres idées d'utilisation des images à l'écran.

Parce qu'il y a une vie après la prise de vue numérique, plongez-vous sans attendre dans les délices de cette partie.

Chapitre 8

Créer votre photothèque

Dans ce chapitre :

- Télécharger les images depuis un lecteur de cartes.
- Transférer les images par une liaison directe.
- Convertir des fichiers Camera Raw.
- Travailler avec des formats propriétaires.
- Organiser les fichiers d'image

Pour beaucoup de gens, la photo numérique n'est pas très compliquée car après tout, le principe est le même que celui de la photo argentique. En revanche, le transfert des images vers l'ordinateur est moins évident, surtout pour ceux qui ne sont pas familiarisés avec l'informatique.

Ce chapitre explique comment transférer rapidement et facilement les photos vers l'ordinateur. Vous découvrirez aussi comment travailler avec les fichiers Camera Raw et comment organiser rationnellement les images (l'archivage, lui, est expliqué au Chapitre 4).

Si vous n'y connaissez rien aux ordinateurs, je vous encourage à acheter un titre de la collection *Pour les Nuls* consacré à Windows ou au Mac. Bien que ce livre s'efforce de faire le tour de la photo numérique, la place manque pour expliquer en détail les subtilités des différents systèmes d'exploitation. Or, sans les notions de base en informatique, la photo numérique risque d'être quelque peu frustrante.

Télécharger les images

Votre appareil numérique regorge de photos ? Il est temps de les transférer sur votre ordinateur.

Les spécialistes de la photo numérique et de l'informatique utilisent le terme de *téléchargement* à la place de transfert.

Les options de transfert

Le transfert des images dépend totalement de la technique employée par votre appareil numérique. Il convient donc de connaître celle requise par votre matériel.

- **Transfert depuis la carte mémoire :** Si votre appareil stocke ses clichés sur disquette, il suffit de retirer la disquette du boîtier pour l'insérer dans le lecteur de votre ordinateur. Il ne reste plus ensuite qu'à recopier une à une les photos sur votre disque dur.

  Si votre appareil utilise d'autres types de cartes, vous devez les lire avec un lecteur ou un adaptateur prévus à cet effet. Consultez le Chapitre 4 pour tout connaître sur ces périphériques.

- **Transfert par câble :** Il s'agit de la méthode la plus courante. En connectant l'appareil à votre ordinateur à l'aide du câble livré avec votre appareil, vous disposez d'un moyen simple et économique pour récupérer vos images. La plupart des appareils numériques disposent d'un port USB (*Universal Serial Bus*), dont le taux de transfert est cependant inférieur à celui des lecteurs de cartes.

- **Transfert sans fil :** Quelques modèles d'appareils numériques disposent d'une liaison infrarouge, voire WiFi, qui permet de transférer les photos sans le moindre câble. Un peu à la manière dont votre télécommande communique avec votre téléviseur. Le transfert n'est possible que vers un ordinateur équipé d'un port approprié.

Vous trouverez dans les prochaines sections des détails complémentaires sur le transfert depuis une carte mémoire ou par câble. Comme le paramétrage d'une liaison sans fil varie selon la technologie (WiFi, Bluetooth...), l'appareil et l'ordinateur, je vous renvoie au manuel. La vitesse de transfert dépend de plusieurs paramètres, notamment le type de liaison sans fil utilisé.

Le logiciel livré avec votre appareil photo et certains lecteurs de cartes comportent une fonction d'automatisation du transfert qui facilite sa mise en œuvre. Dès que l'appareil ou le lecteur de carte est connecté, un écran apparaît (voir Figure 8.1) et vous guide dans les diverses étapes du transfert. Des logiciels de retouche démarrent automatiquement dès qu'un appareil ou une carte est détecté. La Figure 8.1 montre l'utilitaire de téléchargement de Photoshop Elements qui apparaît spontanément quand vous vous apprêtez à télécharger.

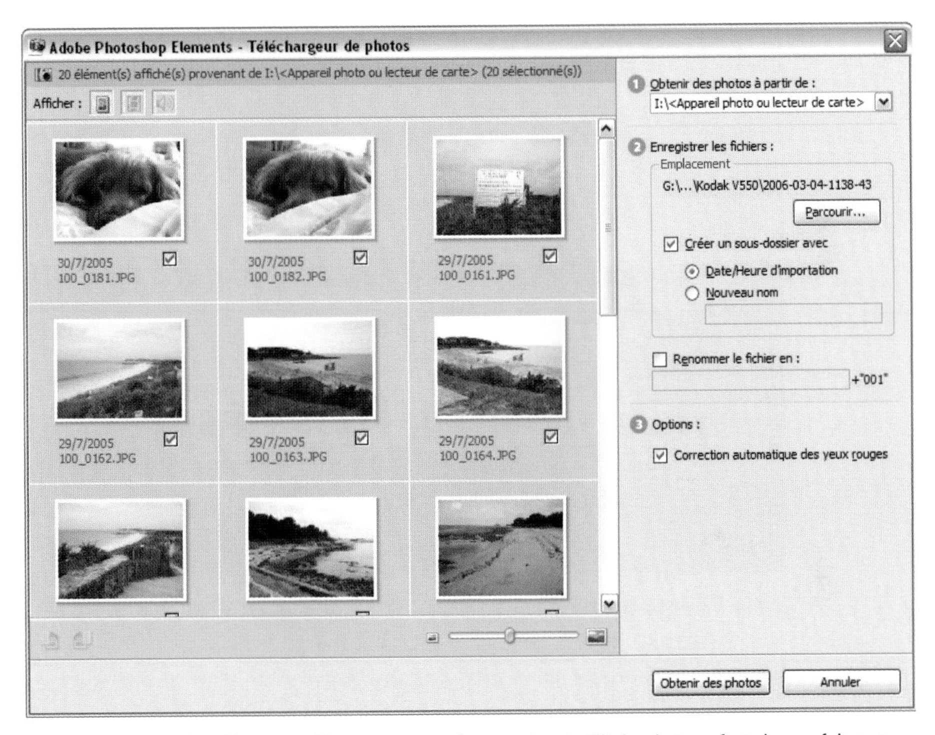

Figure 8.1 : Photoshop Elements démarre automatiquement cet utilitaire de transfert chaque fois que vous connectez un appareil photo ou une carte mémoire à l'ordinateur.

Comme ces utilitaires fonctionnent différemment, consultez leur manuel. Si vous ne voulez plus que l'utilitaire de transfert apparaisse automatiquement, vous pourrez désactiver son affichage dans Options ou dans Préférences (NdT : pour Photoshop Elements, il faut accéder aux préférences du module Organiseur).

Utiliser un lecteur de carte mémoire

Un lecteur de carte mémoire se présente soit sous la forme d'un boîtier à brancher à l'ordinateur, soit sous la forme d'un lecteur incorporé à l'ordinateur. Dans ce cas, plusieurs fentes de différentes dimensions permettent de recevoir les divers types de cartes. Si vous optez pour un lecteur indépendant, lisez attentivement le manuel afin d'installer le logiciel et le matériel exactement dans l'ordre préconisé.

Après avoir installé le lecteur, insérez la carte mémoire dans le connecteur approprié, comme le montre la Figure 8.2. L'ordinateur reconnaît la carte, permettant d'accéder aux fichiers qu'elle contient.

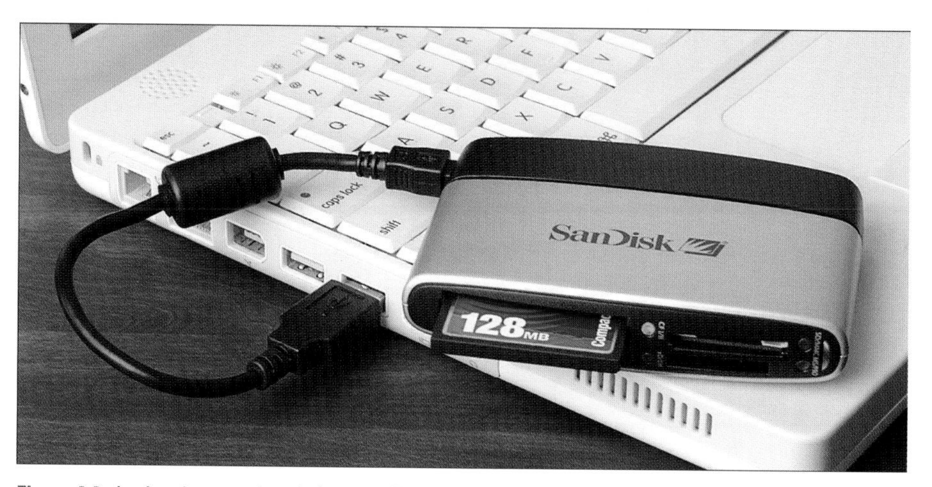

Figure 8.2 : Insérez la carte dans le lecteur. Elle dépasse toujours légèrement.

La Figure 8.3 montre comment un lecteur de carte mémoire est affiché dans l'Explorateur Windows. Le lecteur possède quatre connecteurs. C'est pourquoi l'Explorateur affiche quatre disques amovibles – c'est sous ce nom que les lecteurs de carte apparaissent –, chacun avec sa lettre. Comme le montre la Figure 8.3, il suffit d'ouvrir les dossiers de la carte pour accéder aux fichiers d'image. Ils se trouvent généralement dans le dossier DCIM (*Digital Camera IMage,* images d'appareil photo numérique) ou un sous-dossier de DCIM.

Sur un Mac, le lecteur apparaît en tant que lecteur sur le Bureau, au même titre qu'un CD, mais avec une icône différente. Double-cliquez sur l'icône (visible à la Figure 8.8, plus loin) pour accéder à son contenu.

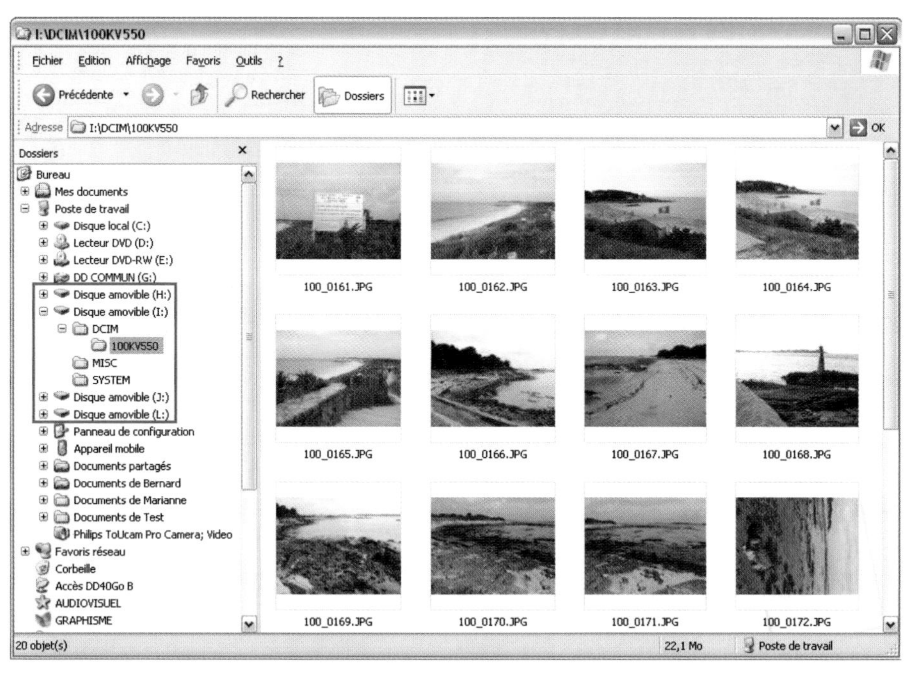

Figure 8.3 : La carte mémoire est un lecteur parmi d'autres.

Après avoir ouvert le dossier contenant les images, sélectionnez celles que vous désirez transférer puis faites-les glisser jusque sur un dossier du disque dur (ou tout autre emplacement), comme le montre la Figure 8.4. Le petit signe "+" à côté du pointeur indique que vous déplacez et déposez une *copie* des fichiers. Les originaux restent dans la carte. Après avoir copié les fichiers à leur nouvel emplacement, vous pouvez effacer le contenu de la carte.

NdT : Assurez-vous que tout s'est bien passé en ouvrant le dossier de destination.

Ce procédé de déplacement est identique avec les lecteurs de carte intégrés à l'ordinateur ou à une imprimante.

Vous n'êtes pas obligé de recourir à l'Explorateur Windows ou au Finder du Mac pour transférer les photos. Cette opération peut être effectuée directement depuis votre logiciel d'archivage ou de retouche.

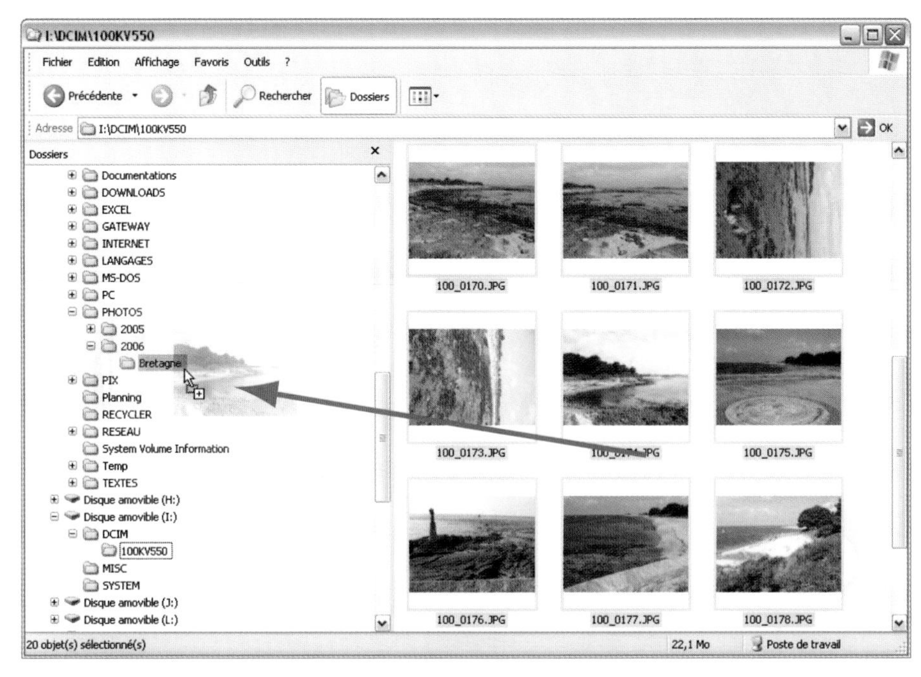

Figure 8.4 : Après avoir sélectionné les images, faites-les glisser jusque sur le dossier de destination.

Les câbles de transfert

Pour connecter votre appareil photo à l'ordinateur, vous devez installer quelques programmes livrés avec votre matériel. Consultez le manuel de l'appareil photo numérique.

Une fois les logiciels nécessaires correctement installés sur votre machine, la procédure de transfert (ou *téléchargement*) se déroule de la manière suivante :

1. **Si vous utilisez un câble de type série, éteignez votre appareil photo numérique et votre ordinateur et passez à l'Etape 3.**

   Cette étape est *essentielle*. Une *connexion à chaud*, c'est-à-dire un branchement alors que l'ordinateur est allumé, est plus que déconseillée avec un câble Série. Si vous ne respectez pas cette consigne, vous risquez d'endommager le matériel.

2. **Si vous établissez cette connexion par un port USB, reportez-vous au manuel de votre appareil photo numérique.**

La connexion peut s'effectuer "à chaud". Toutefois, assurez-vous-en par une lecture attentive du guide de l'utilisateur de votre appareil. Si l'ordinateur peut rester allumé, il n'en va pas forcément de même pour l'appareil.

3. **Connectez le câble de l'appareil photo à l'ordinateur.**

Insérez une des extrémités du câble dans votre appareil photo et l'autre dans l'ordinateur. Si vous utilisez un câble série sur Mac, vous connecterez l'appareil au port imprimante ou modem, comme le montre l'illustration du haut sur la Figure 8.5. Sur un PC, le câble série se connecte au port COM, comme l'illustre l'image du bas sur la Figure 8.5.

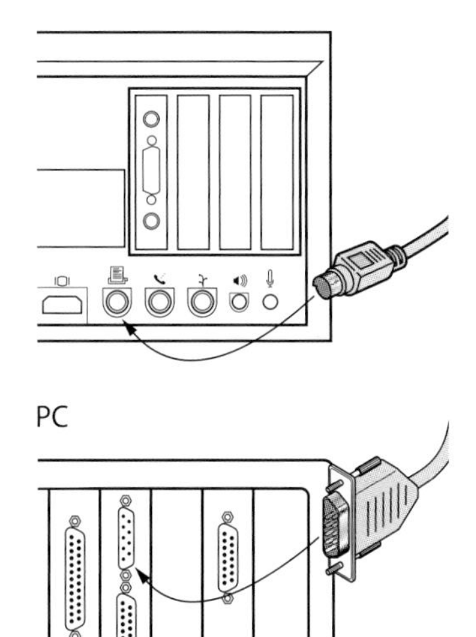

Figure 8.5 : Sur Macintosh, la connexion d'appareils numériques est assurée par le port de l'imprimante ou du modem. Sur PC, la liaison se fait par un port COM.

NdT : La connexion série n'est plus guère utilisée pour les équipements multimédias en raison de son extrême lenteur : un peu moins d'un mégabit par seconde (mbps), à comparer au 480 mbps du port USB. Un transfert qui s'effectue en deux secondes en USB 2.0 *high speed* exigera plus de 17 minutes avec le port série.

La procédure est la même avec un câble USB. Insérez une des extrémités du câble dans l'appareil et l'autre dans un port USB de l'ordinateur, comme le montre la Figure 8.6.

Notez que si vous utilisez le système d'exploitation Windows 95, votre machine peut ne pas reconnaître la présence d'un appareil photo numérique, même si vous avez installé la mise à jour qui est censée activer l'USB. Pour éviter tout problème, procédez à une mise à jour vers la dernière version de Windows, si les caractéristiques de l'ordinateur (processeur, mémoire...) le permettent.

4. **Allumez l'ordinateur le cas échéant, et aussi l'appareil photo.**

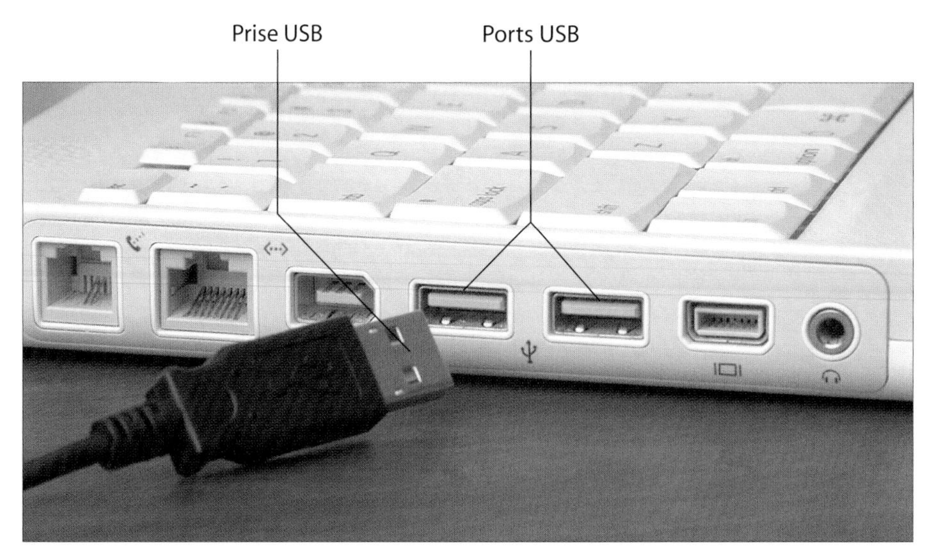

Figure 8.6 : La plupart des appareils photo récents se connectent à un port USB.

5. **Sur l'appareil photo, choisissez le mode de transfert approprié.**

   Certains appareils disposent de plusieurs modes de téléchargement. Consultez le manuel d'utilisation pour vérifier la manipulation appropriée.

6. **Démarrez le logiciel de transfert.**

   Dès que la présence de l'appareil est détectée, le logiciel de transfert démarre de lui-même. La Figure 8.1, au début du chapitre, montre le téléchargeur de photos de Photoshop Elements. L'appareil Photo est souvent livré avec un logiciel de transfert d'images. La Figure 8.7 montre celui des appareils photo Kodak. Le dossier par défaut proposé par le logiciel peut être remplacé par un autre.

7. **Démarrez le transfert.**

   À partir de maintenant, les manipulations dépendent de votre matériel et du logiciel utilisé. En cas de difficulté, jetez un œil sur le manuel de votre appareil photo. Une barre de progression indique généralement l'avancement des opérations. Elle est visible sous l'aperçu de l'image en cours de transfert, à la Figure 8.7.

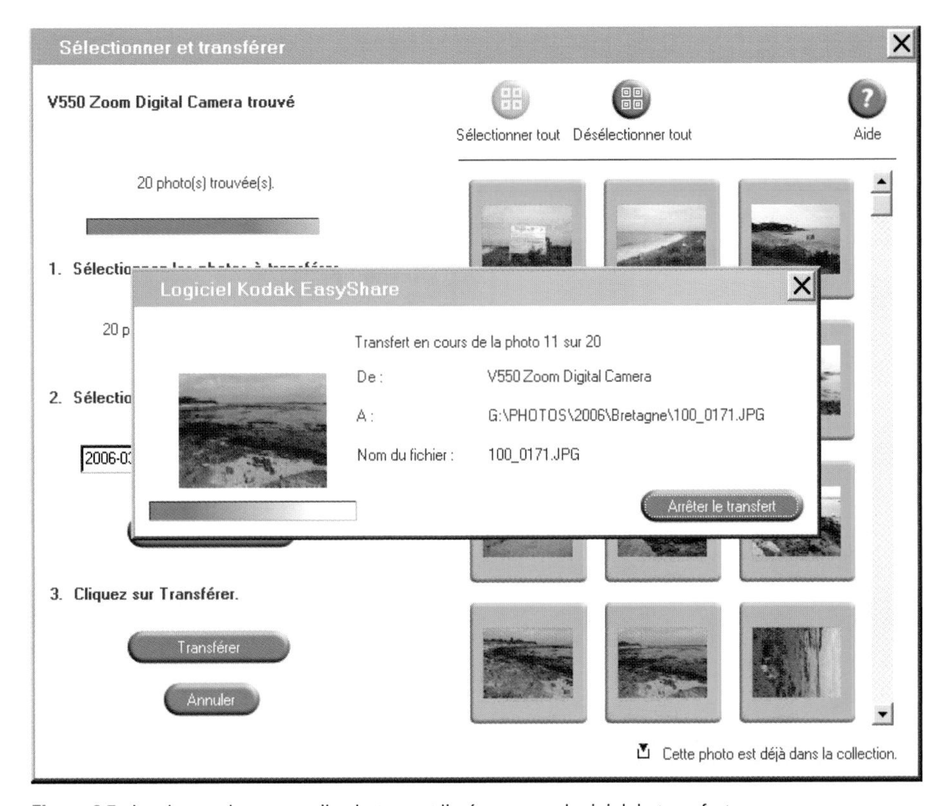

Figure 8.7 : La plupart des appareils photo sont livrés avec un logiciel de transfert.

L'importance du protocole TWAIN

Votre appareil photo numérique est certainement fourni avec un CD-ROM contenant un *pilote TWAIN*. Vous devez l'installer sur votre système informatique. TWAIN (*Technology Without An Interesting Name,* technologie sans nom significatif) est un protocole qui établit une passerelle entre le logiciel d'édition graphique et un périphérique d'acquisition d'images, comme un scanner, une webcam, un appareil photo, etc.

Après avoir installé le pilote TWAIN, vous pouvez accéder aux images présentes dans votre appareil photo directement depuis un logiciel de retouche ou d'archivage, à condition bien sûr que ces derniers soient compatibles TWAIN.

La commande permettant d'accéder aux images dans l'appareil photo se trouve généralement dans le menu Fichier. Si vous disposez de plusieurs périphériques compatibles TWAIN, vous devrez sans doute sélectionner l'appareil photo dans une commande du type Fichier/Acquisition TWAIN ou Fichier/Importation TWAIN.

L'appareil photo est un disque dur

Les fabricants fournissent généralement un logiciel spécial qui permet à votre système d'exploitation d'identifier l'appareil comme s'il s'agissait d'un disque dur. Dans ce cas, vous pouvez utiliser la même procédure que celle décrite précédemment dans la section "Utiliser un lecteur de carte mémoire".

L'identification du matériel établie, il apparaît sous forme d'icône dans l'Explorateur Windows ou, comme le montre la Figure 8.8, dans le Finder du Macintosh (l'icône No Name, "sans nom", est celle de l'appareil photo). À partir de là, utilisez la technique traditionnelle du glisser-déposer pour transférer rapidement vos images de l'appareil photo vers un des dossiers du disque dur.

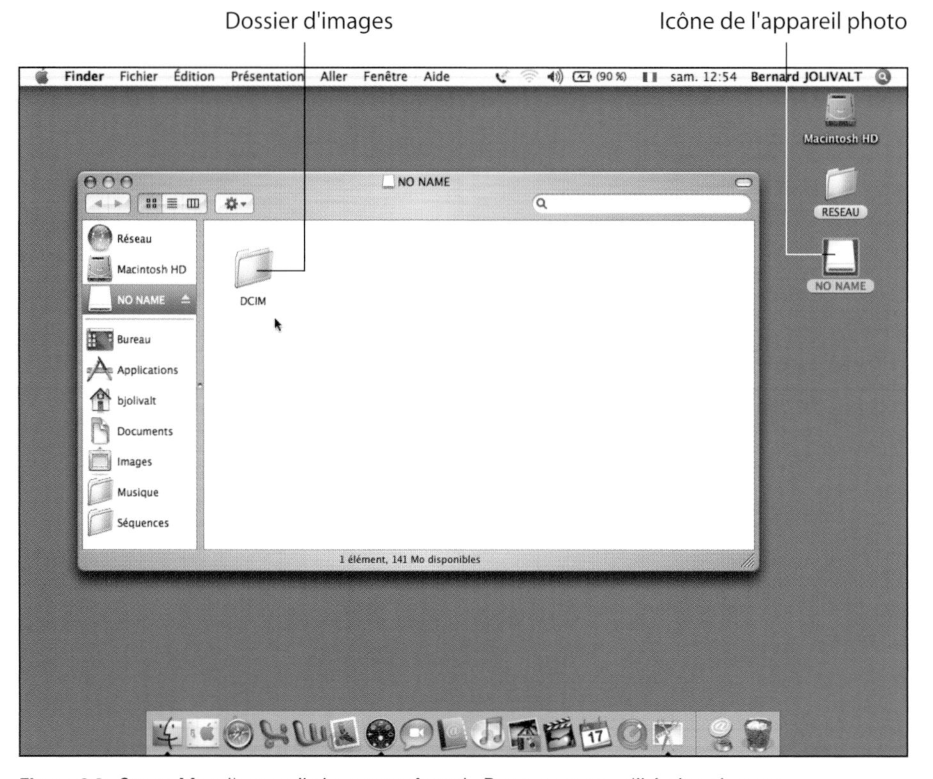

Figure 8.8 : Sur un Mac, l'appareil photo aparaît sur le Bureau comme s'il était un lecteur.

Quelques conseils pour faciliter les transferts

Pour de nombreuses raisons, le téléchargement est l'aspect le plus compliqué de la photographie numérique. L'apparition des cartes que l'on insère directement dans l'ordinateur a facilité le transfert, mais tout le monde ne bénéficie pas de cette technologie. Ne soyez donc pas étonné de rencontrer des problèmes.

Ces quelques conseils issus de mon expérience empirique devraient vous aider :

- Si un message d'erreur signale que le logiciel ne peut pas communiquer avec votre appareil numérique, assurez-vous que ce dernier est sous tension et que le mode de transfert est correctement sélectionné.
- Sur Macintosh, vous devrez désactiver AppleTalk, Express Modem et/ou GlobalFax, qui entrent souvent en conflit avec le programme de transfert. Consultez la documentation de votre appareil photo numérique.
- Sur un PC, vérifiez la configuration des ports de communication, notamment les paramètres du port COM, si vous transférez avec un câble série.
- Si vous utilisez un port USB, vérifiez qu'il est activé sur votre ordinateur. Il peut être désactivé dans le BIOS de la carte mère (reportez-vous au manuel de l'ordinateur). Le cas échéant, mettez à jour votre système d'exploitation si vous utilisez une des premières versions de Windows 95 (ou changez d'ordinateur, ce sera plus sûr).
- Rendez-vous sur le site Web du fabricant de votre appareil pour consulter la FAQ (foire aux questions) qui fournit souvent la réponse aux problèmes rencontrés par les néophytes. N'hésitez pas à télécharger la dernière version du pilote de votre appareil. Visitez également le site du fabricant de l'ordinateur ou de sa carte mère ainsi que celui de l'éditeur des logiciels que vous utilisez, afin de télécharger les dernières mises à jour.

- Pendant un transfert, il peut arriver qu'une option de conversion de format de fichier et de compression soit proposée. Sauf si vous acceptez une perte de qualité en raison d'une compression plus élevée, restez-en à l'imagerie sans compression. Ces notions sont développées au Chapitre 5.

- L'appareil photo nomme vos images, par exemple DCS008.JPG, DCS009.JPG (fichiers PC) ou IMAGE 1, IMAGE 2 (fichiers Mac). Si vous avez déjà téléchargé des images ayant ces mêmes noms, les nouvelles risquent de s'y substituer. Pensez à nommer vos photos ou à les déplacer dans un dossier différent pour éviter de les écraser lors d'une prochaine session de téléchargement.

  Le logiciel de transfert vous alertera du risque d'écrasement et vous demandera si vous désirez vraiment remplacer les images existantes par les nouvelles. Dans la majorité des cas, vous choisirez de créer un nouveau dossier pour y enregistrer vos images.

- Si votre appareil dispose d'un adaptateur secteur, utilisez-le. Le processus de transfert pouvant être assez long, il économisera la batterie.

- Après un téléchargement, certains logiciels permettent d'effacer automatiquement les images contenues dans la mémoire de l'appareil photo. Je ne sélectionne jamais cette option. Pour des raisons évidentes de sécurité, vérifiez *toujours* que toutes les images ont été correctement transférées avant d'envisager leur suppression. Une précaution supplémentaire consiste à sauvegarder aussitôt les photos sur un CD.

Convertir des fichiers Camera Raw

Les appareils photo haut de gamme proposent le format d'image Camera Raw. Comme nous l'avons expliqué au Chapitre 5, il stocke des images "brut de capteur", sans leur appliquer le traitement réservé aux fichiers JPEG et TIFF.

Bien que le transfert des fichiers Raw vers l'ordinateur s'effectue de la même manière que les autres fichiers, vous ne pouvez pas les ouvrir sans passer préalablement par un *convertisseur Raw.* Ce logiciel vous permet de spécifier exactement comment les données brutes doivent être transposées dans l'image finale.

Les appareils qui photographient en Raw sont généralement fournis avec un convertisseur, mais vous n'êtes pas obligé de n'utiliser qu'eux. Beau-

Horreur ! J'ai effacé toutes mes photos !

Nul n'est à l'abri de l'effacement accidentel d'une photo importante, ou pire, d'un dossier plein d'images. Pas de panique car rien n'est perdu.

Tout d'abord, vous devez impérativement ne plus prendre la moindre photo. Si vous en faites une seule après la suppression, vous risquez de ne plus rien récupérer.

Achetez un logiciel comme MediaRecover (`www.mediarecover.com`) ou RescuePro (`www.lc-tech.com`). Ils doivent pouvoir accéder à la mémoire de l'appareil photo. Si cette dernière n'est pas visible dans l'ordinateur, vous devrez peut-être acheter un lecteur de carte mémoire.

Si c'est dans l'ordinateur que vous avez effacé les photos, vous n'aurez pas besoin d'un logiciel spécial. Sous Windows, double-cliquez sur l'icône Corbeille, sélectionnez les photos à récupérer puis choisissez Fichier/Restaurer. Windows les remet exactement où elles étaient. Sur un Mac, ouvrez la Corbeille puis faites glisser les photos à récupérer jusque sur le dossier où elles étaient.

Vous avez vidé la Corbeille ? Il existe sur le Web des logiciels capables de récupérer les fichiers qui ont été ainsi éliminés.

coup de logiciels de retouche, dont Photoshop Elements, en possèdent un. Comme ils ne sont pas compatibles avec tous les appareils, vous devrez vérifier si votre modèle est reconnu.

Les étapes qui suivent expliquent comment convertir un fichier Raw avec Photoshop Elements. Elles sont quasiment identiques avec les autres convertisseurs, bien que tous ne proposent pas les mêmes réglages de l'image.

1. **Transférez les fichiers dans l'ordinateur.**
2. **Choisissez Fichier/Ouvrir.**
3. **Ouvrez le fichier.**

   Le Chapitre 11 présente d'autres manières d'ouvrir un fichier.

   Photoshop Elements reconnaît qu'il s'agit d'un fichier au format Raw et démarre le convertisseur que montre la Figure 8.9. Assurez-vous qu'en haut de la fenêtre la case Aperçu est cochée, afin que les réglages soient visibles en temps réel.
4. **Au besoin, réglez l'image à l'aide des commandes du volet droit.**

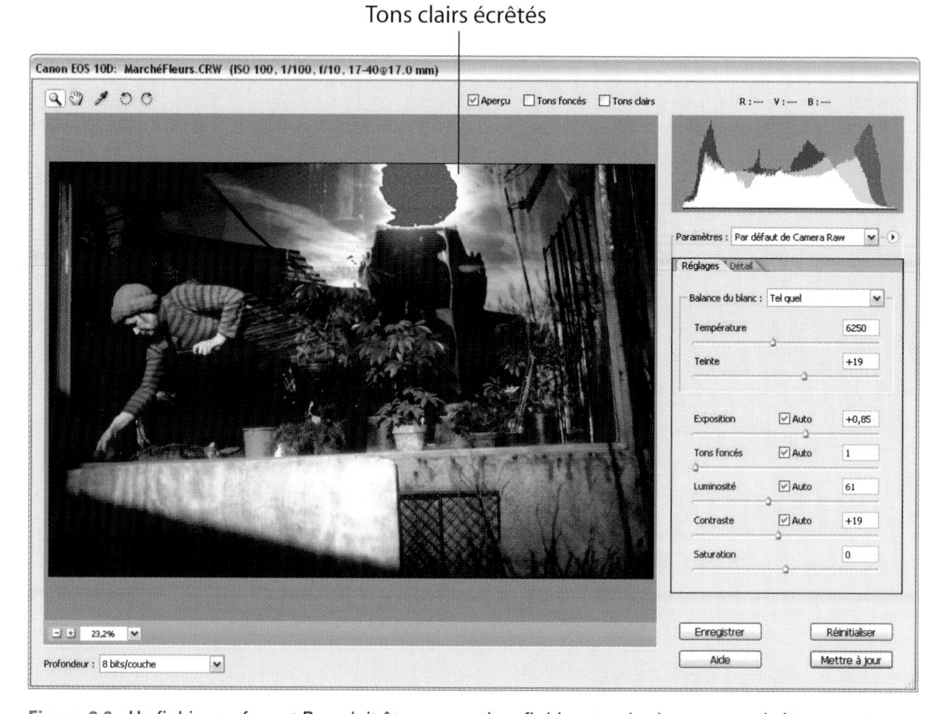

Figure 8.9 : Un fichier au format Raw doit être converti en fichier standard pour pouvoir être ouvert.

Les commandes sont expliquées dans la liste qui suit cette manipulation.

5. **Cliquez sur OK pour finir d'ouvrir le fichier.**

6. **Choisissez Fichier/Enregistrer sous.**

7. **Enregistrez le fichier dans un format d'image standard.**

   L'enregistrement dans le format de fichier natif de l'éditeur est la meilleure solution. Ou alors, enregistrez en TIFF ; les options proposées en TIFF sont décrites au Chapitre 9.

   Ne sautez pas cette étape car le fichier converti n'est pas conservé s'il n'est pas enregistré.

Voici les commandes auxquelles l'Etape 4 fait allusion. Nous commencerons par l'onglet Réglages :

- **Profondeur :** La liste déroulante Profondeur, en bas à gauche, permet de choisir une profondeur de bits par couche codée sur 8 bits ou sur 16 bits. Cette option n'est toutefois exploitable que si l'appareil est capable de photographier à 16 bits par couche. La profondeur de bits est expliquée au Chapitre 2.

- **Paramètres :** L'option Par défaut de Camera Raw (voir Figure 8.9) est affichée d'office. Les commandes en dessous sont automatiquement définies selon les valeurs que Photoshop Elements estime appropriées à votre appareil. Dès que vous modifiez l'une de ces commandes, le champ Paramètres affiche Personnalisé.

- **Tons foncés** et **Tons clairs :** Si ces deux cases, en haut de la fenêtre, sont cochées, Photoshop Elements indique les tons foncés et les tons clairs qui sont *écrêtés* selon le réglage choisi. L'écrêtage signifie que tous les pixels qui devraient être colorés sont devenus tout noir ou tout blanc. L'écrêtage des tons clairs est affiché en rouge, l'écrêtage des tons foncés en bleu. A la Figure 8.9, la tache rouge en haut au milieu de l'image signale un écrêtage. Si une image comporte beaucoup de zones écrêtées, utilisez les commandes du volet de droite pour les réduire.

Deux réglages se trouvent sous l'onglet **Détails** :

- **Lissage de la luminance** et **Réduire le bruit de la couleur :** Ces glissières servent à réduite le bruit, un défaut qui se manifeste par des pixels colorés qui donnent un aspect granuleux à l'image. Soyez très prudent avec ces commandes car elles ont tendance à envelopper l'image (reportez-vous au Chapitre 11 pour en savoir plus sur la suppression du bruit).

Sauf si les zones écrêtées sont nombreuses, je ne vous recommande d'effectuer le réglage de l'exposition, de la couleur et de la netteté qu'après avoir réellement ouvert le fichier, et non dans le module Camera Raw. Vous les appliquerez alors sélectivement, comme nous l'expliquons au Chapitre 12, et non globalement.

Ne vous débarrassez jamais des fichiers Raw originaux. D'abord parce que lors de la conversion, toutes les métadonnées EXIF risquent d'être perdues (les métadonnées sont décrites au Chapitre 4) et aussi parce que vous pourriez de nouveau avoir besoin des fichiers Raw. Archivez-les systématiquement.

La conversion des fichiers propriétaires

La plupart des appareils photo récents enregistrent les fichiers dans l'un des trois formats JPEG, TIFF ou Camera Raw. Mais si le vôtre est ancien, il enregistre peut-être les images dans un fichier dit "propriétaire", c'est-à-dire un format développé par un fabricant ou un éditeur et n'utilisé que par lui. Un format propriétaire est aussi "format natif". C'est le format créé spécialement pour un logiciel. Par exemple, PSD est le format natif de Photoshop.

Pour éditer des photos enregistrées dans un format propriétaire, vous devez utiliser le logiciel de conversion fourni avec l'appareil, ou un logiciel de conversion généraliste. Vous ouvrirez le fichier avec le logiciel puis vous l'enregistrerez sous un autre format, TIFF par exemple. Si vous désirez afficher la photo dans un courrier électronique ou sur le Web, enregistrez-la aussi en JPEG. Rappelez-vous que le format JPEG étant à pertes de données, vous ne devez pas l'utiliser pour l'archivage.

(NdT : Téléchargeable depuis le site `www.xnview.com` gratuit et en français, XnView lit plus de 400 formats graphiques et les convertit en 50 formats. Il existe pour PC, Mac et une dizaine d'autres systèmes d'exploitation).

A l'instar des fichiers RAW, vous devez conserver les fichiers propriétaires originaux, même si vous les avez convertis en d'autres formats. La conversion efface en effet les métadonnées EXIF présentes dans le fichier, qui pourraient vous être utiles ultérieurement.

Les outils d'archivage

Après avoir transféré vos photos sur le disque dur, il est recommandé de les classer afin de les retrouver plus rapidement.

Si vous n'aimez pas les complications, vous pouvez vous contenter de classer les photos dans des dossiers, comme vous le faites de vos textes issus d'un traitement de texte, de vos feuilles de calcul ou tout autre document. Vous créerez un dossier par année dans lequel vous créerez des sous-dossiers thématiques, comme Famille, Vacances, Paysages, Stan (ça, c'est le chien), etc.

Un grand nombre de logiciels d'édition graphique sont dotés d'un explorateur qui permet de parcourir la photothèque et afficher des vignettes de prévisualisation de vos images. La Figure 8.10 montre l'Explorateur de fichiers de Photoshop Elements 4.0. Ce genre d'utilitaire permet de retrouver facilement une photo si vous ne parvenez pas à la retrouver sous son nom de fichier. Si vous utilisez Photoshop Elements pour Mac, qui n'en est qu'à la version 3.0, vous organiserez les fichiers à l'aide de l'Explorateur de fichiers présenté au Chapitre 11.

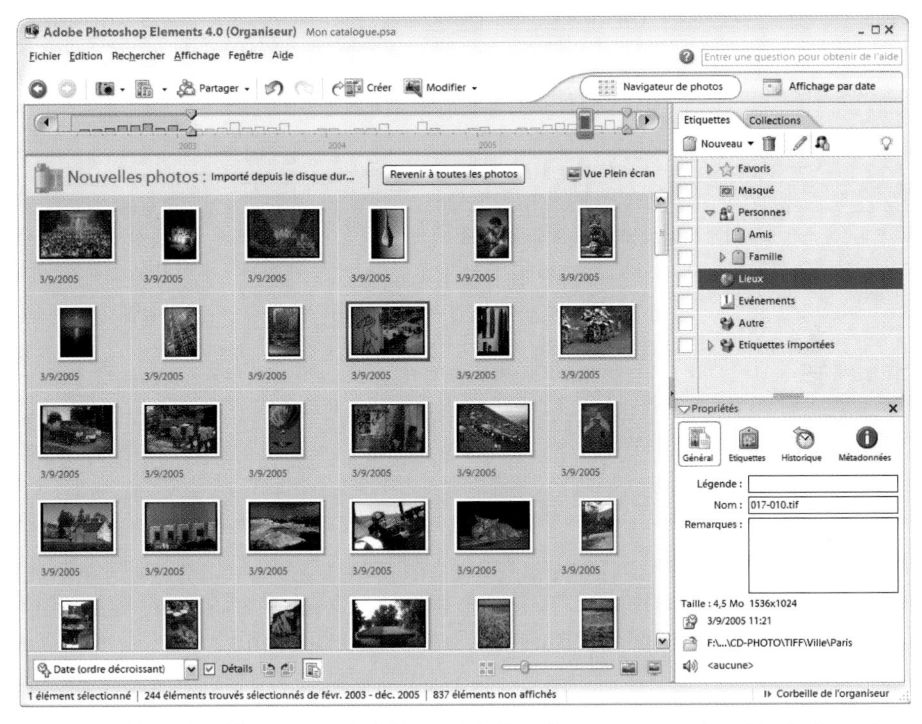

Figure 8.10 : Photoshop Elements est doté d'un module Organiseur permettant d'accéder facilement aux photos.

Selon le type d'ordinateur que vous utilisez, vous trouverez des programmes indépendants permettant de parcourir votre photothèque. Dans Windows XP, l'Explorateur Windows est capable d'afficher les fichiers d'image sous forme de vignettes. Si vous possédez un Mac récent, il a sans doute été livré avec iPhoto (voir Figure 8.11), un logiciel d'archivage appartenant à la suite iLife (`www.apple.com/fr/ilife/iphoto`).

Si vous estimez que l'explorateur de fichiers de votre logiciel n'est pas assez sophistiqué ou trop lent, vous pourrez recourir un programme indépendant comme ThumbsPlus (`www.cerious.com`) ou ACDSee, que montre la Figure 8.12 (`http://fr.acdsystems.com/`).

Figure 8.11 : Les utilisateurs de Mac peuvent parcourir leur photothèque avec iPhoto.

Tous ces logiciels permettent de parcourir les photos et les classer de différentes manières, dont une, à la Figure 8.12, qui reprend la présentation en arborescence de l'Explorateur Windows. Par exemple, si vous avez la photo d'un chien de race "labrador retriever", vous pourrez lui affecter les mots clés "animal", "chien", "labrador" et "retriever" dans le catalogue. Il vous suffira par la suite d'effectuer une recherche sur l'un de ces critères pour retrouver la bête.

Destiné à un usage plus occasionnel, un logiciel comme FlipAlbum (`www.flipalbum.com`) est une sorte d'album électronique, comme le montre la Figure 8.13. Vous faites glisser les photos d'un navigateur jusque sur les pages de l'album, où vous pouvez ajouter des informations comme la date et le lieu de la prise de vue.

Les logiciels simulant un album sont parfaits pour montrer des photos à votre entourage comme s'il s'agissait d'un classique album en carton. La création et la mise à jour des pages feront le bonheur des enfants, qui pourront choisir divers cadres et effets. FlipAlbum Suite est même capable de graver les albums sur CD.

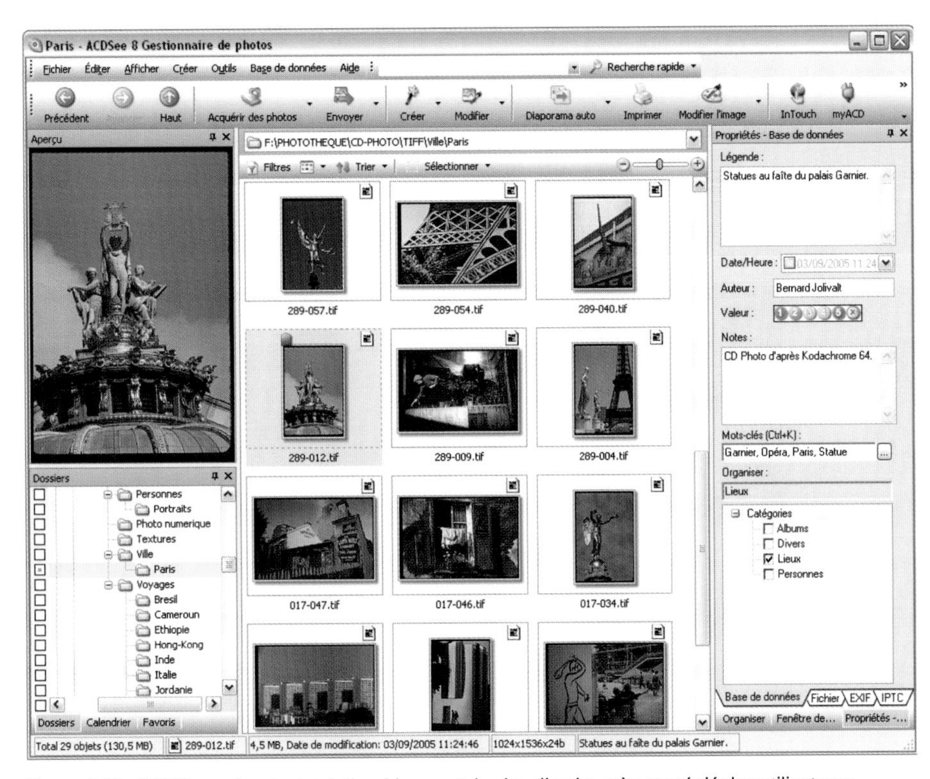

Figure 8.12 : ACDSee est un logiciel d'archivage et de visualisation très apprécié des utilisateurs.

Mais pour la recherche de photos, ou pour l'archivage de photos dans des dossiers spécifiques, je préfère l'approche basée sur une arborescence adoptée par les logiciels décrits précédemment. Les photos sont localisées et affichées beaucoup plus rapidement qu'en tournant les pages d'un album virtuel.

Là encore, votre logiciel de retouche peut vous offrir les mêmes fonctionnalités qu'un logiciel de création d'albums. Assurez-vous d'avoir bien exploré toutes les fonctions de votre logiciel avant d'en acheter un autre. Et rappelez-vous que la plupart des éditeurs proposent des versions d'évaluation sur leur site.

Figure 8.13 : FlipAlbum Suite simule un album de photos.

Chapitre 9

Je peux avoir un tirage ?

Dans ce chapitre :

- Bien imprimer et faire bonne impression.
- Choisir une imprimante photo.
- Comprendre le mode CMJN.
- Des tirages qui vieilliront bien.
- Choisir le bon papier en fonction de ses besoins.
- Imprimer des photos.
- Obtenir une bonne fidélité des couleurs.
- Enregistrer au format TIFF pour une publication.

Connaître tous les tenants et les aboutissants de la photo numérique peut vous paraître horriblement technique, mais vous n'êtes pas obligé de tout apprendre. Enfin, pas tout de suite... Par exemple, dans ce chapitre, il vous suffira de ne lire que la première section pour pouvoir obtenir d'excellents tirages numériques.

Les premiers paragraphes expliquent comment faire tirer les images dans une boutique photo. Le processus est extrêmement facile, et vous pouvez même le piloter de chez vous, *via* l'Internet.

Si vous préférez imprimer chez vous – une technique qui s'est grandement simplifiée –, le restant du chapitre vous expliquera comment acheter une imprimante photo et obtenir les meilleurs résultats. Vous apprendrez aussi comment régler la taille d'impression et la résolution, et enregistrer un fichier TIFF utilisable dans une publication, et aussi comment obtenir une meilleure concordance entre les couleurs affichées à l'écran et celles qui sont imprimées.

Facile et rapide : l'impression à la boutique

Dans les premières années de la photo numérique, la seule option, pour ceux qui ne désiraient pas – ou ne pouvaient pas – imprimer leurs photos, était de confier cette tâche à un laboratoire capable de s'en charger. Sauf dans les grandes villes, ils étaient difficiles à trouver et chaque tirage était fort onéreux.

A présent, presque toutes les boutiques, des plus modestes aux grandes chaînes comme la Fnac, proposent le tirage numérique. Il suffit de confier une carte mémoire ou un CD et indiquer le format d'impression et la quantité, tout comme pour les films classiques.

Le prix des tirages a beaucoup baissé. Comptez de 10 à 25 centimes d'euro pour une photo en 10 x 15. Même si c'est encore un peu plus cher que des tirages d'après des négatifs, rappelez-vous que vous ne faites tirer que les photos que vous aimez. Avec le film, vous payez le développement de la pellicule puis tous les tirages, même ceux qui sont techniquement limites ou ratés. En fin de compte, la photo numérique n'est pas si chère.

De plus, vous avez plusieurs possibilités :

- **L'impression en une heure :** Confiez la carte mémoire ou le CD à une boutique, remplissez le bon de commande, promenez-vous ou faites vos courses et, une heure après, récupérez vos tirages.
- **Les bornes interactives :** Vous êtes pressé ? Beaucoup de boutiques sont équipées de bornes comme celle de la Figure 9.1. Insérez la carte mémoire ou le CD, appuyez sur quelques boutons ou un écran tactile et attendez la sortie des tirages. Quelques interventions sont même possibles, comme le recadrage ou l'élimination des yeux rouges.
- **La commande en ligne, avec récupération à un point de retrait :** C'est l'une de mes options favorites. Vous envoyez les images par l'Internet, puis vous récupérez les tirages à la boutique.

Cette option est commode pour imprimer les tirages destinés à des correspondants lointains. Au lieu d'imprimer sur place et envoyer les tirages par la poste, il suffit de choisir un point de retrait proche de chez eux. Le paiement peut être effectué soit par vous, avec une carte bancaire, soit par le destinataire au point de retrait. (NdT : ce système est surtout pratiqué aux Etats-Unis. Dans d'autres pays, reportez-vous à la prochaine option, sachant que l'adresse de livraison peut être différente de l'adresse du commanditaire). Voici deux sites qui pratiquent cette formule :

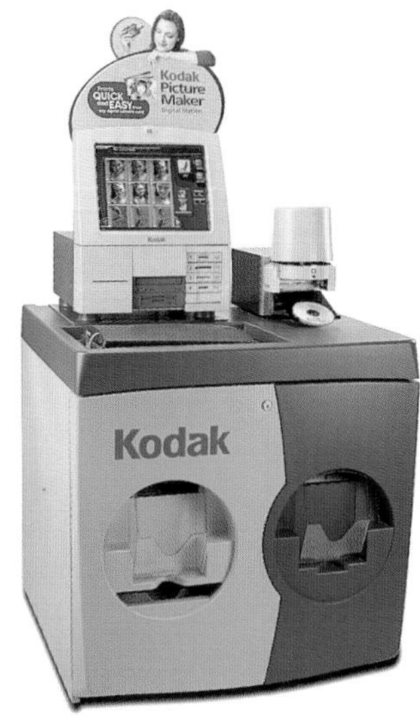

Eastman Kodak Company

Figure 9.1 : Une borne de tirage interactive. Les tirages sont effectués immédiatement, en quelques minutes.

- `www.digitalcameradeveloping.com`
- `prints-are-memories.com`

Sur les deux sites, entrez un code postal pour obtenir la liste de tous les labos du voisinage, marqués par une épingle rouge, comme le montre la Figure 9.2.

- **Commandez en ligne, faites-vous livrer par la poste :** De nombreux services, sur l'Internet, vous permettent de transférer vos photos sur leur site et recevoir les tirages par la poste. C'est le cas de la Fnac (`www.fnacphoto.com/`), de Kodak EasyShare (`www.kodakgallery.fr`, anciennement Ophoto, voir Figure 9.3), de Pixmania (`www.mypixmania.com`) et bien d'autres. Certains sites, comme celui de Kodak, hébergent aussi vos albums, qui peuvent ainsi être consultés par vos proches. Nous y reviendrons au Chapitre 10.

Ne vous limitez pas aux tirages 10 x 15. La plupart des labos peuvent aussi imprimer des calendriers, imprimer sur des tee-shirts, des mugs et autres objets. Les labos proposent aussi la gravure de vos photos sur un CD, ce qui vous évite d'avoir à le faire.

Figure 9.2 : Un portail Web comme digitalcameradeveloping.com indique les laboratoires qui imprimeront vos photos, comme ici, à Indianapolis.

Acheter une imprimante

Même si vous confiez la plupart de vos tirages à un labo, acquérir une imprimante photo reste un bon investissement. Si vous n'avez qu'une ou deux photos à tirer, il est plus commode de le faire chez vous qu'aller à la boutique. De plus, vous pouvez acheter des papiers spéciaux, ayant une texture de toile par exemple. Une imprimante comme l'HP Photosmart 8750 de la Figure 9.4 (430 euros environ) est capable d'imprimer sans bord jusqu'au format 33 x 48 cm. Et bien sûr, imprimer vous-même vous octroie un contrôle maximal sur la sortie, ce qui est important pour les photographes avertis, notamment ceux qui exposent ou vendent leurs œuvres.

Figure 9.3 : Vous pouvez aussi héberger vos albums sur certains sites.

Les imprimantes récentes produisent d'excellents résultats, à tel point qu'il est difficile de faire la différence entre un tirage effectué dans un labo et celui effectué chez soi.

Il existe différents types d'imprimantes, qui ont chacune leurs avantages et leurs inconvénients. Vous en choisirez une en fonction de votre budget, de vos besoins et de la qualité d'impression désirée.

Les imprimantes à jet d'encre

Elles projettent de minuscules gouttes d'encre sur le papier. Leur prix varie dans une fourchette de 50 à 800 euros, mais comptez au moins 200

Hewlett-Packard

Figure 9.4 : Cette imprimante HP imprime sans bord jusqu'à 33 x 48 cm.

euros pour une qualité d'impression correcte. Les plus chères impriment plus vite et offrent des fonctions supplémentaires, comme l'impression en grand format, l'impression sans bord, la possibilité de la mettre en réseau, ou l'impression directe depuis une carte mémoire ou l'appareil photo.

La plupart des imprimantes à jet d'encre permettent d'imprimer sur du papier normal ou sur du papier photo, brillant ou mat. Vous pouvez ainsi l'utiliser pour des tâches de bureautique et réserver le papier photo, plus onéreux, aux tirages. Le coût par tirage varie notablement selon le modèle d'imprimante, le papier et l'encre. Comptez un minimum de 0,20 euros par tirage 10 x 15. Reportez-vous à la section "Comparaisons", pour en savoir plus à ce sujet.

Il existe deux sortes d'imprimantes à jet d'encre :

- Les imprimantes généralistes, qui impriment décemment du texte et des images.
- Les imprimantes photo. Elles produisent des tirages de meilleure qualité que les imprimantes généralistes, mais sont parfois peu adaptées à la bureautique car elles sont très lentes.

Cela ne signifie pas qu'une imprimante généraliste tire plus vite que son ombre. La sortie d'une photo en couleur peut exiger plusieurs minutes.

De plus, l'encre mouillée peut gondoler légèrement un papier normal et, tant qu'elle n'est pas sèche, le moindre contact la barbouille. Ces effets sont moindres avec du papier spécial pour les imprimantes à jet d'encre.

En dépit de ses inconvénients, l'imprimante à jet d'encre est une solution commode et économique. Les nouveaux modèles produisent des images de meilleure qualité, avec des couleurs qui bavent moins et imprègnent moins le papier. Les tirages effectués sur du papier photo brillant rivalisent avec ceux produits par les laboratoires. J'ai notamment été impressionnée par les résultats des imprimantes photo Epson, HP et Canon.

Les imprimantes à laser

Comme les photocopieurs, les imprimantes à laser utilisent des cartouches d'encre pulvérulente appelée *toner*. Elle est déposée contre le papier par contact avec un rouleau chargé d'électricité statique, puis fixée à chaud.

Les imprimantes laser couleur produisent des images de qualité presque photographique et impriment bien le texte. Elles sont plus rapide que les imprimantes à jet d'encre et ne nécessitent pas de papier spécial. Les résultats sont toutefois meilleurs avec un papier "spécial laser" de bonne qualité.

Leur inconvénient ? Le prix. Bien qu'il ait baissé ces derniers temps, il est encore élevé, et le coût d'une cartouche de toner est dissuasif (de 75 à 200 euros *par couleur*). De plus, l'imprimante laser est un périphérique encombrant, qui trouve plus facilement sa place dans un bureau que dans un salon.

En ce qui concerne la photo, la qualité varie d'un modèle à un autre. A mon avis, elle ne diffère guère de celle d'une bonne imprimante à jet d'encre. Beaucoup de gens seraient incapables de faire la différence.

L'impression laser se justifie si vous devez réaliser des tirages couleur en grande quantité. La plupart des imprimantes à laser peuvent être connectées à un réseau local, ce qui est fort commode dans une petite entreprise, où tout le monde peut l'utiliser. La Figure 9.5 montre une imprimante laser fabriquée par Konica Minolta.

Konica Minolta Photo Imaging

Figure 9.5 : Les imprimantes laser sont devenues moins chères et produisent de bons tirages.

Les imprimantes à sublimation thermique

Les imprimantes à sublimation thermique s'adressent aux photographes avertis. La couleur est transférée sur le papier par un fort échauffement de pigments recouvrant un ruban.

Plusieurs imprimantes photo, dont celles fabriquées par Kodak, utilisent cette technologie. Leur prix est du même ordre que celui d'une bonne imprimante à jet d'encre.

En raison de quelques inconvénients, les imprimantes à sublimation thermique sont moins adaptées au travail de bureau :

- La plupart n'impriment qu'en petit format bien que de nouveaux modèles, comme l'Olympus P-440 de la Figure 9.6, puissent imprimer en 20 x 25 cm.

- Seul du papier pour imprimantes thermiques est utilisable. De ce fait, ces équipements ne sont pas utilisables dans un bureau. Ils ne servent qu'à imprimer des photos.

Le coût par tirage dépend du format du papier. Comptez deux euros environ pour une sortie en 20 x 25 avec l'Olympus P-440.

Les imprimantes thermoautochromes

Olympus Imaging America Inc.

Figure 9.6 : L'Olympus P-440 imprime au format 20 x 25 cm.

Quelques imprimantes dotées du procédé Thermoautochrome de Fuji n'utilisent ni encre, ni bâtons de cire, ni ruban ni pigments, mais un papier photosensible. Le principe rappelle celui des télécopieurs à papier thermique.

À l'instar de la sublimation thermique, le format de sortie est de petite taille et ne peut s'effectuer sur du papier normal. Le prix de revient à la page est moins élevé que celui de la sublimation thermique. En revanche, la qualité de sortie est légèrement inférieure. Elle n'est pas même comparable à celle d'une bonne imprimante à jet d'encre. Les dernières imprimantes thermoautochromes sont en progrès par rapport aux premiers modèles.

Quelle est la durée de vie des tirages ?

En plus de toutes les considérations qui précèdent, vous devez vous interroger sur la stabilité des couleurs des tirages, c'est-à-dire sur leur durée de vie.

Toute photographie subit les outrages du temps. En fonction de sa qualité, la durée de vie d'un tirage varie entre 10 et 60 ans. Cela tient au fait que la photo est un processus chimique qui supporte mal les effets de la lumière et de la pollution de l'air, notamment l'ozone. Ces problèmes de notre temps affectent également d'autres types de sorties imprimantes.

Force est de constater que les deux technologies qui se rapprochent le plus des tirages argentiques, la sublimation thermique et l'impression à jet d'encre, se dégradent rapidement, surtout quand les photos sont exposées à la lumière du jour, ou pire, au soleil direct. En quelques mois, l'image est délavée.

Les fabricants d'imprimantes ont travaillé dans le sens d'une plus grande durée de vie des tirages réalisés avec leur matériel. Il y a quelques mois, Epson avait présenté une imprimante à jet d'encre à base de pigments (le modèle R2400 que montre la Figure 9.7), et non de teinture. D'après leurs tests de vieillissement, le papier d'archivage qu'elle utilise devrait ne pas se délaver avant 108 ans.

Seiko Epson Corp.

Figure 9.7 : Certaines imprimantes à jet d'encre utilisent des encres à base de pigments, et non de teinture.

L'inconvénient des encres à base de pigments est que la gamme de couleurs qu'elles reproduisent est plus étroite. La différence est-elle décelable ? C'est difficile à dire, car cela dépend aussi du spectre de lumière que capte votre appareil photo.

Epson et d'autres fabricants invitent à imprimer sur des papiers spéciaux dont la nature dépend du type de tirage que vous désirez obtenir. La combinaison encre/papier laisse à penser que certaines impressions peuvent dépasser les 25 ans.

Certaines imprimantes à sublimation thermique comme la P-440 de la Figure 9.6 couchent un film protecteur sur le papier pour augmenter la durée de vie des photographies. Les responsables de la société Olympus affirment que la longévité des tirages équivaut à celle des photos argentiques.

Vous voulez la vérité ? Personne, aujourd'hui, ne peut dire quelle est la durée de vie d'une impression. Nous n'avons pas assez de recul par rapport à cette technologie. Les estimations des fabricants se basent sur des tests réalisés en laboratoire. Ils simulent les effets à la lumière et aux polluants. De là à en tirer des conclusions définitives, il y a un pas que je ne saurais franchir.

De quel type d'imprimante ai-je besoin ?

La réponse à cette question dépend de vos besoins et de votre budget. Voici quelques points qui vous aideront à faire un choix :

Protéger les tirages

Les conditions de stockage et d'affichage suivantes garantissent une meilleure longévité de vos tirages papier :

- Si vous encadrez vos tirages, placez-les sous un verre spécial. Ainsi, personne ne pourra les toucher. Veillez à ce que le support soit en carton non acide et le verre traité anti-ultra-violets.
- Accrochez l'image dans un endroit peu exposé à la lumière, notamment à l'action directe des rayons du soleil ou d'un éclairage fluorescent.
- Dans un album photos, placez toujours les tirages sous un film protecteur non acide.
- Ne fixez jamais les tirages avec du papier collant ou du ruban adhésif, dont la colle finit par imprégner le papier et être visible. N'utilisez que des coins non acides vendus dans les boutiques photo et dans les papeteries.
- Évitez l'exposition à l'humidité, aux variations de température, à la fumée de cigarette, et tout autre élément polluant agressif.
- Ne stockez pas les papiers vierges dans le réfrigérateur, car la cohabitation avec les denrées alimentaires risquent d'être désastreuse. Les professionnels gardent films et papiers au frais, mais dans une armoire réfrigérée prévue à cet effet.
- Pour protéger au mieux vos images, copiez-les donc sur CD-R ou tout autre support de stockage. Vous aurez alors la possibilité d'imprimer une nouvelle copie de l'image en cas de problème.

- Si l'utilisation de votre imprimante se limite au tirage des photos prises avec votre appareil numérique, un modèle à sublimation thermique s'impose. N'oubliez pas que le format d'impression reste limité, et que vous ne pourrez pas imprimer de documents textuels.
- Si vous imprimez de grandes quantités de documents graphiques ou bureautiques, achetez une imprimante à laser couleur !
- Si vous cumulez impressions graphiques et travaux bureautiques, optez pour une imprimante à jet d'encre généraliste. Sa polyvalence devrait satisfaire la majorité de vos besoins. Mais n'oubliez pas que la vitesse d'impression graphique est très lente.

Petit avertissement sur les imprimantes à jet d'encre. Quand elles sont spécialisées dans la photographie, le temps d'impression est très lent. Ces imprimantes sont déconseillées pour un usage bureautique traditionnel. Outre leur lenteur, l'impression des textes n'est pas de bonne qualité.

- Si vous utilisez un appareil photo numérique pour votre travail et avez besoin d'imprimer en voyage, achetez une imprimante portable. Ce périphérique très léger est capable d'imprimer vos photos par connexion directe de l'appareil à un port de l'imprimante ou depuis la carte mémoire.

- Autrefois, les modèles de bureau multifonctions, qui cumulent en une seule machine les fonctions d'imprimante, de scanner, de télécopieur et de photocopieur, n'étaient pas très bonnes pour la photo. Aujourd'hui, certaines d'entre elles utilisent le même moteur d'impression que les imprimantes photo de la même marque, ce qui permet d'obtenir d'excellents tirages. Si vous avez besoin de vous équiper en scanner, photocopieur et imprimante, ce choix est intéressant, surtout si vous disposez de peu d'espace dans votre bureau. Le modèle de chez Canon que montre la Figure 9.8 est une véritable bête de travail numérique, capable d'imprimer des images depuis des cartes mémoire ou l'appareil photo, de numériser des tirages sur papier et même des négatifs et des diapositives.

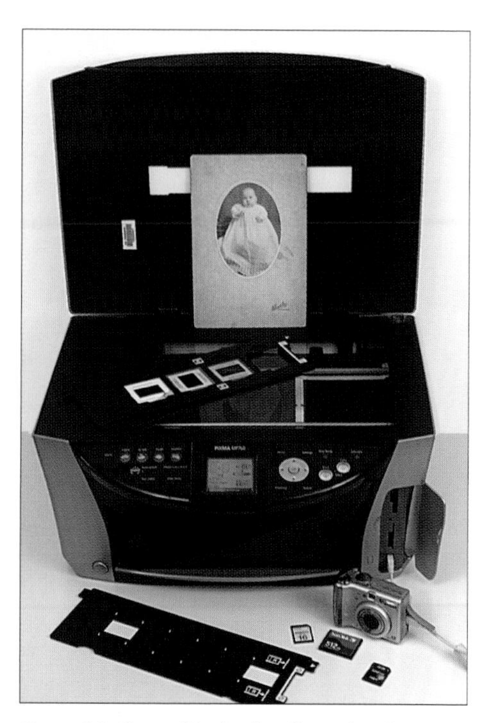

Figure 9.8 : Ce modèle de chez Canon imprime depuis des cartes mémoire ou l'appareil photo, et numérise les tirages et les films.

Rappelez-vous que la plupart des imprimantes photo ne sont pas conçues pour imprimer du texte. Si vous le faites, il risque d'être flou, et le coût de l'impression sera prohibitif.

Comparaisons

Après avoir déterminé quel type d'imprimante acquérir, il est impératif de faire la différence entre les caractéristiques proposées, la qualité d'impression variant ostensiblement d'un modèle à l'autre.

- **Les imprimantes standard** utilisent du papier au format A4. Toutefois, peu d'imprimantes couvrent la totalité d'une feuille. Il est impossible d'obtenir un tirage sans bord.
- **Les imprimantes grand format,** comme celles des Figures 9.4 et 9.7, peuvent recevoir des formats plus grands que l'A4. La taille maximale d'impression varie d'un modèle d'imprimante à un autre et quelques-unes impriment sans bord.
- **Les imprimantes compactes** sont limitées à des formats de 10 x 15 ou plus petits. La Figure 9.9 montre un modèle fabriqué par Hewlett-Packard. Généralement, ce type de matériel imprime directement depuis les cartes mémoire, et aussi depuis l'appareil photo s'il est compatible PictBridge. Le modèle de chez HP est même équipé d'un petit écran de visualisation.

Les informations inscrites sur les cartons d'emballage ou sur les publicités peuvent être sujettes à caution. Il est recommandé de vérifier les caractéristiques d'une imprimante avant d'en acheter une :

- **Dpi** (*Dots per inch,* points par pouce) **:** Fait référence au nombre de points qu'une imprimante est capable de placer sur un pouce linéaire. Les imprimantes proposent désormais des résolutions allant de 300 à 2 800 dpi.

Plus le nombre de dpi est élevé, plus les points sont petits. Plus les points sont petits, plus vous aurez du mal à les distinguer ; et donc, en théorie, meilleure est la qualité de l'image. Mais la réalité est tout autre, car les imprimantes utilisent des techniques différentes pour produire ces points. Ainsi, une imprimante à sublimation thermique de 300 dpi se révélera meilleure que la majorité des imprimantes jet d'encre à 720 dpi. Le nombre de dpi ne suffit pas à définir la qualité d'une imprimante ; il faut tenir compte de la technologie employée. La résolution et les dpi (ou ppp) sont expliqués au Chapitre 2.

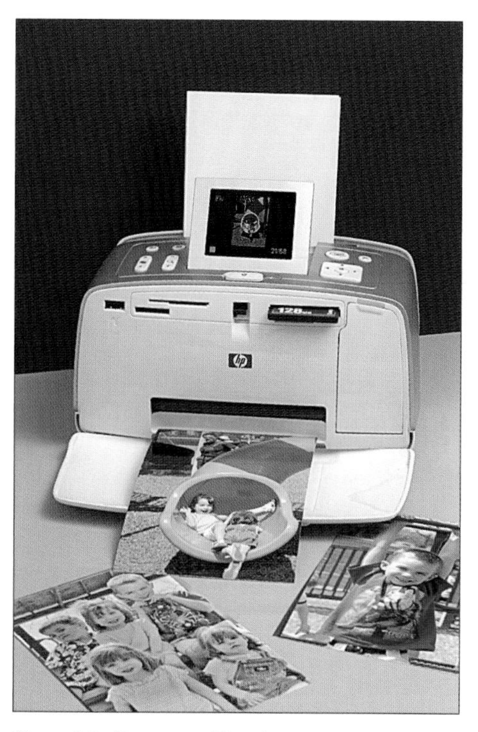

Figure 9.9 : Beaucoup d'imprimantes compactes impriment directement depuis des cartes mémoire ou l'appareil photo.

- **Options de la qualité de sortie :** Les imprimantes proposent plusieurs niveaux de qualité. Vous pouvez choisir une qualité brouillon (ou *économique*) pour faire des tests, puis sélectionner un meilleur niveau pour l'impression finale. Plus la qualité est supérieure, plus le temps d'impression est long, et plus importante est la consommation d'encre.

  La meilleure attitude consiste à tester l'imprimante avec différents types de papier et différents réglages du pilote d'impression. Il suffit parfois d'utiliser un mode d'impression à la place d'un autre pour obtenir des résultats extraordinaires ou totalement catastrophiques.

- Si vous envisagez d'imprimer à la fois en noir et blanc (niveaux de gris) et en couleur, assurez-vous que pour l'impression en niveaux de gris, l'imprimante ne sélectionne pas automatiquement la qualité la plus faible. Sur certains modèles, les options diffèrent pour le noir et pour la couleur.

- **Couleur à jet d'encre :** Les imprimantes à jet d'encre utilisent généralement quatre couleurs : cyan, magenta, jaune et noir. Cette combinaison de couleurs est connue sous l'appellation CMJN (voir l'encadré "Le monde du CMJN", dans ce chapitre).

  Certaines imprimantes photo à jet d'encre utilisent six ou sept couleurs, ajoutant un cyan clair, un magenta clair ou un noir brillant au mélange CMJN classique. Plus le nombre d'encres est élevé, plus l'imprimante est réputée être capable de restituer des couleurs fidèles.

  Si le noir et blanc de qualité vous tente, optez pour une imprimante capable d'utiliser des encres grises supplémentaires. Celles qui n'utilisent que de l'encre noire ont du mal à produire des gris neutres, c'est-à-dire dépourvus de toute trace de couleur.

- **Vitesse d'impression :** Si vous imprimez de grandes quantités d'images, essayez de concilier vitesse d'impression et qualité. Les vitesses décrites dans les publicités ne correspondent pratiquement *jamais* à la meilleure qualité de sortie.

- **Consommables (encres et papiers) :** Pour connaître le coût de vos tirages, vous devez prendre en compte le coût des consommables. C'est assez facile pour les imprimantes à sublimation thermique, car vous achetez le ruban en même temps que les papiers. Il suffit alors de diviser le coût de l'achat par le nombre de tirages.

  C'est moins évident pour les imprimantes à laser ou à jet d'encre. Pas de problème pour le coût du papier, mais c'est plus compliqué pour le coût de l'encre ou du toner. Les fabricants évaluent la consommation d'encre selon la couverture d'une page. Par exemple, en bureautique, l'encrage d'une page sera de 5 % de sa surface. Pour une photo, la couverture est de 100 % pour une impression sans bord, d'un peu moins s'il y a une marge. Le problème est qu'il n'existe aucune norme.

  Mon conseil ? Ne vous fiez jamais à un coût par page ou par tirage. C'est une estimation qui n'est utile que pour choisir entre différentes technologies : jet d'encre, laser, etc. Mais si vous comparez des modèles d'une même catégorie, inutile de vous casser la tête pour avoir à la fraction de centime près laquelle est la plus économique. Tous ces chiffres ne sont pas vraiment fiables.

Ceci dit, vous réduisez sensiblement le prix de la consommation d'encre en choisissant un modèle utilisant une cartouche par couleur, au moins la cartouche de noir séparément de la cartouche des encres couleur. Avec une imprimante équipée d'une seule cartouche, vous devrez en changer dès qu'un réservoir de couleur sera vide, et jeter la cartouche alors que d'autres réservoirs contiennent encore de l'encre.

N'oubliez pas que certaines imprimantes utilisent une cartouche spéciale pour l'impression en mode qualité photo. Dans bien des cas, ces cartouches ajoutent une mince "pellicule" brillante sur l'image imprimée, donnant l'illusion que le tirage a été réalisé sur un papier glacé. Cette "pellicule" protège l'encre contre la diffusion et le délavage. Dans d'autres cas, vous insérez une cartouche qui met à votre disposition davantage de couleurs que vous n'en possédez habituellement (généralement un cyan et un magenta clairs). Intéressant, mais cher.

- **L'impression sans ordinateur :** Quelques fabricants proposent des imprimantes dotées de connexions directes à l'appareil photo numérique. Vous connectez l'appareil à l'imprimante, et l'impression s'effectue sans passer par un ordinateur. Bien évidemment, ces modèles peuvent aussi être connectés à votre ordinateur pour imprimer d'autres travaux.

  L'imprimante peut ne fonctionner souvent qu'avec un appareil photo du même fabricant (c'est par exemple le cas du système EasyShare de Kodak). Si vous ne souhaitez pas une telle dépendance, achetez un appareil doté d'un lecteur de carte mémoire. Vous la retirez de votre appareil et l'insérez dans l'imprimante pour sortir vos superbes photos.

  Optez pour une imprimante DPOF (*Digital Print Order Format,* format de pilotage de l'impression numérique). Vous pourrez ainsi choisir les photos à imprimer directement sur l'écran de l'appareil photo. Ce dernier enregistre vos instructions puis les transmet à l'imprimante lors du transfert des images.

  Bien qu'une telle imprimante soit d'une grande flexibilité dans le paramétrage de votre appareil photo et qu'elle puisse se passer de connexion avec un ordinateur, je n'en suis pas fanatique. En effet, j'aime retoucher mes images pour obtenir exactement ce que je veux imprimer. Personnellement, je ne peux pas me passer d'ordinateur ; je préfère opter pour un lecteur de carte connecté à mon système informatique, voire télécharger les images de l'appareil vers l'ordinateur.

- **L'impression PostScript :** Une imprimante PostScript est préférable si vous traitez de nombreux documents enregistrés sous ce format, par ailleurs réservé à l'imprimerie. Quelques imprimantes ont des fonctionnalités PostScript intégrées tandis que d'autres sont compatibles PostScript, au travers d'un module ajouté au logiciel graphique.

Le monde du CMJN

Comme vous l'avez appris au Chapitre 2, les images affichées à l'écran sont en RVB. Toutes les couleurs proviennent d'un judicieux mélange du rouge, du vert et du bleu. En revanche, les images imprimées sont en CMJN car elles sont obtenues par un mélange de cyan, de magenta, de jaune et de bleu.

Peut-être vous demandez-vous pourquoi trois couleurs primaires seulement sont nécessaire pour reproduire une couleur RVB, alors qu'il en faut quatre en CMJN. Le problème est qu'en impression le noir n'est jamais complètement noir mais gris-brun foncé, à cause d'impuretés dans la pigmentation des encres. C'est pourquoi de l'encre noire est ajoutée.

Que faut-il en retenir ? Sachez qu'il existe des imprimantes bas de gamme dépourvues de cartouche d'encre noire. Le rendu des noirs n'est pas fameux.

Si vos photos doivent être confiées à un imprimeur, vous devrez les convertir en CMJN et créer des séparations de couleur, c'est-à-dire un film tramé par couleur. A l'impression, chacune des quatre couleurs est imprimée séparément, le mélange des points colorés de la trame produisant l'image en couleur finale. Demandez à votre imprimeur s'il veut des images CMJN ou RVB, car certains exigent le RVB.

Ne convertissez pas vos images en CMJN sous prétexte que vous allez les imprimer. Les imprimantes grand public sont conçues pour travailler avec des images RVB, quelles convertissent en interne. D'un point de vue chromatique, le CMJN est moins intéressant que le RVB car sa gamme de couleurs imprimables est plus réduite. Il est difficile d'obtenir des couleurs vives en CMJN, et reproduire ainsi fidèlement un effet de tubes au néon ou une luminescence.

Un dernier mot sur le CMJN : si vous comptez acheter une nouvelle imprimante à jet d'encre, sans doute remarquerez-vous que certains modèles sont dits CcMmYK ou CcMmYKk. Les lettres minuscules indiquent que l'imprimante dispose d'une cartouche cyan, magenta ou noir plus clair en plus des cartouches traditionnelles. Ces couleurs supplémentaires impriment les photos avec une plus grande précision chromatique.

Pour plus d'informations sur le RVB et le CMJN, consultez le Chapitre 2.

Lisez les tests effectués régulièrement par la presse informatique. Discutez-en avec des amis ou consultez les forums consacrés à la photographie numérique et aux périphériques qui s'y rapportent. À ce sujet, consultez le Chapitre 16.

Comme pour tout achat de matériel, ne négligez pas la durée de la garantie. D'un minimum légal d'un an en France, certains constructeurs n'hésitent pas à la porter à trois. Lorsque vous achetez une imprimante, sachez où se trouve le centre de réparation du fabricant qui pourra vous être d'un grand secours, une fois le délai de garantie écoulé.

C'est difficile à obtenir, pour ne pas dire impossible, mais le meilleur moyen de savoir ce que vaut une imprimante est de la tester avec son propre équipement et ses propres photos.

Le papier compte-t-il ?

La réponse est oui. Comme pour beaucoup de choses en ce bas monde, la qualité se paie. Meilleur est le papier, plus belle sera l'impression et plus elle se rapprochera d'un tirage traditionnel.

Si votre imprimante accepte diverses qualités de papier, sortez des tirages de lecture sur du papier bon marché et réservez le papier haut de gamme pour les tirages d'exposition ou de prestige.

Ne vous limitez pas à l'impression sur du papier photo standard. Il existe des papiers pour imprimer des calendriers, des autocollants, des cartes de vœux, des transparents (à utiliser sur un projecteur), et sur bien d'autres choses encore. Des fabricants proposent des logiciels permettant d'imprimer des photos sur des transferts qui sont ensuite décalqués sur des mugs et des tee-shirts. Vous trouverez également des papiers texturés qui simulent la toile, le parchemin, et j'en passe.

Taille de l'image et résolution

Comme nous l'avons plusieurs fois mentionné dans ce chapitre, beaucoup d'imprimantes permettent d'imprimer directement depuis une carte mémoire ou l'appareil. Si vous avez opté pour ce procédé, suivez les instructions du manuel de l'imprimante. Vous n'avez pas grand-chose à faire, hormis choisir le format et le nombre d'exemplaires. Ces opérations s'effectuent soit depuis l'appareil photo, soit en appuyant sur des boutons de l'imprimante.

Beaucoup de logiciels de retouche proposent une procédure d'impression simplifiée, prise en charge par un assistant qui s'enquiert de vos désirs. Si le résultat final vous convient c'est parfait, mais sachez que vous aurez passivement laissé le logiciel faire des choix importants.

Voici un bref récapitulatif de ce qu'en dit le Chapitre 2 :

- La résolution d'une image est mesurée en ppp, pixels par pouce. On peut dire que la bonne résolution pour une impression est de 200 ou 300 ppp. Si vous faites imprimer vos photos par un laboratoire, elles devront être à la résolution préconisée.
- Quand vous agrandissez une image, il se produit l'une de ces deux actions : la résolution baisse tandis que la taille des pixels augmente, ou alors, le logiciel ajoute de nouveaux pixels selon un procédé appelé *rééchantillonnage*. Ces deux procédés provoquent une perte de qualité de l'image.
- Inversement, lorsque vous réduisez la taille du tirage, vous pouvez conserver le nombre de pixels, auquel cas la résolution augmente tandis que la taille des pixels se réduit. Ou alors, vous pouvez conserver la résolution, auquel cas l'image supprime les pixels excédentaires. Comme cette suppression de pixels peut dégrader l'image, le rééchantillonnage en réduction ne devrait jamais excéder 25%, bien que sur certaines photos un pourcentage plus élevé ne prête pas à conséquence.

- Pour connaître la taille d'une image imprimée à une résolution donnée, divisez le nombre de pixels de la largeur par la résolution. Le résultat donne la largeur maximale de l'image. Effectuez la même opération avec le nombre de pixels en hauteur pour connaître la... hauteur.
- Que faire si vous n'avez pas assez de pixels pour obtenir la taille et la résolution de l'image que vous souhaitez ? Eh bien, vous devez choisir ce qui vous semble le plus important. Si la dimension du tirage est déterminante, vous l'obtiendrez aux dépens de sa qualité en acceptant une résolution plus faible. Si vous avez besoin d'une résolution spécifique (pour respecter par exemple les recommandations du fabricant de votre périphérique d'impression), vous devrez vous contenter d'une image plus petite. La vie est faite de compromis, n'est-ce pas ?

Là encore, si vous êtes content des images obtenues en automatique, il n'y a rien à redire.

Mais si vous tenez à contrôler la résolution de sortie, vous devrez définir la taille d'impression et la résolution d'impression avant de faire imprimer les images. Voici comment cela se passe dans Photoshop Elements :

1. **Choisissez Image/Redimensionner/Taille de l'image.**

   La boîte de dialogue Taille de l'image s'affiche, comme l'illustre la Figure 9.10.

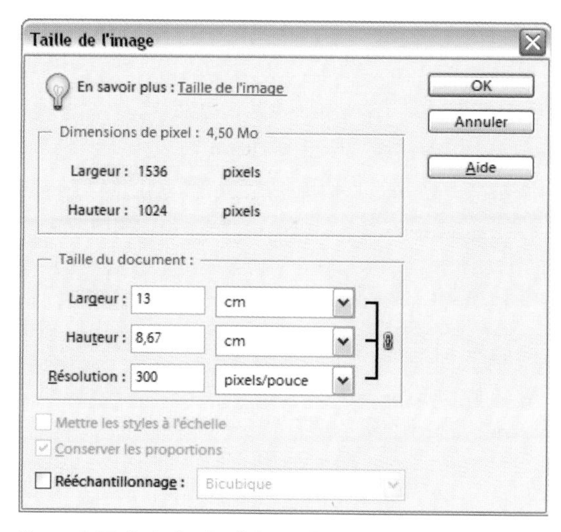

Figure 9.10 : La boîte de dialogue Taille de l'image.

2. **Décochez la case Rééchantillonnage.**

   Cette option détermine si Photoshop Elements doit ajouter ou éliminer des pixels pour modifier la taille de l'image. Une fois cette case cochée, le nombre de pixels ne pourra plus être modifié.

3. **Saisissez la nouvelle taille dans les champs Largeur et/ou Hauteur.**

   Double-cliquez dans l'un de ces champs et saisissez une nouvelle dimension (exprimée par défaut en centimètres). La résolution est automatiquement modifiée selon les valeurs ainsi définies.

4. **Cliquez sur OK ou appuyez sur Entrée.**

   Si vous avez respecté ces étapes, l'image affichée ne devrait subir aucun changement apparent. Pour visualiser la modification, choisissez Affichage/Règles. Vous remarquerez que seule la taille d'impression révélée par les règles a changé.

5. **Pour conserver les réglages après avoir fermé l'image, enregistrez le fichier.**

Si vous désirez rééchantillonner l'image afin d'obtenir une autre résolution d'impression, activez l'option Rééchantillonnage. Ensuite, saisissez les valeurs de Hauteur, Largeur et Résolution.

Dès que vous activez le paramètre Rééchantillonnage, deux autres champs Hauteur et Largeur s'activent dans la section Dimensions de pixel de la boîte de dialogue. Ils permettent de fixer les dimensions de votre photo en pixels ou en pourcentage (de la taille d'origine), donc de changer d'unité de mesure.

Si vous utilisez un autre logiciel de retouche, lisez son manuel ou accédez à son aide en ligne. En effet, des programmes d'entrée de gamme ne permettent pas de contrôler la résolution pendant le redimensionnement. Ils rééchantillonnent automatiquement l'image. Soyez donc très prudent.

Comment savoir si un programme rééchantillonne les images ou s'il les redimensionne ? Regardez la taille du fichier "avant" et "après". Si cette valeur change quand vous redimensionnez l'image, cela signifie que le programme a rééchantillonné la photo (et donc modifié le nombre de pixels qui la composent). Vous pouvez même le voir à l'œil nu, car bien souvent le redimensionnement à la hausse accompagné d'un rééchantillonnage détériore considérablement l'image.

Passons à la pratique

Assez de théorie ! Il est temps d'apprendre à imprimer vos images en quelques étapes, à partir d'un logiciel de retouche ou d'archivage :

1. **Ouvrez le fichier de la photo.**

2. **Définissez la taille et la résolution de l'image comme nous venons de le voir.**

3. Exécutez la commande d'impression.

La commande d'impression se trouve généralement dans le menu *Fichier*. En la sélectionnant, vous accédez à la boîte de dialogue de la Figure 9.11, qui comporte les paramètres d'impression : la qualité, le nombre d'exemplaires, etc. Vous pourrez y déterminer l'orientation de l'impression ; en *mode Portrait*, l'image sera représentée verticalement, en *mode Paysage,* horizontalement.

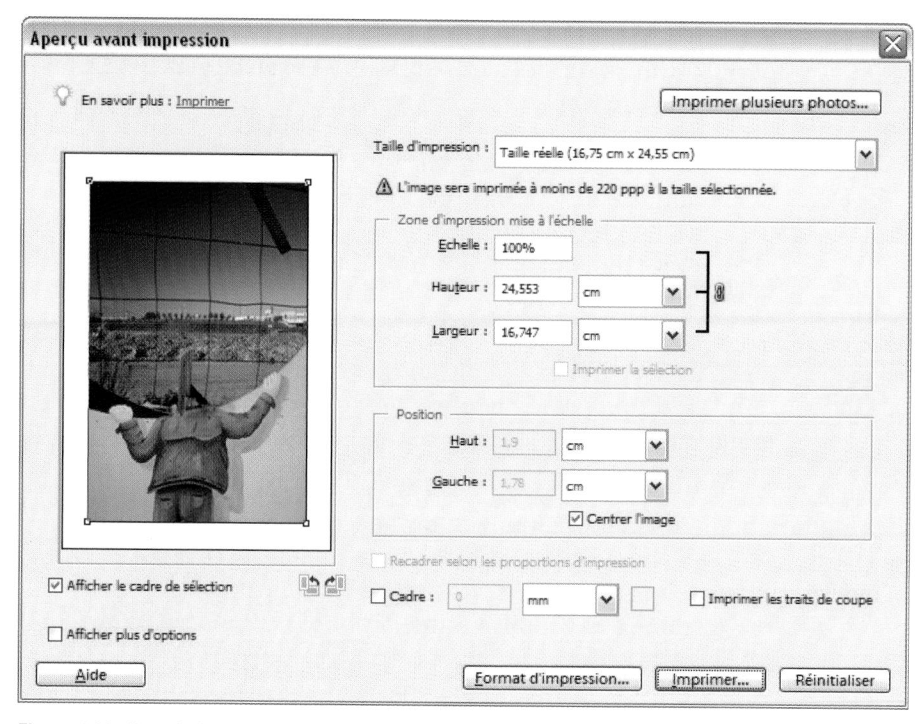

Figure 9.11 : Cette boîte de dialogue permet de régler l'impression.

4. Spécifiez les options d'impression à utiliser.

Ces options dépendent en partie de l'imprimante utilisée. Elles sont très souvent accessibles via la boîte de dialogue *Imprimer*. Par le biais d'un bouton, vous accédez aux propriétés de votre matériel. Se lance alors le "pilote" d'imprimante. C'est un utilitaire qui permet d'indiquer la qualité du papier utilisé (ordinaire, couché, qualité photo, glacé qualité photo) et le mode de tramage (par points, par diffusion). Du couple type de papier/tramage dépend intégralement la qualité d'impression de vos œuvres photographiques. Le mieux est donc de tester les différentes configurations.

Les options varient d'un pilote d'impression à un autre et s'avèrent plus ou moins complexes. Avant de gâcher des centaines de feuilles et de vider vos cartouches en moins de temps qu'il ne faut pour les remplir, lisez la documentation livrée avec votre imprimante.

Si plusieurs imprimantes sont accessibles, veillez à choisir celle que vous désirez utiliser avant de lancer l'impression.

Ne touchez pas aux paramètres qui, dans la boîte de dialogue Imprimer, règlent la taille de l'image ou l'impression. Sinon, vous annuleriez les réglages effectués à l'Etape 2. Dans Photoshop Elements, pour l'option Taille d'impression, conservez Taille réelle, et ne touchez pas des options de la rubrique Zone d'impression mise à l'échelle.

5. **Lancez l'impression.**

   Dans la boîte de dialogue qui s'ouvre, cliquez sur OK ou sur Imprimer pour transférer la photo dans la mémoire de l'imprimante, qui se charge alors du reste.

Pour obtenir de meilleurs résultats

Aidé du manuel de l'imprimante et des conseils que vous venez de lire, l'impression ne devrait plus vous poser de problèmes. Voici cependant quelques recommandations utiles :

- **Meilleur papier = meilleure impression.** Pour les tirages haut de gamme, un papier couché ou glacé est fortement recommandé.
- **N'oubliez pas de choisir le réglage de papier approprié.** Si l'impression est réglée pour du papier mat, par exemple, n'imprimez pas sur du papier brillant car le résultat serait décevant.
- **Pensez à effectuer un test d'impression en variant les résolutions ou les qualités de sortie.** Les réglages par défaut ne sont pas forcément les mieux adaptés aux photos que vous allez imprimer. Notez les réglages afin de les réutiliser ultérieurement. Certains logiciels

d'imprimante permettent de les mémoriser. Reportez-vous au manuel de votre imprimante pour vérifier ce point.

- **Pour communiquer avec votre imprimante, votre ordinateur a besoin d'un *pilote*.** Pour tout savoir sur l'installation de ce programme, suivez les instructions données dans le manuel de votre imprimante.

- **Utilisez le câble approprié.** Si votre imprimante est livrée sans câble de raccordement – cela arrive souvent –, pensez à en acheter un. De nombreuses imprimantes pour PC exigent un câble parallèle bidirectionnel au standard IEEE 1284. Il permet d'envoyer les données à imprimer, mais aussi de recevoir des informations de l'imprimante. Mais la plupart des modèles récents sont conçus pour se connecter via un port USB, ce qui simplifie énormément leur installation et leur fonctionnement. Un détail : n'achetez pas un câble bas de gamme qui compromettrait les performances de l'ordinateur.

- **Lisez attentivement les instructions de maintenance de votre imprimante.** Certains modèles disposent d'un dispositif de nettoyage des têtes d'impression commandé par logiciel.

Les couleurs ne correspondent pas !

Il existe presque toujours des différences de couleur entre un document affiché à l'écran et son équivalent sur papier. Nous avons appris que le mode de couleur d'une image sur écran n'est pas le même que celui des impressions (voir l'encadré "Le monde du CMJN", précédemment dans ce chapitre). Outre ces différences colorimétriques, d'autres facteurs interviennent : la luminosité de l'écran, la brillance du papier... Toutes ces conditions réunies ne simplifient pas les choses.

Mettez-vous en tête que, si la correspondance parfaite n'existe pas, vous pouvez tout de même vous en approcher :

- Vérifiez le niveau de l'encre. S'il est trop faible ou si les buses sont bouchées, les couleurs risquent d'être mal imprimées.

- Changer de marque de papier affecte quelquefois le rendu des couleurs. Il en va de même avec du papier d'une qualité inférieure.

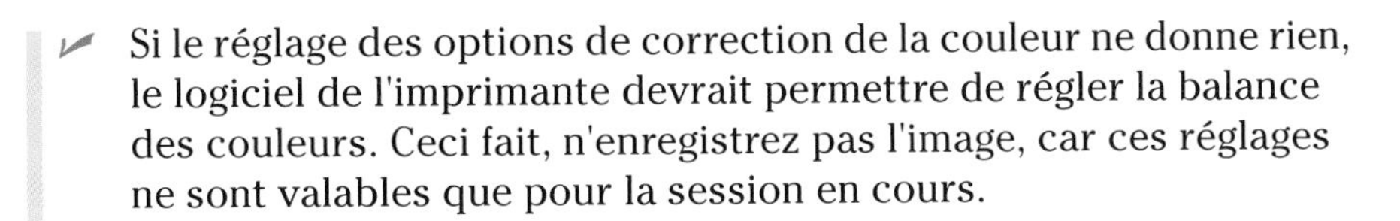

- Si le réglage des options de correction de la couleur ne donne rien, le logiciel de l'imprimante devrait permettre de régler la balance des couleurs. Ceci fait, n'enregistrez pas l'image, car ces réglages ne sont valables que pour la session en cours.

- Ne convertissez pas en CMJN les images que vous comptez imprimer. Les imprimantes sont en effet conçues pour travailler en RVB.

- Bon nombre de logiciels de retouche proposent des fonctions de correction de la couleur. Beaucoup sont faciles à utiliser : après avoir imprimé une mire, vous indiquez au logiciel quel élément coloré de la mire correspond au plus près à la couleur à l'écran. Le logiciel s'étalonne ensuite automatiquement.

  Photoshop Eléments, Photoshop et d'autres logiciels de retouche haut de gamme sont dotés de fonctions de correction de la couleur. Si vous n'y connaissez rien, je vous conseille de ne pas y toucher, car vous ne feriez qu'empirer la situation. Bon nombre de paramètres servent à garantir l'uniformité des couleurs tout au long d'une chaîne graphique.

- Les pilotes fournis avec les imprimantes permettent très souvent d'effectuer des modifications chromatiques pour compenser telle ou telle couleur. Pour cela, lisez attentivement le manuel fourni avec votre matériel.

- Si votre travail impose une correspondance exacte des couleurs, vous pouvez investir dans un système de gestion des couleurs permettant d'étalonner l'ensemble d'une chaîne graphique – scanner, moniteur, imprimante –, de façon à faire correspondre les couleurs entre tous ces périphériques. Vous trouverez les équipements nécessaires – sondes, mires et logiciels – auprès de sociétés comme Colorvision (`www.colorvision.ch/fr/`), X-Rite (`www.xrite.com`) et GretagMacbeth (`www.thetascan.fr`).

  Rappelez-vous que même le meilleur système de gestion des couleurs ne peut fournir une fidélité à 100 % en raison des différences inhérente entre la couleur produite par de la lumière et celle produite par réflexion.

La même remarque s'applique aux systèmes de gestion des couleurs livrés avec le système d'exploitation de votre ordinateur, comme ColorSync sur le Mac.

- Essayez de régler les couleurs de votre écran avec les boutons de réglage, si c'est possible, afin qu'elles correspondent mieux aux couleurs imprimées. Comparez l'image imprimée et l'image représentée à l'écran. Ensuite, réglez le moniteur pour qu'il affiche exactement les teintes, la luminosité et les contrastes imprimés. Ce procédé est cependant un pis-aller car l'étalonnage ne sera pas valable pour une autre imprimante.
- Enfin, n'oubliez jamais que les couleurs affichées à l'écran et imprimées sur papier varient en fonction des conditions d'éclairage de la pièce où vous travaillez.

Préparer une image TIFF pour la publication

Pour publier une photo dans une lettre d'information ou autre support imprimé, ou pour l'importer dans un logiciel de mise en page, vous devrez peut-être la convertir au format TIFF.

Pour créer une version en TIFF de votre fichier d'origine, ouvrez l'image dans votre logiciel de retouche et choisissez Fichier/Enregistrer sous.

Dans Photoshop Elements, la procédure se déroule comme nous l'expliquons ci-dessous. Dans un autre logiciel, les Etapes 4 et 6 devraient être identiques, mais pas forcément dans le même ordre.

1. **Si vous avez modifié l'image depuis son dernier enregistrement, sauvegardez ces changements.**

   Dans Photoshop Elements, enregistrez le fichier au format PSD en vous assurant que les cases des calques sont cochées afin de les conserver, si vous en avez créés (les calques sont expliqués au Chapitre 13).

2. **Choisissez Fichier/Enregistrer sous.**

   Veillez à bien choisir Enregistrer sous, et non Enregistrer. Autrement, le logiciel se contente de réenregistrer le fichier avec les paramètres courants.

3. **Dans la boîte de dialogue Enregistrer sous, nommez le fichier et choisissez le dossier de destination, comme d'habitude.**

4. **Choisissez le format de fichier TIFF.**

5. **Cette fois, si le fichier contient des calques, sélectionnez l'option qui les fusionne tous en un seul.**

   Comme de nombreux formats sont incapables d'ouvrir des fichiers TIFF comportant des calques, il est préférable de tous les fusionner. Dans Photoshop Elements, décochez la case Calques. Si vous avez enregistré l'image comme nous le suggérions à l'Etape 1, l'original ne sera pas affecté par la présente étape.

   Tous les logiciels ne permettent pas de préserver les calques lorsque vous enregistrez au format TIFF. Ne vous inquiétez pas si cette option n'apparaît pas. Dans certains programmes, elle apparaîtra plus tardivement.

6. **Cliquez sur Enregistrer.**

   Des options supplémentaires sont proposées, comme le montre la Figure 9.12.

7. **Définissez les options TIFF ainsi :**

   - **Compression de l'image :** Aucune. L'option de compression LZW est sans perte de données, mais certains logiciels ne parviennent pas à ouvrir un fichier ainsi compressé.

   - **Format :** Choisissez IBM PC ou Macintosh, selon l'usage qui sera fait de la photo. En fait, la plupart des logiciels ne font pas la différence.

   - **Enreg. pyramide d'images :** Ne touchez pas à cette option car la photo ne pourrait pas être ouverte par certains logiciels.

   - **Compression du calque :** Si vous avez oublié de décocher la case Calques à l'Etape 5, choisissez Supprimer les calques et enregistrer une copie. Si l'image a été aplatie, ou aucun calque n'a été créé, toutes les options de la rubrique Compression du calque sont grisées, donc indisponibles.

8. **Cliquez sur OK pour terminer l'enregistrement.**

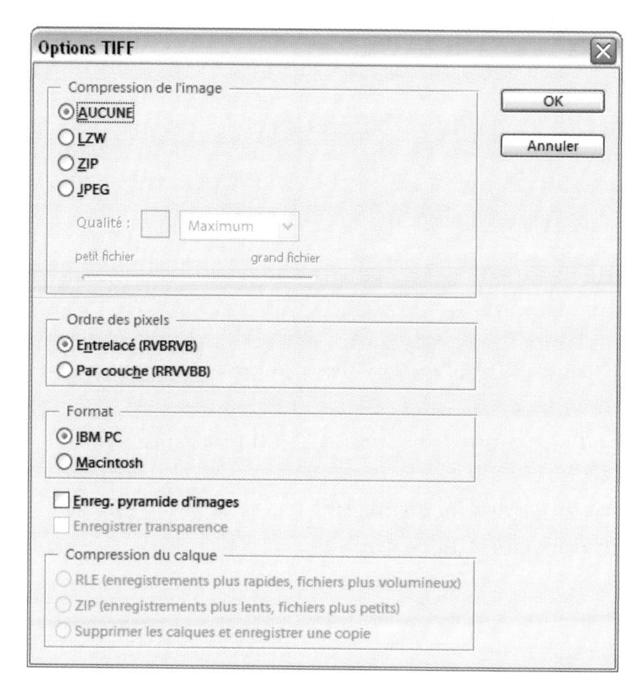

Figure 9.12 : Pour une compatibilité maximale avec d'autres logiciels, utilisez ces options lorsque vous enregistrez un fichier TIFF.

Le fichier original se ferme tandis que la version TIFF apparaît à l'écran. Si vous n'avez plus à intervenir sur l'image, fermez-la à son tour.

Chapitre 10

De l'appareil à l'ordinateur

Dans ce chapitre :

- Créer des images pour un affichage à l'écran.
- Préparer des photos pour le Web.
- Optimiser le poids des images pour un téléchargement plus rapide.
- Enregistrer un fichier JPEG.
- Joindre une photo à un courrier électronique.
- Joindre une image à un courrier électronique.

Les appareils photo numériques sont parfaits pour créer des images susceptibles d'être affichées à l'écran. Même un modèle d'entrée de gamme, peu coûteux, fournit suffisamment de pixels pour un usage sur le Web, dans un album photo en ligne, une présentation multimédia, etc.

La procédure de préparation des images à un affichage écran peut paraître compliquée, peut-être parce que beaucoup de gens en comprennent mal le principe, ou reçoivent des conseils de gens qui le maîtrisent mal.

Ce chapitre explique comment afficher des images numériques à l'écran. Vous apprendrez comment redimensionner des photos et les enregistrer au format JPEG, les envoyer en pièce jointe d'un courrier électronique, et bien d'autres choses.

Que faire de vos images ?

Avec des tirages sur papier ou des diapos, les options sont relativement limitées. Vous pouvez les placer dans un album photo ou les projeter contre un écran. Vous pouvez aussi les disposer sur votre réfrigérateur à l'aide d'aimants, ou encore les glisser dans votre portefeuille.

Il en va tout autrement avec le numérique, qui offre une vaste palette de possibilités nouvelles :

- **Page Web :** Vous pouvez placer vos images sur le site Internet de votre société ou, plus modestement, dans vos pages Web personnelles.

  Vous pouvez même créer une galerie photo en ligne. Inutile de s'y connaître en conception de pages Web, car de nombreux logiciels de retouche sont dotés d'une fonction qui automatise la création de la page. La Figure 10.1 montre l'assistant de Photoshop Elements ; la Figure 10.2 montre la page Web terminée. Pour savoir comment procéder, lisez la section "Visa pour Internet", plus loin dans ce chapitre.

- **Courrier électronique :** Envoyez vos photos à des proches sous forme d'une pièce jointe à un courrier électronique. Lisez la section "Envoie-moi une carte de temps en temps !" pour savoir comment joindre un fichier d'image à un courrier électronique.

- **Site de partage de photos.** Si vous désirez montrer un grand nombre de photos, renoncez au courrier électronique et choisissez plutôt un site de partage de photos comme Kodak EasyShare (`www.kodakgallery.fr/`), Photo Service (`photoservice.com`) ou Wistiti (`www.wistiti.fr`), afin que tout le monde puisse les consulter. La Figure 10.3 montre un album créé sur le site Kodak EasyShare. La création d'un album est généralement gratuite. Les visiteurs peuvent y voir vos photos et commander des tirages (c'est ainsi que le site se paie).

  Ne considérez pas les sites de partage de photo comme des lieux d'archivage et de sauvegarde. Beaucoup d'entre eux suppriment les photos après un certain temps, si vous ne commandez pas de tirage. Et beaucoup de sites plus ou moins connus ont fermé boutique, entraînant les photos de leur clients dans leur disparition. Reportez-vous au Chapitre 4 pour savoir comment archiver correctement vos photos.

- **Présentation multimédia :** Vos photos peuvent être importées dans des applications multimédias comme Microsoft PowerPoint ou Corel Presentation. De bonnes images placées au bon endroit

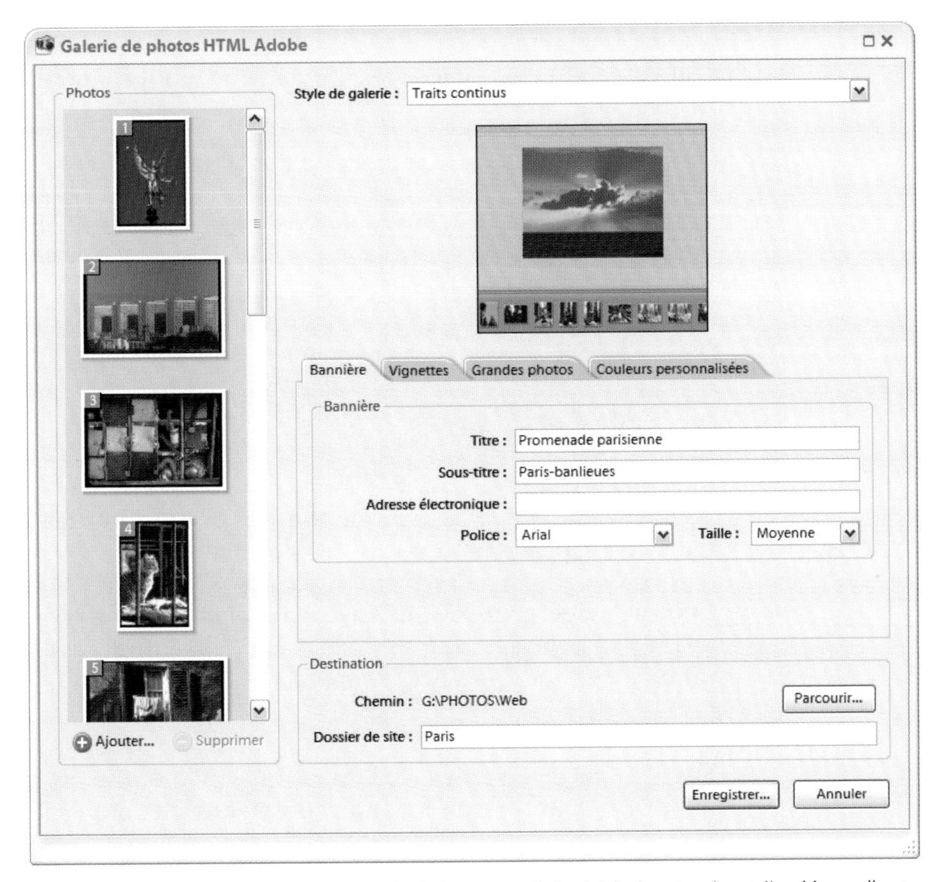

Figure 10.1 : Grâce à l'assistant dont sont dotés beaucoup de logiciels de retouche et d'archivage, il est très facile de créer une galerie de photos sur le Web.

augmentent l'intérêt d'une présentation, tout en clarifiant vos idées. Ces programmes acceptent de nombreux formats d'image.

- **Economiseur d'écran :** Vous pourrez réaliser un économiseur d'écran personnalisé avec vos images, ou en faire un arrière-plan pour le Bureau, comme vous le découvrirez à la prochaine section. De nombreux programmes de retouche d'images proposent un assistant qui vous guide pas à pas dans la création de ces deux projets.

- **Diaporama :** Un programme comme Photoshow, présenté au Chapitre 1, permet de créer un diaporama. Il peut ensuite être gravé sur un CD lisible par n'importe quel ordinateur et par quel-

Figure 10.2 : Les visiteurs visionnent les photos en cliquant sur les vignettes, en bas de la page.

ques lecteurs de DVD de salon. Beaucoup de logiciels de retouche et d'archivage ont aussi une fonction Diaporama, mais aux possibilités plus limitées qu'un programme indépendant.

- Certains appareils photo sont dotés d'une sortie vidéo que vous raccordez à votre téléviseur, lecteur de DVD ou magnétoscope. Voilà qui changera des traditionnelles "soirées diapo".

Ce que l'on peut dire de leur taille

Préparer une image pour un affichage à l'écran est une approche radicalement différente de la préparation d'une image pour l'impression. Les sections suivantes vous disent tout ce que vous avez toujours voulu savoir sur la taille... d'affichage des images, sans jamais oser le demander.

Figure 10.3 : Un album en ligne est un excellent moyen pour partager vos photos de voyage ou familiales avec vos proches.

Comprendre les images à l'écran

Quand vous préparez des images pour un affichage à l'écran, rappelez-vous qu'elles sont affichées à raison d'un pixel de l'écran (la notion de pixel est expliquée au Chapitre 2) pour chaque pixel de l'image produite par l'appareil photo. La seule exception est le zoom, dans un logiciel de retouche ; dans ce cas, chaque pixel de l'image est représenté par un groupe de pixels à l'écran.

Vous avez le choix entre plusieurs résolutions d'affichage : 640 x 480 pixels, 800 x 600, 1 024 x 768, 1 280 x 1 024, et même davantage avec les nouvelles générations de cartes graphiques et d'écran (NdT : les écrans plats n'offrent généralement qu'une seule résolution).

Une image composée de 800 x 600 pixels couvrira la totalité de l'écran, si les options d'affichage sont ainsi paramétrées. Si la résolution d'affichage est plus grande, l'image ne couvrira qu'une partie de l'écran, à moins d'utiliser l'option d'étirement de l'image.

Les Figures 10.4 et 10.5 illustrent ce propos. La première représente un écran de 800 x 600 pixels sur lequel est affichée une image dont la taille est également de 800 x 600 pixels. L'image recouvre la totalité de l'écran. Sur la Figure 10.5, la résolution d'affichage est de 1 024 x 768 pixels. La même image affichée sur une surface plus grande n'occupe plus qu'une partie de l'écran.

Figure 10.4 : Une image de 800 x 600 pixels avec une résolution d'affichage de 800 x 600.

Vous ne connaissez hélas pas la résolution des moniteurs de ceux qui visionneront vos images. Quelqu'un utilisera un écran de 21 pouces à une résolution de 1 280 x 1 024 pixels, alors qu'un autre n'aura qu'un moniteur de 14 pouces en 600 x 800.

Pour une publication sur le Web, je vous conseille de partir d'un affichage de 640 x 480. Préparez donc vos images pour une page Web de cette

Figure 10.5 : La même image affichée avec une résolution de 1 268 x1 024 pixels ne couvre qu'une partie de l'écran.

taille. Ainsi, tout le monde bénéficiera sans problème de la mise en page de votre site, donc des images qu'il contient. Si vous optez pour une autre résolution, indiquez par exemple sur votre page d'accueil que le site a été conçu pour être affiché en 800 x 600 ou 1 024 x 768. Tenez compte aussi du fait que l'interface du navigateur Web ou de la messagerie occupe elle aussi de la place.

Modifier la taille d'affichage d'une image

Pour redimensionner une image à l'écran, procédez de la même manière que pour changer de résolution ou de taille d'impression. Mais cette fois, choisissez "pixels" comme unité de mesure. Voici comment faire avec *Photoshop Elements* :

1. **Enregistrez préalablement une copie de votre image.**

Avant d'effectuer des tests de redimensionnement sur vos images, faites toujours une copie de sauvegarde des fichiers originaux. L'original pourra ainsi être récupéré si vous échouez lamentablement dans la modification de sa copie.

2. **Choisissez Image/Redimensionner/Taille de l'image pour accéder à la boîte de dialogue du même nom.**

3. **Cochez la case Rééchantillonnage, comme le montre la Figure 10.6.**

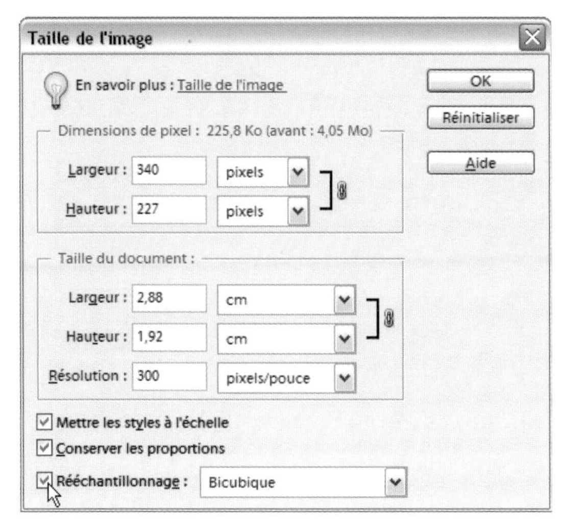

Figure 10.6 : Pour modifier la taille de votre image dans Photoshop Elements, cochez la case Rééchantillonnage.

Cette option *rééchantillonne* l'image, c'est-à-dire lui ajoute ou lui ôte des pixels. Les champs de la rubrique Dimensions de pixel, en haut de la boîte de dialogue, permettent de saisir de nouvelles largeur et hauteur de l'image. Vous utiliserez ces paramètres à l'étape 6.

4. **Dans la liste Rééchantillonnage, sélectionnez Bicubique.**

Les options de cette liste affectent la technique utilisée par le programme pour ajouter et supprimer des pixels. Le paramètre par défaut, Bicubique, donne les meilleurs résultats.

5. **Cochez la case Conserver les proportions.**

Cette option assure le maintien des proportions originales de l'image quand vous modifiez la quantité de pixels qui la composent.

6. **Cochez la case Mettre les styles à l'échelle, si elle est disponible.**

7. **Dans les champs Hauteur et Largeur de la section Dimensions de pixel, saisissez les nouvelles dimensions de l'image.**

Rappelez-vous que le terme *dimensions de pixel* se réfère au nombre de pixels horizontaux et verticaux constituant la photo.

Avant de fixer ces valeurs, choisissez le pixel comme unité de mesure dans les listes situées à droite des champs Hauteur et Largeur. Comme l'option Conserver les proportions est active, la hauteur change automatiquement quand vous saisissez une valeur de largeur, et vice versa.

8. **Cliquez sur OK ou appuyez sur la touche Entrée.**

Pour voir l'image à la taille à laquelle elle sera affichée par tous les écrans, choisissez Affichage/Taille écran. Rappelez-vous que cet affichage est lié à la résolution de l'écran. La taille apparente de l'image changera selon la résolution en cours.

9. **Enregistrez l'image redimensionnée au format JPEG.**

Un peu plus loin, la section "JPEG : l'ami des photographes" explique les détails de cette étape.

Si votre photo est d'ores et déjà en JPEG, veillez à lui donner un autre nom afin de préserver l'original.

Rappelez-vous qu'augmenter la largeur ou la hauteur d'une image entraîne une *interpolation* des pixels pour en créer de nouveaux. Cette opération peut altérer sensiblement la qualité de l'image. Dans Photoshop Elements, le poids de l'image apparaît juste en face de *Dimensions de pixel*. Il s'actualise en temps réel, dès que vous modifiez une des valeurs Largeur ou Hauteur.

Rappelez-vous aussi que plus vous avez de pixels, plus le fichier image résultant est lourd. Par conséquent, si vous préparez une image pour le Web, faites en sorte que le volume du fichier soit ridiculement faible (contrairement à ce que vous avez appris à l'école, les mots poids, volume et espace sont assez comparables lorsque l'on parle de fichiers). Dans le cas contraire, l'image mettra beaucoup de temps à se télécharger.

Choisir la bonne unité de mesure

Ceux qui débutent dans la retouche des photos ont du mal à se servir d'unités de mesure comme les pixels ou les pouces.

Si vous préférez travailler en centimètres plutôt qu'en pixels, réglez l'image comme d'habitude mais choisissez une résolution de sortie de 72 pixels par pouce (Macintosh) ou de 96 ppp (PC).

Ces notions d'affichage de points par pouce sont assez floues en raison de la diversité des écrans (taille, masque, écran cathodique ou LCD...). Pour une évaluation, affichez une image d'arrière-plan à la taille de l'écran et observez si elle occupe toute la surface de la dalle. Si oui, sa résolution d'écran est correcte. Sinon, il faudra la corriger.

Visa pour l'Internet

Si vous possédez un site Internet ou des pages perso, vous pourrez facilement y placer vos photos.

Ne sachant pas quel logiciel de création de pages Web vous utilisez, il m'est impossible de vous donner des instructions précises. Je vais cependant vous fournir des recommandations.

Quelques règles importantes sur le Net

Pour rendre un site Web plus attractif, il faut se conformer à quelques règles fondamentales. Trop d'images de trop grande taille ralentirait la consultation de vos pages. L'internaute se caractérise par son impatience : une seconde de trop à attendre, et il s'en va surfer ailleurs !

Pour concevoir un site qui ne rebute pas les visiteurs, suivez ces règles élémentaires :

- **Pour les sites commerciaux, assurez-vous que chaque image est justifiée.** L'objectif de votre site est de vendre des produits ou des services, ou encore de présenter des nouveautés. Il est donc inutile de le surcharger d'images esthétisantes qui n'apportent rien. L'information doit être directe et parvenir rapidement.

- **Si vous utilisez une image en tant que lien hypertexte, proposez aussi un lien textuel.** Pourquoi cette restriction ? Parce que, pour gagner du temps, des internautes paramètrent leur navigateur de manière que les images ne soient pas automatiquement téléchargées. S'ils veulent voir une image, ils cliquent sur la petite icône qui la représente, ce qui démarre son téléchargement. Sans liens textuels, ces utilisateurs pressés ne pourraient pas naviguer dans votre site.

- **Enregistrez les photos au format JPEG.** C'est ce format qui restitue le mieux les photographies. Les deux autres formats, PNG et JPEG 2000 (en cours de développement), ne sont pas pleinement reconnus par tous les navigateurs Web ni par tous les logiciels de création de pages.

- **N'enregistrez pas les photos au format GIF.** Il est parfait pour des graphismes en aplats (éléments décoratifs, boutons, filets, logos simples...) mais, comme il est limité à 256 couleurs, il est incapable de reproduire correctement les photos. La Figure 10.7 montre la dégradation qu'il inflige aux images.

- Pour vous conformer aux configurations usuelles des internautes, les dimensions de vos images doivent se rapporter à un affichage modeste. 640 x 480 pixels est un standard et 800 x 600 un maximum. Seuls des sites spécialisés dans le graphisme peuvent se permettre une résolution d'affichage de 1 024 x 768.

  Notez qu'avec une résolution aussi faible que celle des photos affichée sur le Web, imprimer l'une d'elles est exclu. Pour permettre à vos correspondants d'obtenir des tirages, placez-les sur un site de partage de photos.

- **La taille du fichier d'image a une incidence directe sur la durée de téléchargement.** Plus il est volumineux, plus la photo sera longue à apparaître.

- N'oubliez pas que la taille d'un fichier dépend du nombre total de pixels contenus dans l'image, et non de sa résolution d'affichage. Une photographie de 640 x 480 pixels contiendra toujours 307 200 points ! En revanche, une image d'une résolution de 72 ppp consomme bien moins d'espace disque que son équivalent en

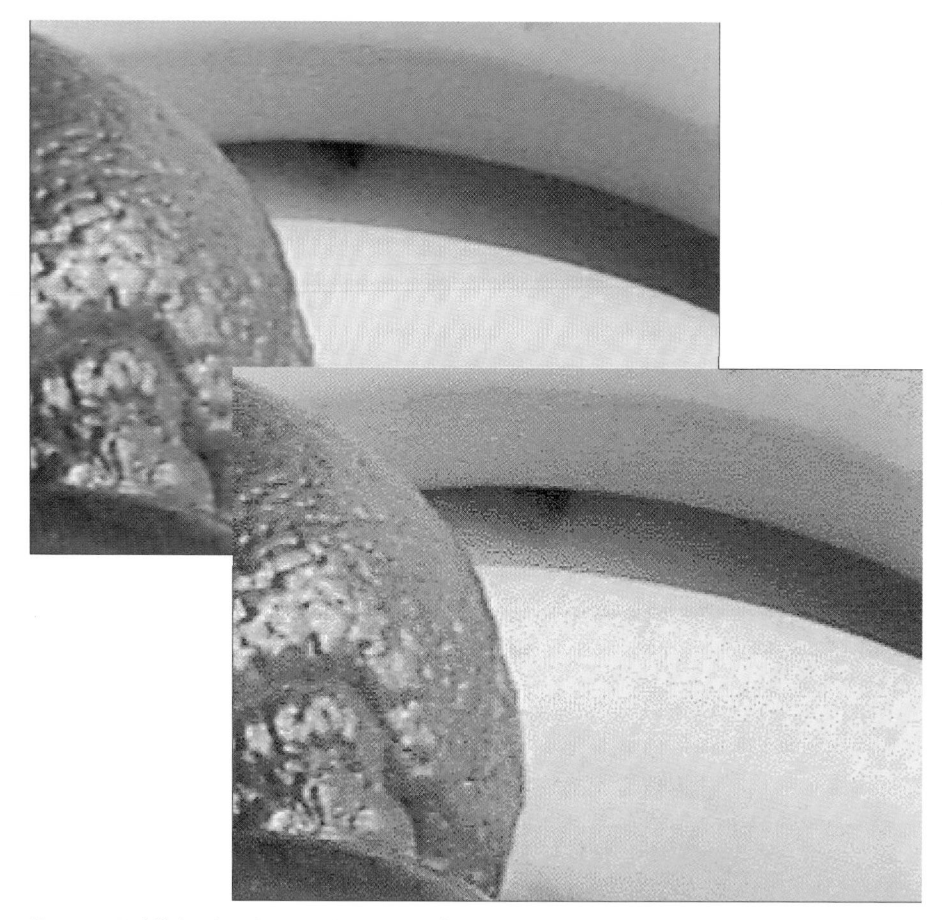

Figure 10.7 : Affichez les photos au format JPEG (en haut), mais en aucun cas au format GIF qui, limité à 256 couleurs (en bas), dégrade l'image.

300 ppp. Consultez le Chapitre 2 pour approfondir vos connaissances à ce sujet.

- **L'augmentation du taux de compression JPEG est un autre moyen de réduire la taille d'un fichier.** Nous y reviendrons à la prochaine section.

- **Si vous tenez à contrôler l'usage de vos photos, réfléchissez-y à deux fois avant de les poster sur le web.** Pour empêcher leur réutilisation illicite, insérez un filigrane codé indiquant le nom de l'auteur et autres informations. La société Digimarc (`www.digimarc.com`) est le grand spécialiste de la protection des fichiers. En

France, c'est la SCAM (Société Civile des Auteurs Multimédia, www.scam.fr/) qui regroupe les associations d'auteurs et peut vous renseigner sur vos droits.

Au détail ou en gros ?

Quand vous enregistrez une image au format JPEG, une option demande généralement si vous désirez créer une image à affichage progressif ou non.

Si vous optez pour l'affichage progressif, l'image apparaît d'abord en très basse résolution, très grossière puis, au fur et à mesure que les données sont téléchargées, elle s'affine peu à peu. Si l'option progressive n'est pas affichée, il faut attendre le téléchargement complet des données graphiques pour voir l'image.

Ces images donnent l'impression d'être chargées plus rapidement car le contenu est identifié plus rapidement, alors qu'en réalité leur affichage exige plus de temps qu'une image normale ; par ailleurs, certains navigateurs ne les gèrent pas et le traitement du JPEG progressif accapare plus de mémoire vive. Même si cette option permet de patienter (tout est dans la subjectivité), les concepteurs de pages Web la déconseillent.

JPEG : l'ami des photographes

Le mode JPEG est le format par excellence pour la représentation des photos numérisées.

La compression JPEG est à pertes de données. Elle dégrade la qualité d'une image surtout si vous appliquez un taux de compression très élevé afin de rendre le fichier moins volumineux (au Chapitre 5, une figure illustre ces effets). Avant de sauvegarder une image en JPEG, faites-en une copie sous un format qui ne se dégrade pas (par exemple, le format natif PSD de Photoshop Elements ou encore TIFF ou BMP). La compression JPEG appliquée, vous ne récupérerez plus jamais les données soi-disant superflues qui ont été éliminées.

Les étapes qui suivent montrent comment enregistrer une image au format JPEG en utilisant la fonction Enregistrer pour le Web de Photoshop Elements. Elle permet de vérifier à vue, éventuellement en zoomant sur des détails, jusqu'à quel point la compression à pertes de données affecte l'image. Si vous utilisez un autre logiciel de retouche, voyez dans son aide en ligne s'il comporte une fonction similaire. Les options d'enregistrement JPEG sont à peu près les mêmes dans tous les logiciels, mais tous n'affichent pas les effets de la compression.

1. **Choisissez Fichier/Enregistrer pour le Web afin d'accéder à la boîte de dialogue de la Figure 10.8.**

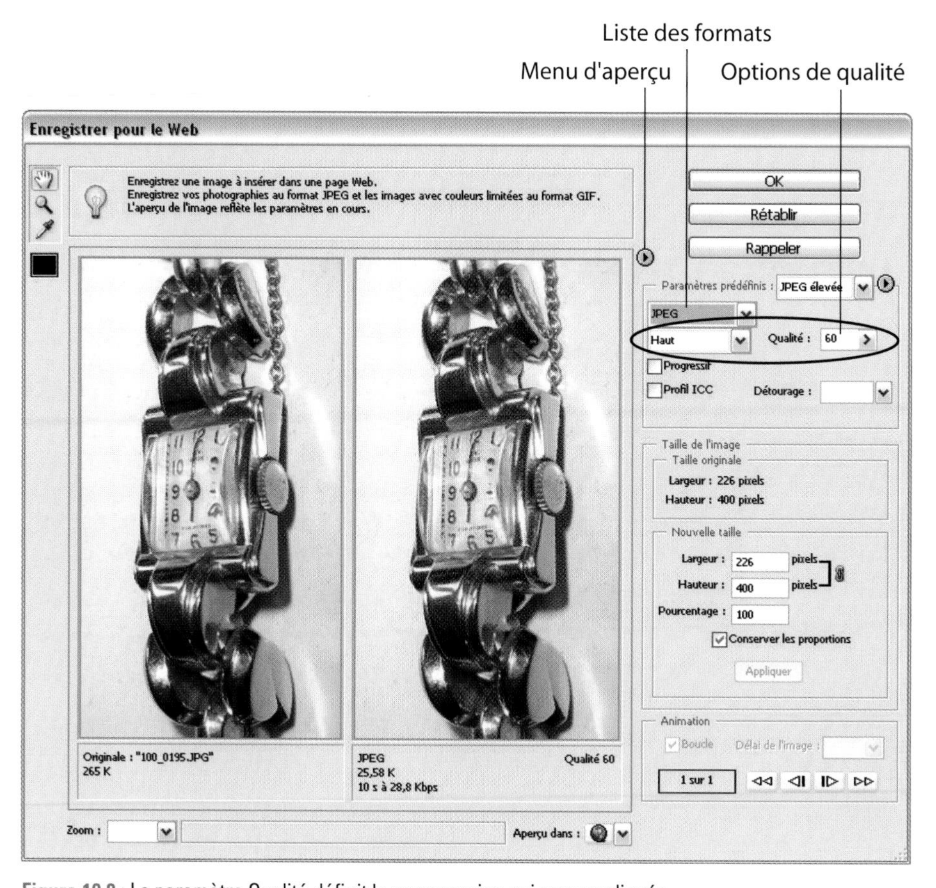

Figure 10.8 : Le paramètre Qualité définit la compression qui sera appliquée.

L'image de gauche est celle de l'original. A droite, est affiché un aperçu de l'image telle qu'elle sera enregistrée avec les paramètres en cours.

2. **Dans la liste des formats, sélectionnez l'un des taux de compression JPEG proposés : Bas, Moyen, Haut, Supérieur ou Maximum.**

Après avoir sélectionné l'option JPEG, les commandes de la Figure 10.8 apparaissent.

3. **Réglez le taux de compression JPEG à l'aide de la glissière Qualité.**

Plus la valeur du paramètre Qualité est élevée, moins l'image est compressée et plus la taille du fichier est importante. Cette valeur s'étend de 0 à 100. 0 donne la compression la plus importante, d'où une très forte dégradation de la qualité de l'image, tandis que la valeur 100 produit une image non compressée, de qualité maximale mais plus volumineuse.

Chaque modification de la valeur de ce paramètre se répercute instantanément dans la fenêtre d'aperçu de droite. La taille du fichier ainsi que l'estimation de la durée de téléchargement sont mentionnées sous la fenêtre (NdT : Cliquez sur le bouton du menu d'aperçu pour choisir d'autres types de modems).

4. **Décochez les cases Progressif, Optimisé et Profil ICC.**

Les fichiers JPEG progressifs ne sont pas recommandés ; quant à la fonction Optimisé, elle donne de meilleures images selon le degré de compression, mais pose problème avec certains navigateurs.

L'option Profile ICC, qui concerne la gestion des couleurs, intéresse essentiellement les amateurs avertis et les professionnels. N'y touchez pas car vous fausseriez les couleurs de vos photos.

Toutes ces options ont par ailleurs une influence réduite sur la taille du fichier.

5. **Si votre image contient des zones transparentes, choisissez une couleur de détourage.**

Cette option fonctionne comme dans la précédente section. Mais ici les zones transparentes seront remplies par une couleur unie blanche, sauf si vous en spécifiez une autre car le format JPEG ne gère pas les pixels transparents.

Contournez ce problème en utilisant la même couleur de détourage que celle de l'arrière-plan de la page Web qui accueillera l'image. L'internaute n'y verra que du feu.

6. **Cliquez sur OK.**

   Dans la boîte de dialogue Enregistrer une copie optimisée sous, le format JPEG est sélectionné par défaut. Il ne vous reste qu'à saisir le nom du fichier dans le champ approprié.

7. **Cliquez sur Enregistrer, ou appuyez sur Entrée.**

   Le logiciel enregistre une copie JPEG de l'image d'origine. La photo originale reste ouverte dans Photoshop Elements. Pour voir l'image JPEG compressée, il suffit de l'ouvrir.

Envoie-moi une carte de temps en temps !

Pouvoir envoyer une photo à ses amis ou à sa famille par courrier électronique est plaisant et commode. En quelques clics de souris, elle se retrouve n'importe où dans le monde, chez quelqu'un disposant d'une adresse électronique.

Bien qu'il soit relativement simple de joindre une image à un courrier électronique, la procédure diffère selon le programme de messagerie que vous utilisez. Nouveaux venus dans l'univers du mail, n'hésitez pas à consulter l'aide en ligne de votre application pour savoir comment joindre une image à un courrier.

N'utilisez pas la technique décrite ci-dessous pour envoyer des images à des professionnels, qui l'utiliseront dans un logiciel de mise en page ou qui l'imprimeront. En effet, ceux-ci ont besoin d'images de la meilleure qualité, dépourvue des nombreux défauts causés par une compression à pertes de données de type JPEG. Un fichier graphique au format A4 codé sur 24 bits (16,8 millions de couleurs), enregistré en TIFF avec une résolution de 300 dpi, peut avoisiner, voire dépasser, 30 Mo. Un envoi par le Web avec un modem traditionnel n'aurait aucun sens. Si vous et votre client disposez d'une connexion ADSL ou câble, l'envoi devient envisageable, mais vers un site FTP – un site spécialisé dans les téléchargements – car la plupart des messageries n'acceptent pas des pièces jointes de plus de 5 ou 10 Mo. La technique la plus simple, car quasi universelle, consiste à graver l'image sur un CD-R et la confier à la poste. Comme quoi, cette vieille institution presque millénaire a encore quelques beaux jours devant elle...

L'exemple d'envoi d'une image par courrier électronique proposé ici s'appuie sur Outlook Express, la messagerie livrée avec Internet Explorer, sous Windows XP. Le procédé est le même avec la majorité des gestionnaires de courrier électronique.

1. **La connexion avec Internet établie, démarrez Outlook Express.**
2. **Choisissez Fichier/Nouveau/Message de courrier.**

   Une fenêtre d'envoi de message vide apparaît.
3. **Dans la boîte de dialogue Nouveau message, saisissez l'adresse de votre destinataire, l'objet du message puis le message lui-même, comme d'habitude.**
4. **Choisissez Insertion/Pièce jointe ou cliquez sur le bouton Insérer un fichier au message, reconnaissable au trombone (voir Figure 10.9).**

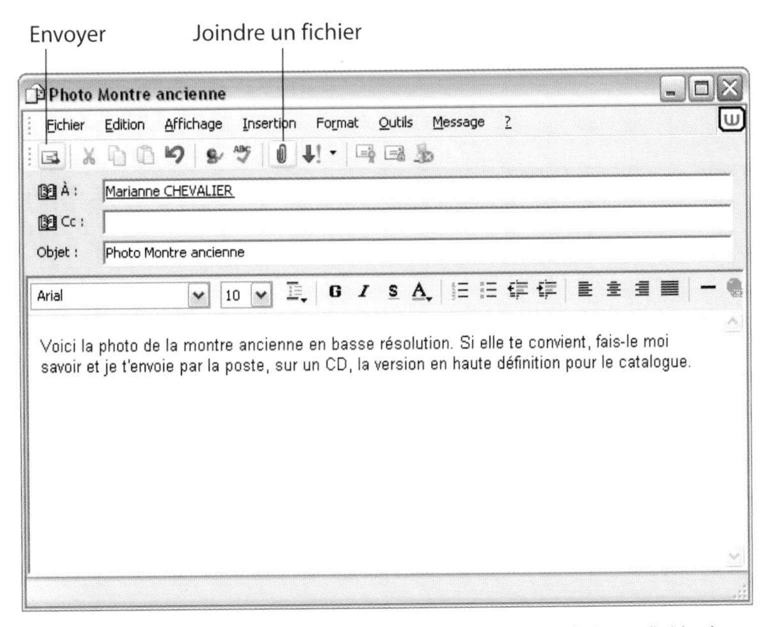

Figure 10.9 : Cliquez sur le bouton en forme de trombone pour joindre un fichier à un message.

La plupart des messageries ont un bouton semblable. Le trombone est devenu le symbole de la pièce jointe.

Recherchez le fichier à joindre – une photo en l'occurrence –, sélectionnez-le puis cliquez sur le bouton Joindre. Vous revenez ensuite à la boîte de dialogue du message.

5. **Choisissez Envoyer/Recevoir pour expédier votre courrier à travers le cyberespace.**

Si tout s'est bien déroulé, le destinataire reçoit la photo en un rien de temps. Avec Outlook Express, l'image apparaît aussi, soit dans le corps du texte, comme le révèle la Figure 10.10, soit sous la forme d'un lien qui ouvre l'image en cliquant dessus.

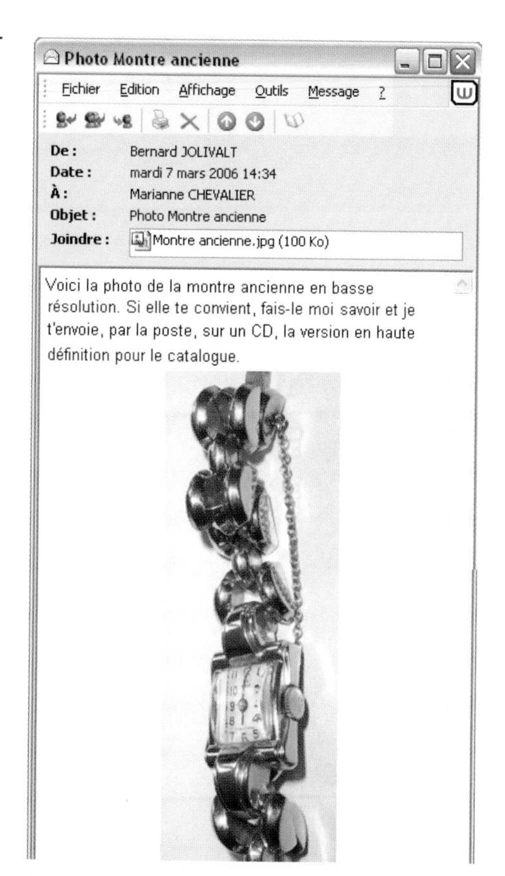

Figure 10.10 : Ne dépassez par 250 pixels de haut ou 300 pixels de large pour les images à visualiser dans une messagerie.

Passage télévisé

Certains lecteurs de DVD récents disposent d'un connecteur qui accepte certains types de médias numériques. Par exemple, il est possible de sortir la carte mémoire de votre appareil pour l'insérer dans le connecteur du lecteur de DVD prévu à cet effet. Vous affichez ensuite les images sur votre téléviseur.

Voici deux bonnes raisons de visionner vos photos sur un téléviseur :

- Les spectateurs sont confortablement installés devant le téléviseur au lieu de s'agglutiner autour de l'ordinateur.

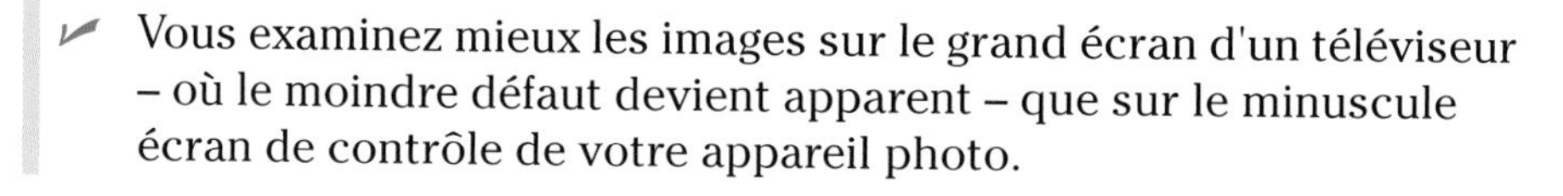

- Vous examinez mieux les images sur le grand écran d'un téléviseur – où le moindre défaut devient apparent – que sur le minuscule écran de contrôle de votre appareil photo.

A l'instar de la connexion d'un appareil photo numérique à l'ordinateur, consultez le manuel pour savoir comment brancher l'appareil photo à un lecteur de DVD, un téléviseur ou un magnétoscope. En général, vous connectez une extrémité du câble AV au port vidéo de l'appareil photo, et l'autre dans le port vidéo du téléviseur comme le montre la Figure 10.11. Si votre appareil dispose d'une fonction d'enregistrement du son, vous devrez brancher un second câble sur l'entrée audio du magnétoscope. Si votre appareil est livré avec une prise péritel, le son et l'image pourront être enregistrés simultanément.

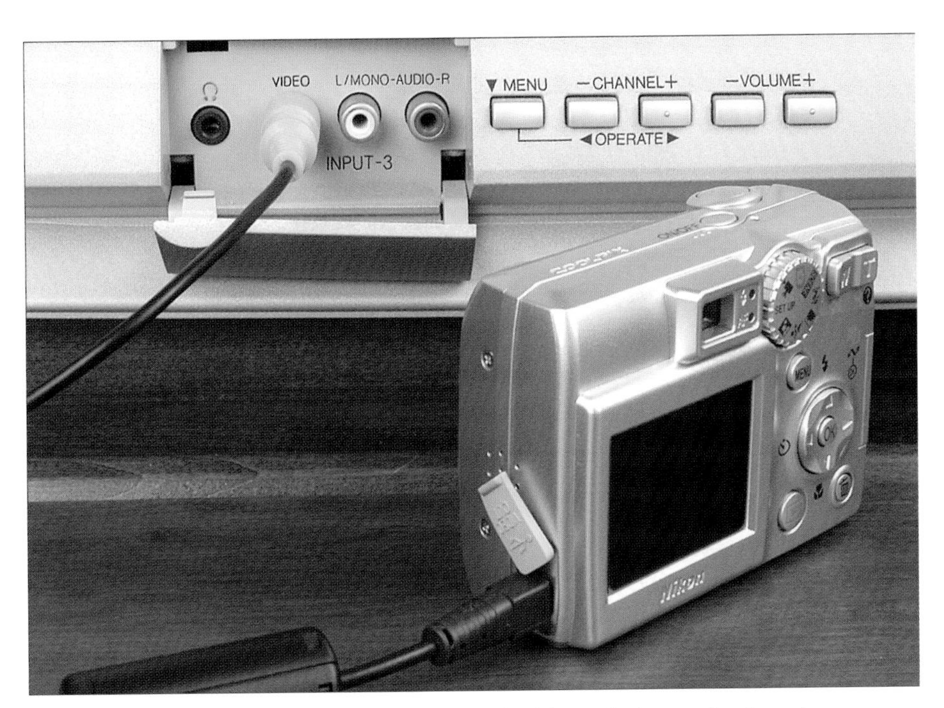

Figure 10.11 : Beaucoup d'appareils photo permettent de visionner les images directement sur un téléviseur, un lecteur de DVD ou un magnétoscope.

La procédure d'affichage des images sur une télévision est identique à celle qui permet de revoir vos photos sur l'écran LCD de l'appareil. Mais, cette fois encore, consultez la documentation de votre appareil. L'enregistrement sur cassette vidéo est très simple. Une fois la connexion établie par le biais de la prise vidéo composite PAL, S-VHS (YC) ou plus simplement Péritel (SCART), lancez l'enregistrement. Seul point important : ne pas oublier de sélectionner la bonne entrée sur le magnétoscope comme EXT, AUX ou encore AV. Enregistrez chaque image pendant la durée de votre choix.

Le signal vidéo de ce type d'appareil répond au standard européen PAL. Si vous voulez profiter d'une image couleur, assurez-vous que votre téléviseur ou votre magnétoscope sont PAL/SECAM. Si ce n'est pas le cas, vous visionnerez des photographies en noir et blanc... Dommage !

Si votre appareil photo n'est pas équipé d'une sortie vidéo, rien n'est perdu. Un périphérique comme celui de la Figure 10.12, fabriqué par SanDisk (`www.sandisk.com`), permet de lire les cartes mémoire sur un téléviseur ou tout autre équipement apparenté. Certaines stations d'accueil sont équipées d'un port vidéo.

SanDisk Corporation

Figure 10.12 : Ce petit périphérique permet de visionner le contenu des cartes mémoire sur un téléviseur..

Quatrième partie

Édition et retouche d'images

"Avec mon logiciel de retouche, je me suis permis d'effacer quelques grosses taches entre les nuages. Inutile de me remercier."

Dans cette partie...

Vous qui fréquentez les salles obscures, vous avez sans doute remarqué la prépondérance des outils informatiques dans les films actuels. Le scénario classique met en scène un héros qui trouve la photographie d'un affreux criminel. Celle-ci, détériorée, est inexploitable. Qu'à cela ne tienne, l'informatique a été créée pour faire des miracles. Quelques interventions rapides, et la photo devient plus vraie que nature. Notre héros s'aperçoit alors que le méchant est une méchante ressemblant trait pour trait à sa petite amie.

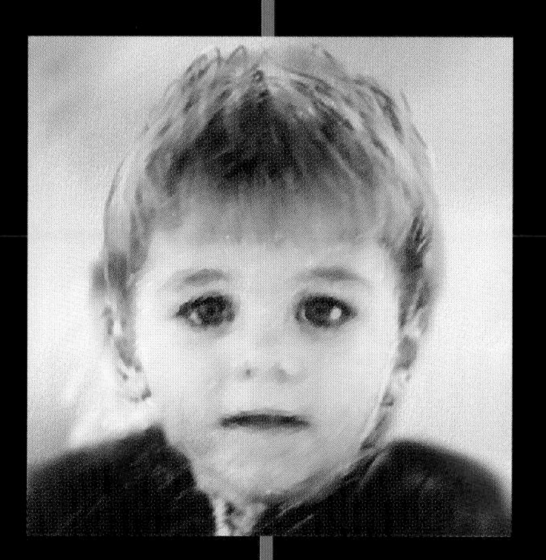

Ne rêvons pas... ou pas trop ! C'est du cinéma ! La réalité est beaucoup moins merveilleuse. Encore quelques semaines de pratique et vous comprendrez ce que je veux dire.

Cette partie vous démontre qu'il ne suffit pas d'appuyer sur quelques boutons pour générer des photos irréprochables. Le Chapitre 11 explique comment procéder à des interventions mineures, comme le recadrage et la correction de la balance du blanc. Le Chapitre 12 montre comment ne modifier que des parties d'une image en les sélectionnant, comment copier et coller des éléments, et aussi comment masquer un élément ou un personnage indésirable. Le Chapitre 13 donne un avant-goût de quelques techniques d'édition classiques, comme peindre sur l'image, réaliser un montage et appliquer des filtres d'effets.

Chapitre 11

Embellir les images

Dans ce chapitre :

- Ouvrir et enregistrer une photo.
- Recadrer une photo.
- Peaufiner l'exposition.
- Augmenter la saturation des couleurs.
- Régler la balance des couleurs.
- Renforcer la netteté.
- Rendre un arrière-plan flou.
- Éliminer le grain et le crénelage.

L'intérêt de la photo numérique, c'est que vous n'êtes pas tenu d'en rester à l'image produite par l'appareil. En photo argentique, une image techniquement ratée est difficile à corriger. Vous pouvez toujours peinturlurer les yeux rouges et recadrer avec des ciseaux, mais pour corriger une photo dans les règles de l'art, le labo s'impose.

C'est justement à un labo photo numérique que peut être comparé un logiciel d'édition d'image et de retouche. Outre le recadrage, la correction de la balance des couleurs, du contraste et de la luminosité, il permet d'éliminer des éléments indésirables ou de coller des éléments venus d'ailleurs, de raviver les couleurs et d'appliquer toutes sortes d'effets spéciaux.

Le Chapitre 12 explique comment éliminer les taches et comment coller des photos ensemble, tandis que le Chapitre 13 est consacré aux outils de peinture, aux effets spéciaux et autres techniques d'édition avancées. Ce chapitre est consacré aux corrections de base.

De quel programme ai-je besoin ?

Dans ce chapitre et aussi dans les autres consacrés à l'édition et à la retouche des photos, nous utiliserons Photoshop Elements. J'ai choisi ce logiciel pour deux raisons : son prix modique (inférieur à 100 euros) d'une part, et ses fonctions d'autre part, très proches de celles de son grand frère Photoshop, plus sophistiqué mais autrement plus cher. De plus Photoshop Elements existe pour Mac et pour Windows, ce qui est assez rare.

Voici quelques remarques supplémentaires concernant les instructions prodiguées par la suite :

- Les étapes et les illustrations se rapportent à Photoshop Eléments 4.0 (Windows) et 3.0 (Mac). Mais vous ne devriez pas être pénalisé si vous utilisez une version antérieure, car les outils de base n'ont guère changé.

- Un paragraphe signalé par cette icône se rapporte spécifiquement à Photoshop Elements. Si vous voulez en savoir plus sur ce logiciel, recourez à l'aide en ligne (choisissez Aide/Aide de Photoshop Elements) ou, si vous travaillez sous Windows, achetez le livre *Photoshop Elements 4 Pour les Nuls,* édité par First Interactive.

- Dans les illustrations, la boîte à outils est affichée sur une seule colonne à gauche (voir Figure 11.1) alors que sur votre écran, elle le sera peut-être sur deux. Cela dépend de la taille de la fenêtre. Si Photoshop Elements à la place pour s'étaler, il en profite.

- Pour gagner de la place, masquez les palettes Corbeille des palettes et Corbeille des photos. Pour les afficher, au besoin, cliquez sur leurs boutons respectifs, tout en bas de l'espace de travail.

- Enfin, les instructions supposent que vous travailliez en mode Retouche standard. Le cas échéant, cliquez sur le bouton du même nom, en haut à droite, pour activer ce mode.

Les lecteurs possédant Adobe Photoshop ne seront pas dépaysés. En revanche, ceux qui utilisent un autre logiciel devront adapter les manipulations ce qui, à vrai dire, n'est pas compliqué, car la plupart des logiciels de retouche offrent les mêmes outils. De plus, les bases de la retouche sont identiques.

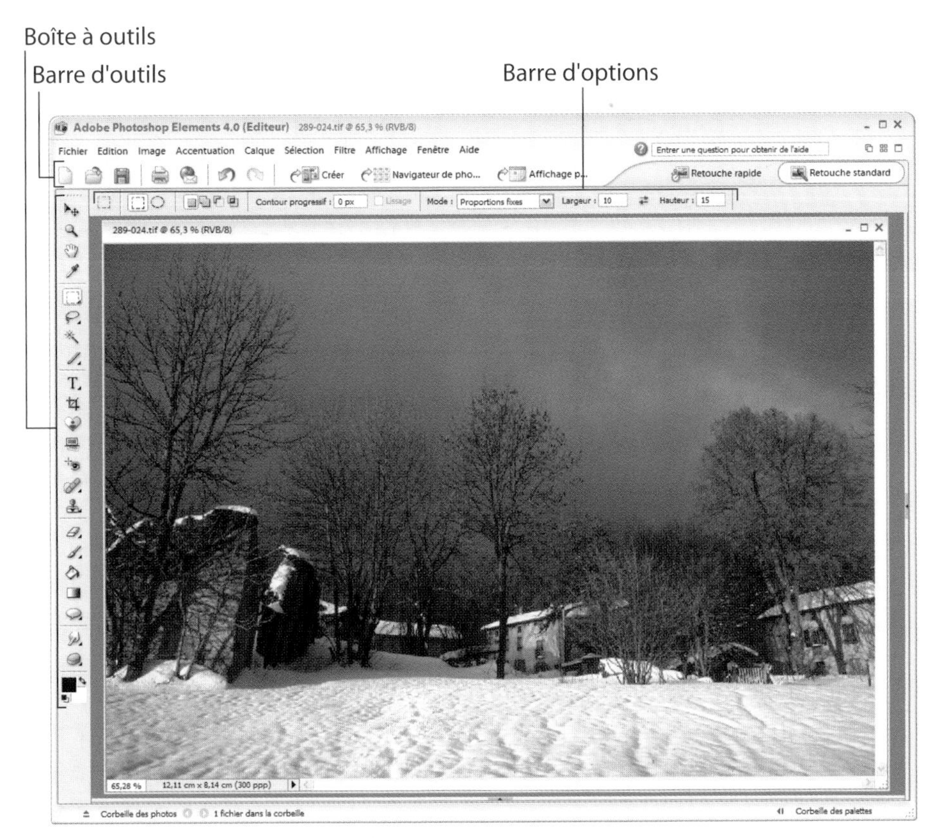

Figure 11.1 : Masquer la Corbeille des palettes et la Corbeille des photos libère de la place pour vos photos.

Vous utiliserez donc ce livre comme un guide vous indiquant l'approche à adopter pour effectuer telle ou telle intervention, et vous consulterez le manuel du logiciel pour connaître les fonctionnalités exactes de votre logiciel et comment les mettre en œuvre.

Si vous n'avez pas encore de logiciel de retouche ou que vous comptez en acheter un autre, sachez que vous trouverez des versions d'évaluation sur quasiment tous les sites de leurs éditeurs.

Ouvrir une photo

Pour travailler sur une image, il faut l'ouvrir dans le logiciel que l'on utilise. La méthode est la même pour tous :

- Choisissez la commande Fichier/Ouvrir.
- Utilisez le raccourci clavier universel Ctrl+O sous Windows, ⌘+O sur un Mac.
- Sur la barre d'outils, cliquez sur le bouton Ouvrir. Il est symbolisé par l'icône d'un dossier qui s'ouvre.

Quel que soit le logiciel, la même boîte de dialogue Ouvrir apparaît. La Figure 11.2 montre celle de Windows XP et du Mac. Cliquez sur le nom du fichier qui vous intéresse puis sur le bouton Ouvrir.

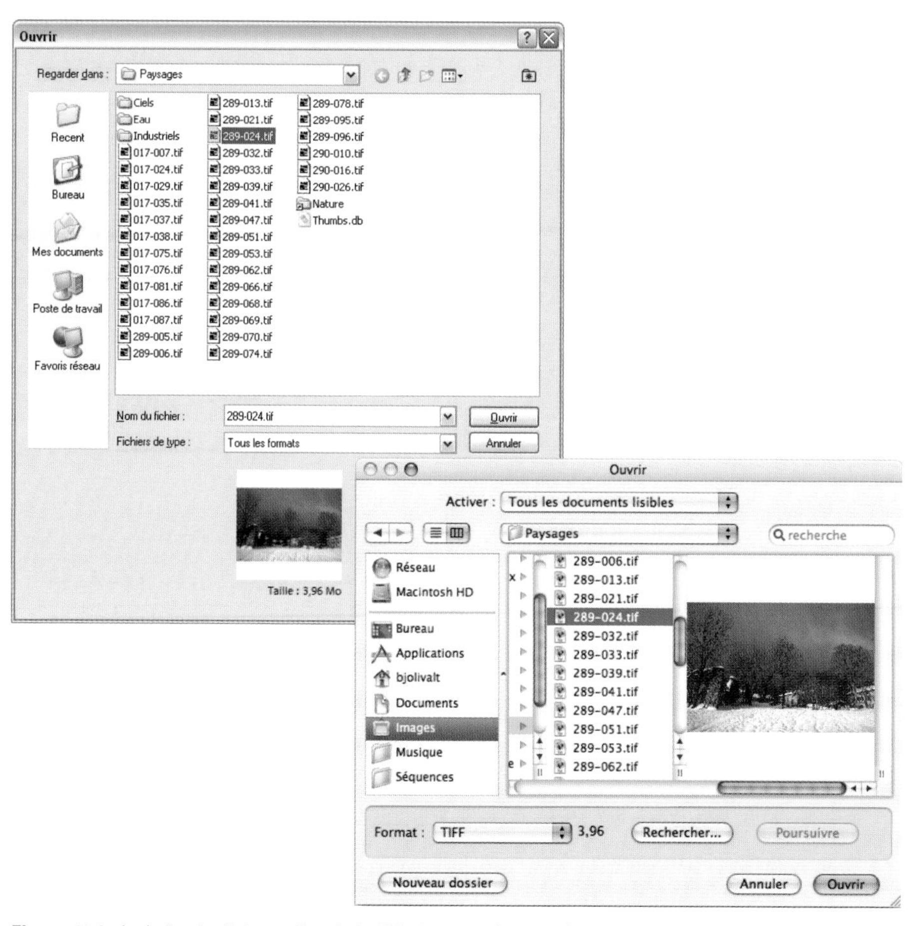

Figure 11.2 : La boîte de dialogue Ouvrir de Windows XP (en haut) et de Mac OS X (en bas).

Dans tous les cas, une boîte de dialogue vous invite à sélectionner l'image à ouvrir. La version Windows de Photoshop Elements offre une fonction tout à fait surprenante : double-cliquez sur une partie vide de l'interface et la boîte de dialogue Ouvrir s'affiche.

Pourquoi mon logiciel rampe-t-il ?

La retouche photo exige beaucoup de mémoire vive, ou RAM. Si l'ordinateur devient subitement d'une exécrable lenteur dès que vous tentez d'ouvrir une image, fermez tous les programmes, redémarrez l'ordinateur et ne démarrez que le logiciel de retouche.

Vous travaillez ainsi avec le maximum de RAM disponible. Si l'ordinateur est toujours aussi lent, vous devrez en ajouter. Fort heureusement le prix des barrettes de mémoire a considérablement baissé.

Photoshop Elements utilise aussi le disque dur comme mémoire lorsqu'il traite des images, et que la RAM est insuffisante. Un message vous signale que votre disque de travail est plein. Sur d'autres logiciels, le message est un peu différent. Dans tous les cas, vous devrez supprimer des fichiers inutiles, sur le disque dur, pour faire de la place, ou les déplacer sur un disque dur externe.

Voici quelques précisions sur l'ouverture de vos images :

- Certains programmes, dont la version Mac de Photoshop Elements (voir Figure 11.3), proposent un *Explorateur de fichiers*. Il présente l'ensemble des lecteurs de votre ordinateur et en affiche le contenu dans le volet de droite. Les images sont représentées sous forme de vignettes. Vous identifiez ainsi immédiatement le fichier à ouvrir. Double-cliquez dessus ou faites glisser la vignette sur une zone vierge du programme et l'image s'ouvre, comme l'illustre la Figure 11.3.

  Dans Photoshop Elements 4.0, qui n'existe qu'en version Windows, vous visionnez désormais les images dans le module Organiseur, un proche cousin de l'Explorateur de fichiers.

- Toutes les techniques que nous venons de mentionner permettent d'accéder aux images où qu'elles se trouvent : disque dur, disque dur externe, CD, carte mémoire, appareil photo, autre ordinateur relié au réseau... Voyez dans le manuel comment faire communiquer le logiciel et les équipements.

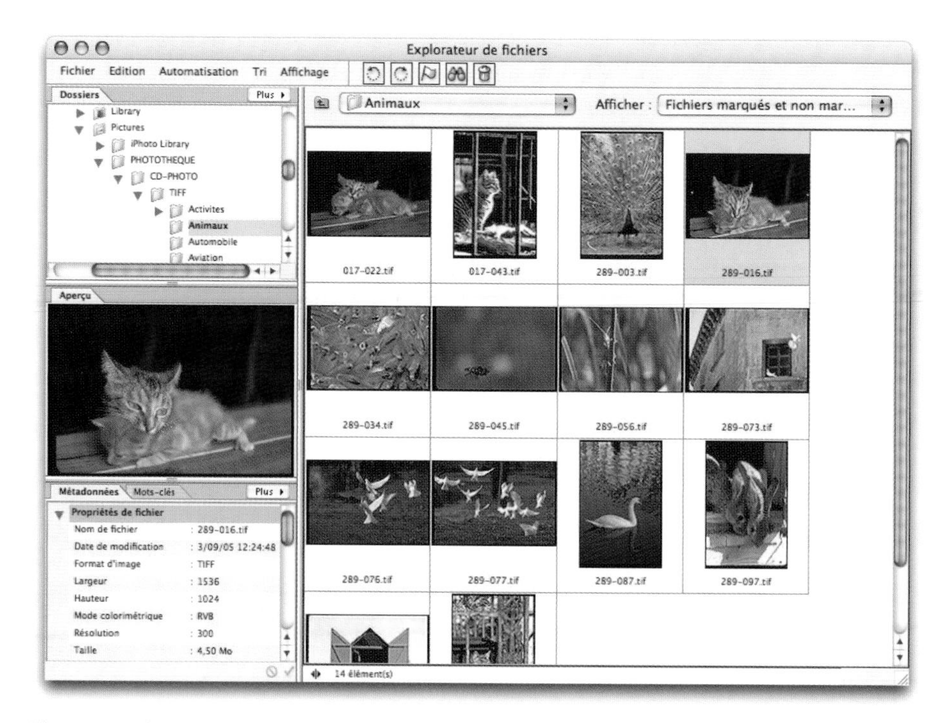

Figure 11.3 : Choisissez Fenêtre/Explorateur de fichiers pour visionner et sélectionner vos photos.

- La plupart des logiciels de retouche ne s'accommodent pas des formats propriétaires utilisés par d'anciens appareils photo. Le format Camera Raw est aussi une pierre d'achoppement. Vous devrez dans ce cas recourir à un convertisseur de format. Reportez-vous au Chapitre 8 pour en savoir plus sur les spécificités de Camera Raw.

- Si l'image ouverte n'est pas correctement orientée, choisissez Image/Rotation/90° vers la droite, ou Image/Rotation/90° vers la gauche pour remettre la photo d'aplomb.

Quelques règles d'édition en vrac

Avant de commencer à retoucher vos photos numériques, voici quelques règles élémentaires :

ATTENTION !

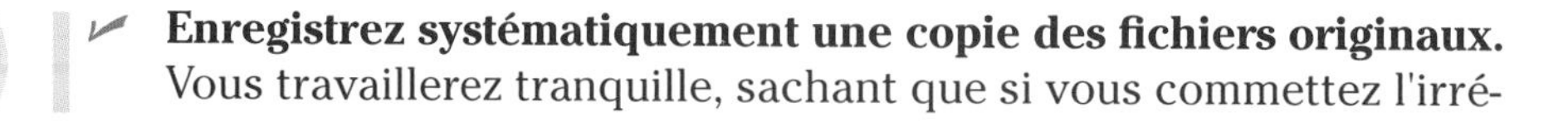

- **Enregistrez systématiquement une copie des fichiers originaux.** Vous travaillerez tranquille, sachant que si vous commettez l'irréparable – ce qui est vite fait en retouchant –, vous pourrez récupérer un fichier sain.

- **Enregistrez votre travail à intervalles réguliers.** La prochaine section vous explique pourquoi.
- **Modifiez l'image dans un calque distinct.** Si votre logiciel gère les calques (cette fonctionnalité est décrite au Chapitre 13), dupliquez le calque d'arrière-plan et ne faites les modifications que sur la copie. La retouche que vous avez faite est une horreur ? Pas de problème : supprimez le calque, dupliquez de nouveau le calque d'arrière-plan et recommencez.
- **Procédez à des retouches sélectives.** Quasiment tous les logiciels de retouche permettent de *sélectionner* une partie de l'image et la modifier. Par exemple, si le ciel est correct mais le paysage trop sombre, vous sélectionnez le paysage pour n'augmenter la luminosité que dans cette partie de l'image. Les sélections sont expliquées au Chapitre 12.
- **Ne vous fiez pas aux commandes automatiques.** Vous découvrirez sans doute, dans votre logiciel de retouche, des commandes et des filtres qui corrigent d'un seul clic le contraste, l'exposition ou tout autre paramètre. Essayez-les, mais sachez qu'ils ne produisent pas forcément le meilleur résultat, car ils en font parfois trop ou pas assez. C'est pour cela que la plupart des logiciels permettent d'intervenir manuellement.

  La correction manuelle est certes un peu plus longue à réaliser qu'une correction automatique, mais vous serez récompensé de vos efforts. La Figure 11.4 montre la différence entre une correction automatique et manuelle. Dans ce livre, nous privilégions cette dernière.

Sauvegardez sans cesse !

Le Chapitre 4 explique comment préserver les fichiers originaux de vos photos. Vous devez aussi prendre des précautions pour préserver toutes les modifications faites dans le logiciel de retouche.

Tout travail non enregistré court un grand danger ! Si votre ordinateur "plante", si votre système se bloque, si une panne de courant survient, si

Correction automatique — Correction manuelle

Figure 11.4 : Comme bien souvent, la correction automatique (au milieu) ne vaut pas une correction manuelle (à droite).

les extraterrestres anéantissent notre planète... votre travail sera à jamais perdu.

Respectez ces quelques règles de sécurité :

- **La sauvegarde initiale :** Pour procéder au premier enregistrement de l'image, choisissez Fichier/Enregistrer sous. La boîte de dialogue qui apparaît est identique à celle utilisée pour enregistrer n'importe quel autre type de document.

  La Figure 11.5 montre celle de Windows et du Macintosh, telle qu'elle apparaît dans Photoshop Elements. En plus des options d'enregistrement standard, la boîte de dialogue contient des commandes propres au logiciel de retouche. Reportez-vous à l'aide de Photoshop Elements pour en apprendre plus à leur sujet. Les calques sont toutefois expliqués au Chapitre 13.

- Sauvegardez constamment votre travail. Pendant que vous éditez une image, pensez à l'enregistrer après chaque manipulation importante. Effectuez régulièrement une copie de sécurité qui pourra être utilisée si vous perdez le fichier original.

- Pour ne pas "écraser" le fichier original, c'est-à-dire le remplacer par sa version modifiée, enregistrez cette dernière sous un nouveau nom.

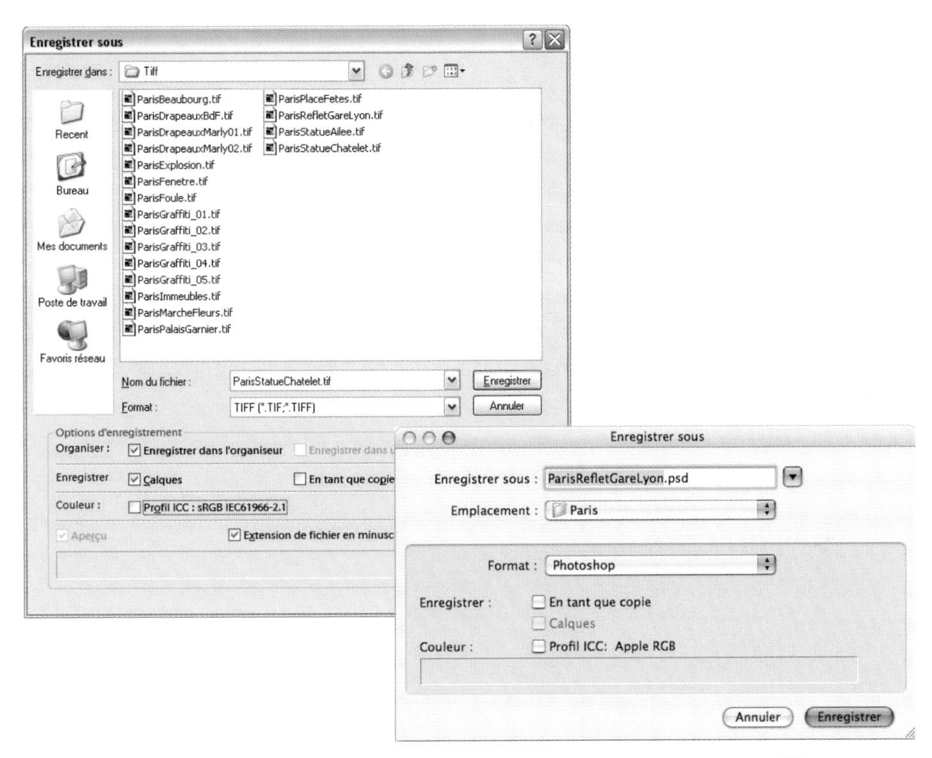

Figure 11.5 : Pour éviter d'écraser le fichier original, pensez à enregistrer la version modifiée sous un autre nom.

- **La sauvegarde en cours de travail :** Enregistrez périodiquement votre travail en appuyant sur Ctrl+S (⌘+S sur un Mac) chaque fois que vous venez de terminer une phase importante. Vous pouvez aussi cliquer sur le bouton Enregistrer, dans la barre d'outils. N'utilisez pas cette procédure pour effectuer un enregistrement initial du fichier modifié, car vous remplaceriez le fichier d'origine.

- La plupart des logiciels permettent de choisir un format de fichier quand vous utilisez la commande Enregistrer sous. Sauvegardez systématiquement un travail en cours dans le *format natif* du logiciel, s'il en possède un. Celui de Photoshop Eléments porte l'extension PSD.

- Pourquoi utiliser le format natif ? Parce qu'il permet d'ouvrir plus rapidement le fichier dans le programme, et surtout de le modifier à partir de son état le plus complet (calques, calques de réglages, styles de calques, etc.). Les formats graphiques universels comme le JPEG, le GIF et certains TIFF ne conservent pas toutes les options d'édition associées à l'image par le logiciel qui en a assuré la modification. Il est donc très fréquent de perdre les calques quand vous choisissez un autre format que le format propriétaire. (Le Chapitre 12 étudie les calques.)

N'enregistrez votre image sous un autre format qu'après avoir terminé ses modifications. Procédez d'abord à une sauvegarde au format natif, puis enregistrez une copie dans le type graphique de votre choix. De nombreux programmes de retouche d'images procèdent eux-mêmes à une sauvegarde automatique au format natif.

L'erreur est humaine

Non seulement le numérique tolère les erreurs, mais il permet en plus de les corriger. Finies les manœuvres confuses et les méprises à répétition ! L'erreur est humaine et votre machine est là pour l'éviter.

Annuler

Généralement située dans le menu Edition, la commande Annuler ramène une étape en arrière. Dans beaucoup de logiciels, vous pouvez la mettre en œuvre en appuyant sur Ctrl+Z (Windows) ou ⌘+S (Mac).

Annuler ne résout pas tous les problèmes. Par exemple, si vous fermez une image en oubliant de l'enregistrer, la commande *Annuler* ne vous sera d'aucun secours. De même, elle ne pourra pas annihiler les effets d'un enregistrement. C'est pourquoi, il est impératif d'utiliser l'annulation immédiatement après avoir commis l'erreur.

La plupart des logiciels de retouche permettent d'annuler une série de modifications antérieures. Supposons que vous ayez recadré une photo et qu'ensuite vous l'ayez redimensionnée, corrigé ses couleurs et affiné l'exposition. Plus tard, vous vous rendez compte qu'il ne fallait pas la redimensionner. Il est possible de revenir à la phase Taille de l'image, mais toutes celles effectuées par la suite (la correction des couleurs et de l'exposition) seront perdues.

Pour annuler une série d'actions dans Photoshop Elements, cliquez à plusieurs reprises sur le bouton Annuler, sur la barre d'outils, ou choisissez plusieurs fois Edition/Annuler ou appuyez plusieurs fois sur Ctrl+Z (Windows) ou ⌘+S (Mac).

Si votre logiciel n'offre pas les annulations multiples, annulez *immédiatement* après une erreur. Car si vous utilisez un autre outil ou choisissez une autre commande, il ne sera plus possible d'annuler l'erreur.

Rétablir

Vous ne voulez plus annuler ? Appliquez la commande Rétablir, qui se trouve elle aussi dans le menu Edition.

A l'instar d'Annuler, des logiciels permettent de rétablir plusieurs annulations, alors que d'autres ne rétablissent que la dernière annulation. Vérifiez ceci dans le manuel du logiciel.

Si votre logiciel est doté d'un bouton Annuler, il existe sans doute un bouton Rétablir. Dans Photoshop Elements, vous pouvez rétablir à répétition en choisissant plusieurs fois Edition/Rétablir ou en appuyant plusieurs fois sur Ctrl+Y (⌘+Y).

L'historique

Des logiciels de retouche sont dotés d'une palette contenant la liste des modifications les plus récentes, grâce à laquelle vous pourrez facilement annuler des actions.

Dans Photoshop Elements, cette fonction s'appelle Annuler l'historique. Vous pouvez l'afficher en choisissant Fenêtre/Annuler l'historique. Cliquez ensuite sur la modification juste au-dessus de celle à annuler. Toutes celles qui se trouvent en aval apparaissent à présent en grisé. Par exemple, à la Figure 11.6, deux actions – des états d'historique – ont été annulées. Pour revenir sur votre décision, cliquez sur l'action en grisé que vous désirez restaurer. Toutes les actions qui précèdent sont elles aussi rétablies.

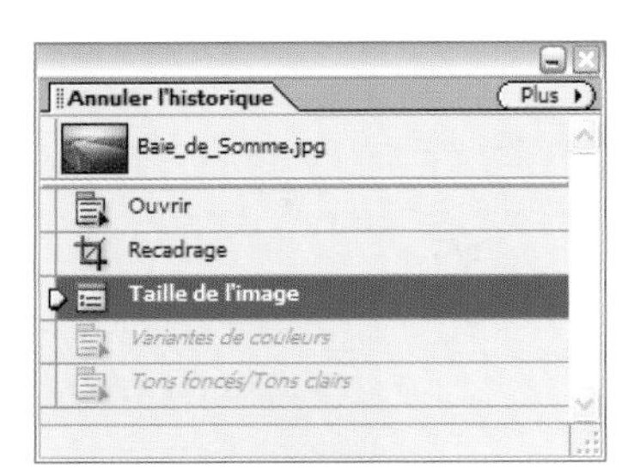

Figure 11.6 : Dans Photoshop Elements, cette palette mémorise les dernières modifications.

Par défaut, la palette Annuler l'historique mémorise les 50 dernières actions. Cette valeur peut être modifiée dans les Préférences (sous Windows, choisissez Edition/Préférences/Général ; sous Mac, choisissez Photoshop Elements/Préférences/Général). Plus le nombre d'annulations est élevé, plus il faut de la mémoire pour mémoriser les changements. Si

Photoshop Elements vous paraît lent, réduisez le nombre d'annulations à 20.

Rétablir la version précédente

Dans Photoshop Elements, la commande Fichier/Version précédente permet de récupérer l'image dans l'état qui était le sien lors de son dernier enregistrement. Cette commande est incontournable quand vous abîmez radicalement votre image.

Si votre logiciel de retouche ne dispose pas de cette fonction, fermez le fichier sans l'enregistrer, puis rouvrez-le.

Corriger un horizon incliné

La Figure 11.7 montre une erreur de cadrage fréquente : la ligne d'horizon est légèrement penchée. Photoshop Elements 3 permet de la corriger grâce à l'une des commandes Image/Transformation. Photoshop 4 fait mieux encore avec le nouvel outil Redressement.

Figure 11.7 : Un horizon penché (à gauche) est facile à redresser (à droite).

Si vous prévoyez de rogner la photo, corrigez d'abord l'horizon, car vous aurez besoin du maximum d'espace.

Voici comment redresser une photo avec toutes les versions de Photoshop Elements :

1. **Choisissez Sélection/Tout sélectionner.**

2. **Sélectionnez l'outil Déplacement (visible dans la marge et dans la Figure 11.8).**

   A vrai dire, vous pourriez utiliser n'importe quel outil hormis l'Emporte-pièce et Forme personnalisée.

3. **Choisissez Image/Transformation/Transformation manuelle.**

   Un cadre doté de poignées carrées entoure l'image, comme le montre la Figure 11.8.

4. **Placez le pointeur de la souris hors de la photo, près d'une poignée d'angle. Il se change en flèche incurvée à deux pointes.**

   C'est le pointeur de rotation.

5. **Tirez vers le haut ou vers le bas pour pivoter l'image.**

6. **Appuyez sur Entrée (Retour) ou cliquez sur la coche de validation afin d'appliquer la rotation.**

   Cliquer sur l'icône Annuler ou appuyer sur la touche Echap annule l'opération.

   Comme le révèle la Figure 11.8, le redressement élimine une partie de l'image, qui est remplacée par la couleur d'arrière-plan.

7. **Recadrez la photo.**

   Cette opération est expliquée un peu plus loin.

L'outil Redressement

Photoshop Elements pour le Mac étant resté à la version 3, la manipulation qui suit n'est possible que sous Windows, qui en est à la version 4. Procédez comme suit après avoir ouvert la photo dont il faut corriger l'inclinaison :

1. **Activez l'outil Redressement, dans la boîte à outils.**

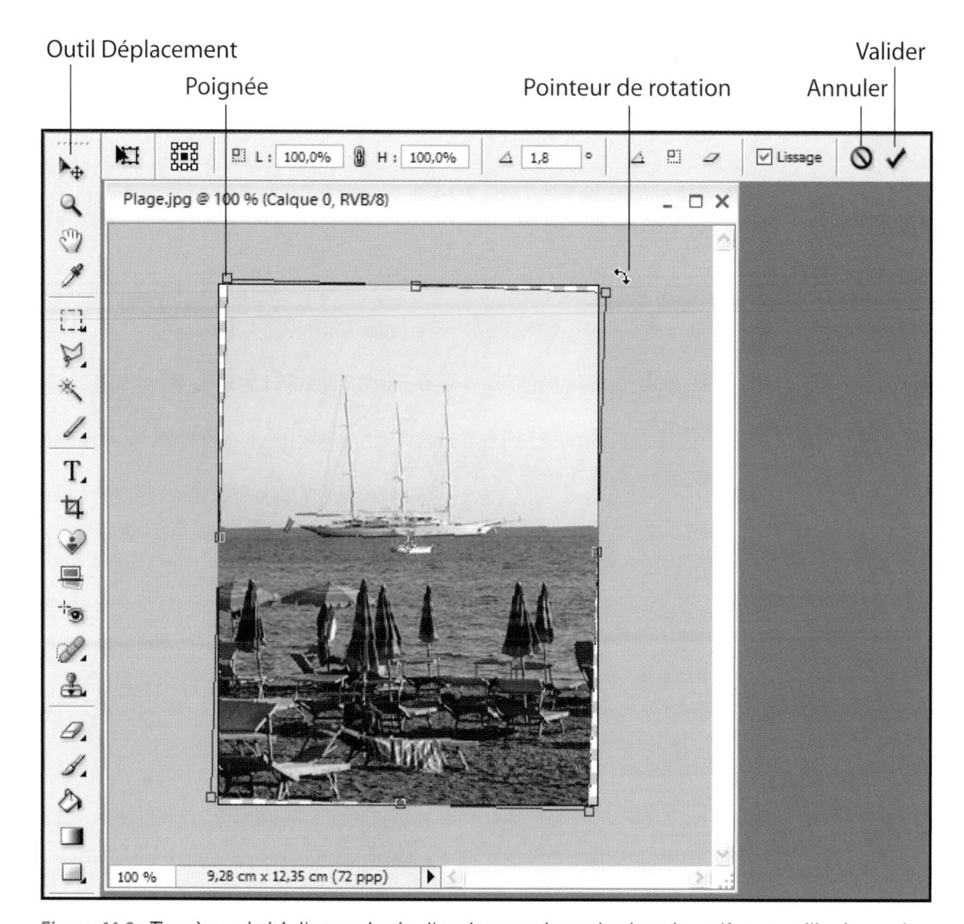

Figure 11.8 : Tirez à proximité d'une poignée d'angle pour pivoter la photo jusqu'à ce que l'horizon soit droit.

2. **Dans la barre d'options, déroulez le menu Options de zone de travail et sélectionnez Détourer l'arrière-plan.**

   Les deux autres options, Etendre la zone de travail (par défaut) et Recadrer selon la taille d'origine produisent une image penchée sur le côté qu'il faut ensuite recadrer manuellement. En revanche, l'option Détourer l'arrière-plan se charge de tout.

3. **Tirez une droite le long de la ligne d'horizon puis relâchez le bouton de la souris.**

Après avoir relâché le bouton, Photoshop Elements rééchantillonne l'image et affiche la photo redressée et recadrée. C'est simple, net et précis.

Recadrer une image

Nous avons abordé la composition au Chapitre 7. Mais si celle que vous avez concoctée à la prise de vue ne vous plaît pas, vous pourrez peut-être l'améliorer par un recadrage.

La photo 11.9 est cadrée beaucoup trop large. Impossible de se rapprocher davantage sans se mouiller les pieds. Pour obtenir la photo de la Figure 11.10, plus forte car mieux cadrée, j'ai été obligée de rogner l'image.

Figure 11.9 : Que d'eau ! Que d'eau ! Cette photo est cadrée beaucoup trop large !

Les étapes ci-dessous expliquent comment donner un coup de ciseaux à vos images dans Photoshop Elements :

1. **Sélectionnez l'outil Recadrage.**

Dans Photoshop Elements, cliquez sur l'outil Recadrage de la palette Outils (indiqué sur la Figure 11.11). Vérifiez que les champs Hauteur, Largeur et Résolution de la barre d'options sont vides. Si ce n'est pas le cas, cliquez sur le bouton Effacer.

Figure 11.10 : Un cadrage plus serré donne plus de force au sujet.

2. **Tirez l'outil sur l'image pour délimiter la zone à recadrer.**

   Placez le pointeur de la souris à un coin du cadre à tracer puis, en maintenant le bouton gauche de la souris enfoncé, tirez jusqu'à l'opposé de la zone. Relâchez le bouton de la souris : le contour apparaît comme le montre la Figure 11.11.

   Le cadre est doté de huit poignées de redimensionnement (voir Figure 11.12). La zone qui sera éliminée est masquée par une sorte de film translucide.

3. **Déplacez les poignées (autrement dit, faites-les glisser) pour ajuster la zone de recadrage.**

   Pour déplacer la totalité du cadre, cliquez dedans et tirez-le.

4. **Cliquez sur la coche de validation ou appuyez sur Entrée (Retour).**

Pour recadrer l'image selon des dimensions précises, ignorez l'outil Recadrage et procédez plutôt comme suit :

1. **Choisissez l'outil Rectangle de sélection (voir Figure 11.13).**

Outil Recadrage

Figure 11.11 : Tirez pour délimiter la zone à conserver.

Si l'outil Ellipse de sélection est affiché à la place du Rectangle de sélection, cliquez un instant sur le minuscule triangle en bas à droite de l'icône, puis choisissez l'outil Rectangle de sélection parmi les sous-outils.

2. **Dans la barre d'options, déroulez la liste Mode et choisissez Proportions fixes.**

3. **Entrez une proportion dans les champs Largeur et Hauteur.**

   Par exemple, pour obtenir une image en 10 x 15 cm, entrez ces chiffres comme à la Figure 11.13. Réglez les autres options elles aussi comme dans la figure.

4. **Tirez afin d'inscrire la partie à recadrer à l'intérieur du contour de sélection, comme à la Figure 11.13.**

   Nous reviendrons sur ce contour de sélection au prochain chapitre. Photoshop Elements maintient les proportions fixes que

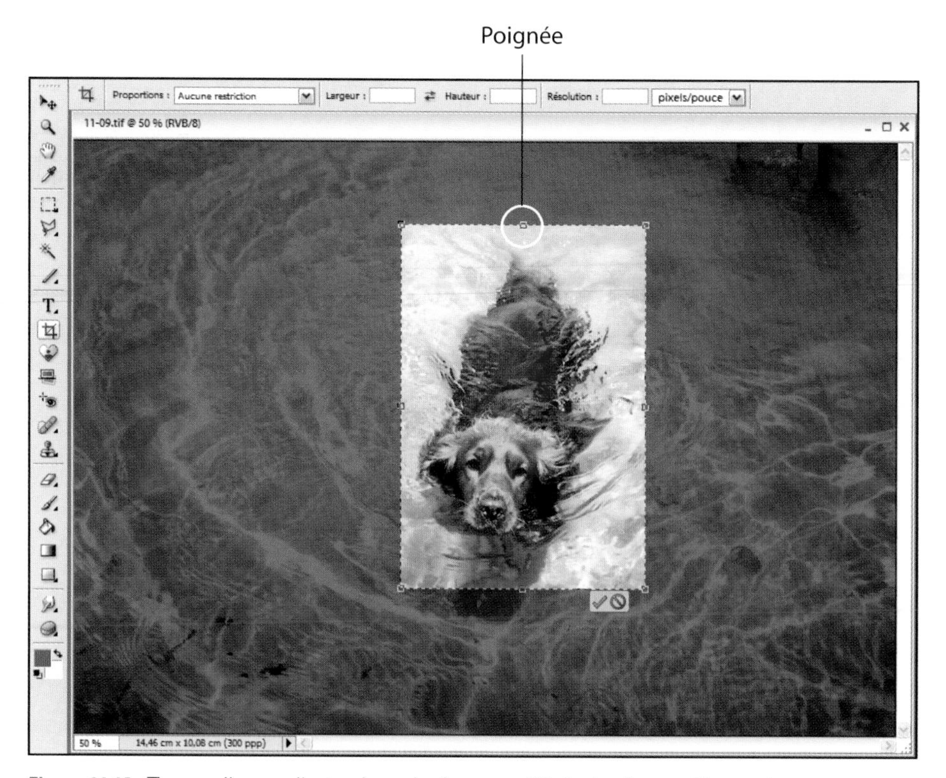

Figure 11.12 : Tirez sur l'une ou l'autre des poignées pour définir plus finement le recadrage.

vous venez de définir. Le contour peut être repositionné en cliquant dedans et en le tirant, bouton de la souris enfoncé.

5. **Choisissez Image/Recadrer.**

   Tout ce qui est hors du contour de sélection est éliminé.

Que vous utilisiez cette technique ou l'outil Recadrer, gardez toujours la résolution de l'image à l'esprit. Vous devez conserver suffisamment de pixels pour obtenir une bonne impression. Reportez-vous au Chapitre 2 pour en savoir plus.

Donner de la lumière à vos images

La photographie de gauche de la Figure 11.14 est si sombre qu'elle paraît irrécupérable, juste bonne pour la Corbeille. La sous-exposition dont elle

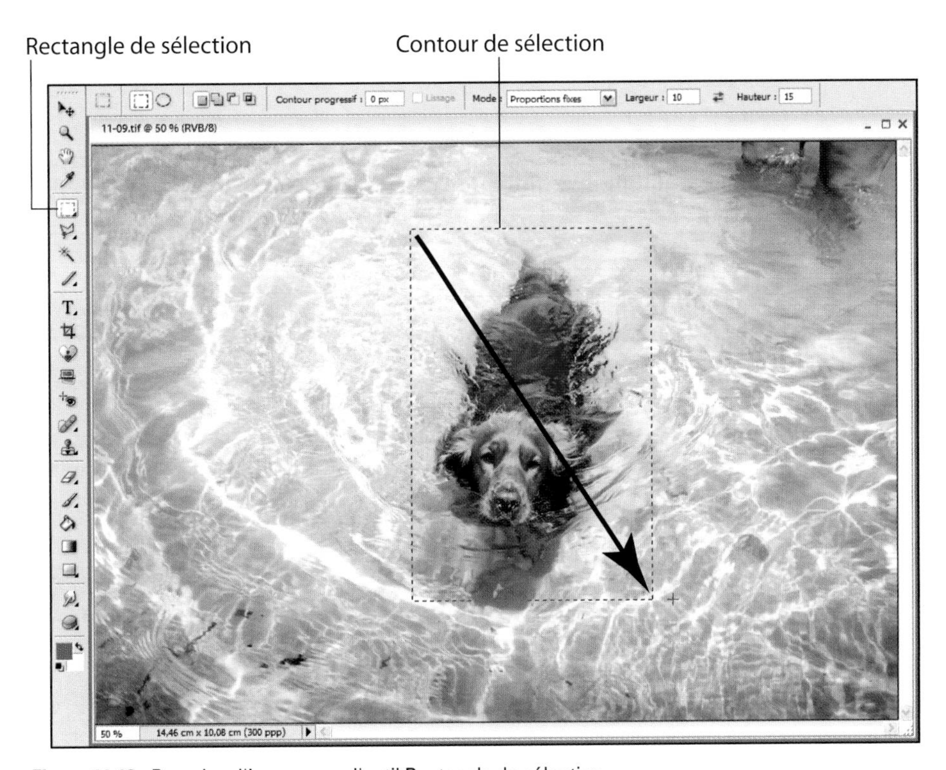

Figure 11.13 : Recadrez l'image avec l'outil Rectangle de sélection.

souffre est cependant très facile à corriger, comme le démontreront les pages à venir.

Les commandes de luminosité et de contraste

De nombreux logiciels de retouche sont dotés d'une commande qui règle automatiquement la luminosité et le contraste d'une image. Comme je l'avais mentionné précédemment, ces automatismes ont tendance à en faire trop ou pas assez, ce qui, dans les deux cas, nuit à l'image.

Fort heureusement, la plupart des logiciels proposent également le réglage manuel de l'exposition. Les commandes sont faciles à utiliser et produisent toujours un meilleur résultat que la correction automatique.

Pour y accéder dans Photoshop Elements, choisissez Accentuation/ Régler l'éclairage/Luminosité-Contraste. Il suffit ensuite d'actionner les glissières, comme à la Figure 11.15.

Figure 11.14 : La photo de gauche, sous-exposée, a été corrigée pour obtenir l'image de droite.

Bien que pratique, la fonction Luminosité/Contraste applique une correction globale de l'exposition. C'est parfait pour certaines images, mais pas pour toutes, qui ne nécessitent que des corrections partielles. Par exemple, à la Figure 11.14, les tons foncés sont corrects. Seuls les tons moyens et clairs doivent être éclaircis.

A gauche, à la Figure 11.15, la luminosité a été augmentée suffisamment pour éclaircir les tons moyens. Ceux qui étaient gris clairs sont devenus blancs, et ceux qui étaient noirs sont devenus gris foncés. Il en résulte un accroissement du contraste et une perte de détails dans les ombres et dans les hautes lumières. Augmenter le contraste ne ferait qu'empirer la situation, comme le prouve la photo de droite de la Figure 11.15. Les tons clairs finissent par devenir blancs, produisant un ciel "crevé". Il en va de même pour la partie supérieure de la montagne.

Plusieurs options sont envisageables lorsqu'une photo exige une correction sélective :

- Si votre logiciel ne comporte que des commandes de luminosité et de contraste, recourez aux techniques décrites au Chapitre 12 pour sélectionner les zones à corriger.

Figure 11.15 : Augmenter la luminosité et le contraste débouche les tons moyens, mais le ciel et l'arrière-plan ont été complètement crevés.

C'est quoi, un calque de réglage ?

Des logiciels de retouche, dont Photoshop Elements, proposent des calques de réglage. Ils permettent d'appliquer des corrections sans altérer l'image elle-même. À tout moment, les paramètres du calque peuvent être modifiés, voire supprimés. De plus, l'effet d'un calque de réglage peut être affiné en choisissant un mode de fusion.

Cet ouvrage ne permet pas de traiter en détail l'effet des calques de réglage, mais je vous invite à les utiliser autant que faire se peut, notamment sur les images composites faites de plusieurs calques et comportant des éléments provenant de diverses sources. Ces calques garantissent une cohérence des couleurs, des contrastes, de la lumière et de la saturation, tout en conservant une souplesse d'utilisation non négligeable. Vous trouverez des explications sur les calques au Chapitre 13.

- Si vous utilisez Photoshop Elements ou un autre logiciel de retouche perfectionné, reportez-vous aux deux prochaines sections pour découvrir deux outils autrement plus sophistiqués : Niveaux et Tons foncés/Tons clairs.
- Peut-être disposerez-vous d'outils de correction de la densité, qui permettent d'agir sur l'image exactement comme le ferait un tireur sous son agrandisseur, en donnant ou en retenant la lumière. Consultez le manuel du logiciel pour connaître les outils qu'il propose.

Contrôler la luminosité à un niveau plus élevé

Les logiciels graphiques évolués disposent d'une commande Niveaux permettant de régler indépendamment les tons foncés, clairs et moyens. Dans d'autres logiciels, elle peut s'appeler autrement, Histogramme par exemple. Dans Photoshop Elements, vous accédez à la commande Niveaux en choisissant Accentuation/Régler l'éclairage/Niveaux.

La boîte de dialogue Niveaux que montre la Figure 11.16 surprend un peu, mais elle est beaucoup plus facile à utiliser qu'il y paraît.

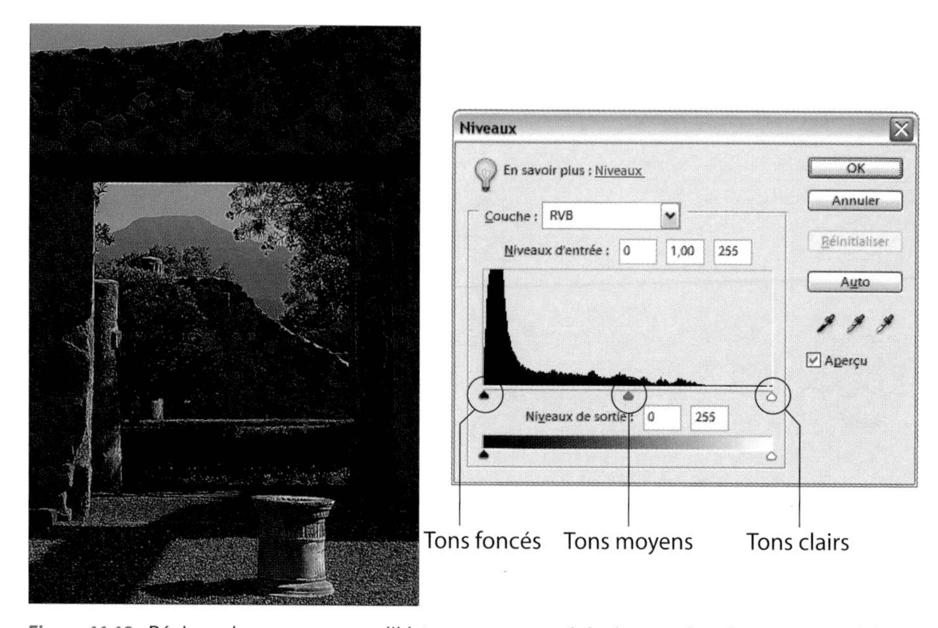

Figure 11.16 : Déplacez les curseurs sous l'histogramme pour régler les tons foncés, moyens et clairs.

Le graphique au milieu de la boîte de dialogue est un *histogramme*. Il représente toutes les valeurs de luminosité d'une image. Les pixels les plus sombres sont disposés à gauche ; les plus clairs à droite. A la Figure 11.16, l'histogramme révèle une forte concentration de pixels dans les tons foncés, peu de pixels dans les tons moyens et très peu dans les tons clairs.

Voici comment lire efficacement un histogramme :

- **La boîte de dialogue Niveaux présente généralement trois contrôles fondamentaux, appelés *niveaux d'entrée*.**

  Dans Photoshop, ces niveaux sont réglés, soit en entrant directement une valeur dans les trois champs situés au-dessus de l'histogramme, soit en déplaçant les curseurs qui s'y rapportent.

  - **Tons foncés :** Règle la densité des ombres. Tirez le curseur vers la droite pour augmenter ou assombrir les tons foncés.
  - **Tons moyens :** Tirez le curseur du milieu vers la gauche pour les éclaicir, vers la droite pour les assombrir. Cette commande modifie le *gamma* de l'image (NdT : en photo argentique, le gamma est une courbe représentant le contraste d'un film ou d'un papier).
  - **Tons clairs :** Règle les hautes lumières. Tirez le curseur vers la gauche pour éclaircir les pixels les plus clairs de l'image.

  Pour obtenir l'image corrigée de la Figure 11.17, déplacez vers la gauche les curseurs des tons moyens et des tons clairs.

Lorsque vous ajustez les tons clairs et foncés dans la boîte de dialogue de Photoshop Elements, le curseur des tons moyens se déplace également. Si les tons moyens obtenus ne vous plaisent pas, repositionnez leur curseur à sa position d'origine.

- **Modifier les Niveaux de sortie réduit le contraste.** Ses valeurs définissent des valeurs de luminosité maximale et minimale. Autrement dit, vous pouvez assombrir les pixels les plus clairs et éclaircir les plus foncés. Il permet néanmoins de ramener une image très surexposée dans une gamme de tonalités imprimables, en diminuant légèrement la valeur de luminosité maximale. Dans Photoshop Elements, tirez le curseur de gauche vers la droite pour

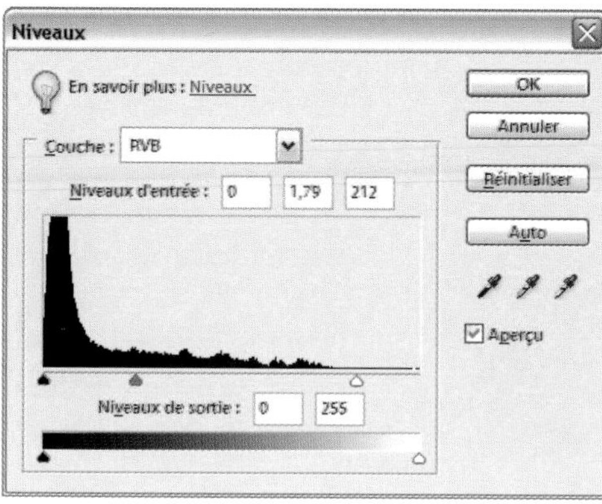

Figure 11.17 : Les curseurs des tons moyens et des tons clairs ont été tirés vers la gauche pour corriger l'image.

réduire la luminosité maximale de l'image. Comme nous le verrons d'ici peu, la commande Tons foncés/Tons clairs, décrite plus loin, propose une meilleure approche.

- **Réglez toutes les couches chromatiques en même temps.** Il est possible de régler indépendamment la luminosité des couches Rouge, Vert et Bleu (la notion de couche est expliquée au Chapitre 2).

  Dans Photoshop Elements, vous la sélectionnez dans la liste déroulante Couche. Cependant, du fait que la modification de la luminosité d'une couche affecte la balance des couleurs, je vous recommande de ne pas le faire.

La commande Tons foncés/Tons clairs

La commande Niveaux permet d'assombrir les ombres et éclaircir les hautes lumières. Pour faire le contraire, c'est-à-dire éclaircir les ombres et foncer les hautes lumières, recherchez dans votre logiciel l'équivalent de la commande Tons foncés/Tons clairs que montre la Figure 11.18. Elle est plus puissante et plus efficace que les Niveaux de sortie de Niveaux et que la commande Luminosité/Contraste. Dans Photoshop Elements, choisissez Accentuation/Régler l'éclairage/Tons foncés-Tons clairs.

Figure 11.18 : La commande Tons foncés/Tons clairs permet d'éclaircir les ombres et foncer les hautes lumières.

La scène de rue de la Figure 11.19 est une parfaite candidate pour cette commande. Les détails ont été restitués à l'aide des réglages de la Figure 11.19.

Figure 11.19 : Pour obtenir l'image de droite, les tons foncés ont été éclaircis et le contraste des tons moyens a été légèrement accentué.

Sur certaines images, vous devrez appliquer à la fois les commandes Tons foncés/Tons clairs et Niveaux. Par exemple, bien que la photo corrigée, à la Figure 11.19 soit nettement meilleure que l'original, j'ai tenu à rehausser un tout petit peu les tons clairs et moyens. C'est pourquoi j'ai ajouté en plus le réglage Niveaux de la Figure 11.20.

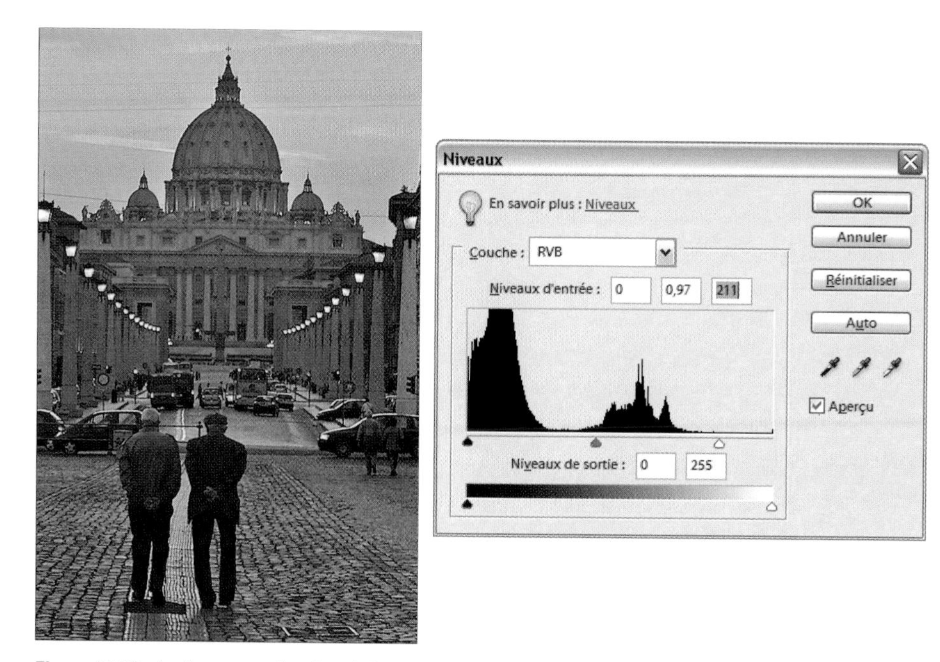

Figure 11.20 : Après une application de la commande Tons foncés/Tons clairs, la commande Niveaux a été utilisée pour éclaircir légèrement les tons moyens et clairs.

Raviver les couleurs

Vos images paraissent ternes et sans vie ? Donnez-leur une seconde jeunesse avec l'élixir de saturation !

Examinez la Figure 11.21. Les couleurs sont un peu ternes. Nous leur donnerons plus d'éclat avec la commande Saturation, présente dans la plupart des logiciels de retouche.

Figure 11.21 : Augmenter la saturation d'une image lui donne plus de vie.

Pour modifier la saturation avec Photoshop Elements, sélectionnez Accentuation/Régler la couleur/Teinte/Saturation, ou appuyez sur Ctrl+U. La boîte de dialogue Teinte/Saturation (Figure 11.22) comporte trois contrôles : Teinte, Saturation, Luminosité. Veillez à ce que la case Redéfinir ne soit pas cochée. Tirez ensuite le curseur Saturation vers la droite pour aviver les couleurs, vers la gauche pour réduire puis éliminer toute couleur de l'image.

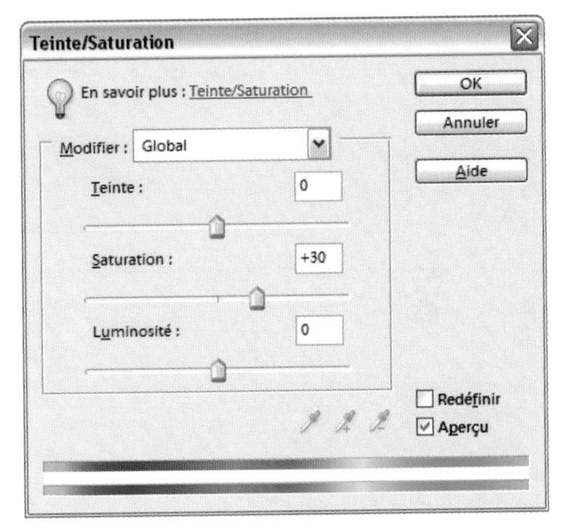

Figure 11.22 : Tirez le curseur Saturation vers la droite pour aviver les couleurs.

Si l'option Global apparaît dans la liste Modifier, toutes les couleurs de l'image seront affectées par vos modifications. Il est possible d'agir sur les composantes Rouge, Vert, Bleu, Jaune, Cyan et Magenta en les sélectionnant dans la liste Modifier.

Pour ajuster la saturation sur des points précis de l'image, utilisez l'outil Eponge de votre programme (vous le trouverez comme il se doit dans la palette de Photoshop Elements). Cet outil fonctionne comme un pinceau. La différence est qu'il n'applique pas une couleur, mais intensifie ou réduit la saturation des couleurs d'une image. Sa fonction est définie par le paramètre Mode de la barre d'options qui propose Désaturer et Saturer. Le paramètre Flux définit la puissance de l'outil.

La balance des couleurs

A l'instar des photos argentiques, les photos numériques peuvent présenter une dominante de couleur causée par un problème de *balance des couleurs*.

La photo de la Figure 11.23 est un cas d'école. Elle a été prise avec un appareil qui accentue les tons bleutés. Ce n'est pas un problème pour des photos au bord de l'eau ou des photos de ciels. Mais pour cette photo d'antiquités, la dominante bleu est problématique. Vous avez remarqué les courroies et les roues en bois de couleur bleu marine ? Croyez-moi, cette couleur n'est pas du tout une caractéristique des anciens matériels agricoles.

Figure 11.23 : Le filtre Variantes de couleurs a supprimé la dominante bleue.

Pour supprimer la dominante bleue, j'ai eu recours au filtre Variantes de couleurs de Photoshop Elements. Dans d'autres logiciels, il peut s'appeler tout bonnement Balance des couleurs. L'illustration du bas, dans la Figure 11.23, montre la photo corrigée après un ajout de rouge et de jaune et un retrait de bleu et de cyan. Les courroies et la roue sont à présent grises, leur teinte normale. Le rééquilibrage des couleurs a aussi fait ressortir les teintes rouges et jaunes de la moissonneuse-batteuse.

Pour accéder au filtre Variantes de couleurs de Photoshop Elements, choisissez Accentuation/Régler la couleur/Variantes de couleurs. La boîte de dialogue de la Figure 11.24 apparaît.

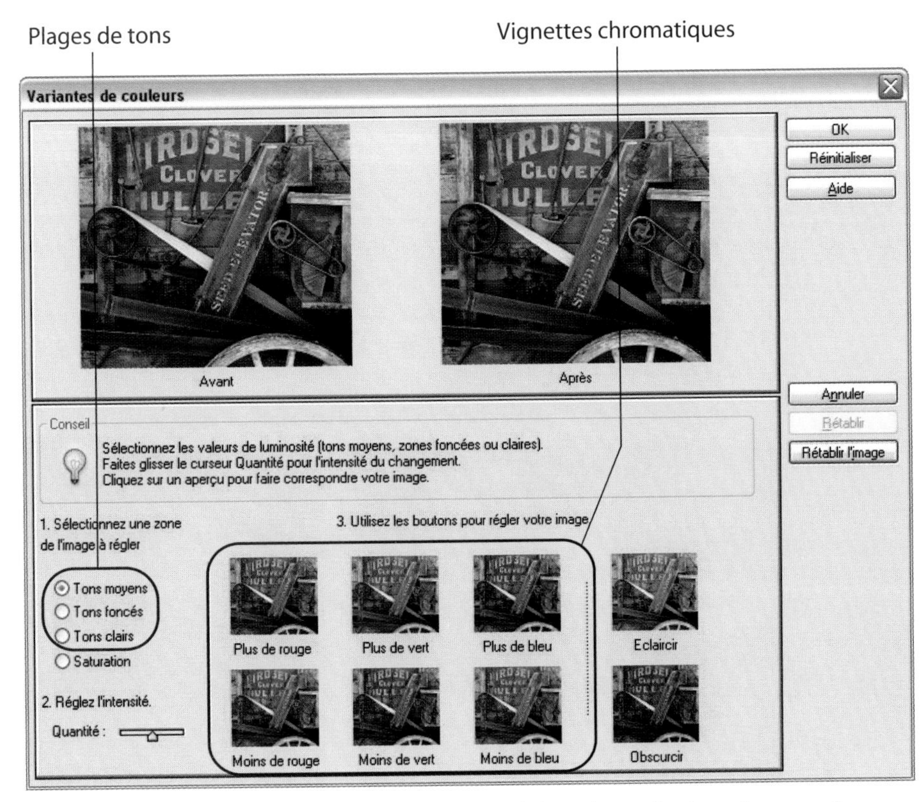

Figure 11.24 : Cliquez sur une des vignettes pour ajouter de la couleur et ôter la couleur opposée.

Voici quelques informations concernant le filtrage :

- Les tons foncés, moyens et clairs sont réglés indépendamment les uns des autres. Cliquez sur l'un des boutons à gauche de la boîte de dialogue pour sélectionner la plage de tons à corriger.

- Après avoir sélectionné la plage de tons, réglez la couleur en cliquant dans la vignette chromatique appropriée.

Pour ajouter du cyan, cliquez sur la vignette Moins de rouge. Pour ajouter du magenta, cliquez sur Moins de vert. Pour ajouter du jaune, cliquez sur Moins de bleu.

- La glissière Quantité, en bas à gauche de la boîte de dialogue, contrôle l'intensité de la modification lorsque vous cliquez sur une vignette.
- Bien que le filtre Variantes de couleurs permette de régler l'exposition et la saturation, il est préférable de recourir aux techniques décrites précédemment.

Renforcer la netteté

Bien qu'aucun logiciel de retouche ne saurait restituer à une image la netteté qui lui manque, il est possible d'améliorer un léger manque de netteté avec un filtre d'accentuation. La Figure 11.25 montre comment une légère accentuation de la netteté améliore la définition d'une photo qui était un peu enveloppée.

Figure 11.25 : L'accentuation de la netteté augmente le contraste entre les zones de différentes luminosités pour donner l'impression d'une netteté accrue.

Les sections ci-dessous expliquent comment accentuer une image ou rendre l'arrière-plan flou, ce qui permet de faire ressortir le sujet.

Avant d'entrer dans le vif du sujet, il est important d'expliquer en quoi consiste l'accentuation. L'impression de netteté est obtenue par l'ajout d'un mince liseré entre des zones de différentes luminosités. Les parties sombres reçoivent un liseré clair et les parties claires un liseré foncé.

Pour vous faire une idée un peu plus précise, regardez les deux exemples de la Figure 11.26, qui sont un détail de la Figure 11.25. Observez les liserés clairs du côté des zones claires et les liserés foncés du côté des zones foncées. Leur contraste produit un effet de trompe-l'œil qui suggère la netteté.

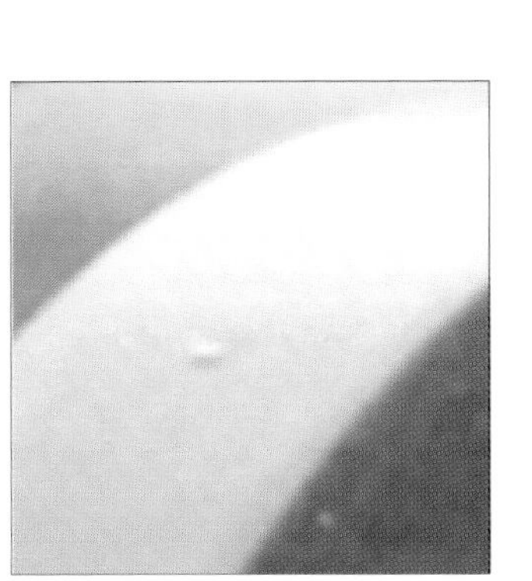

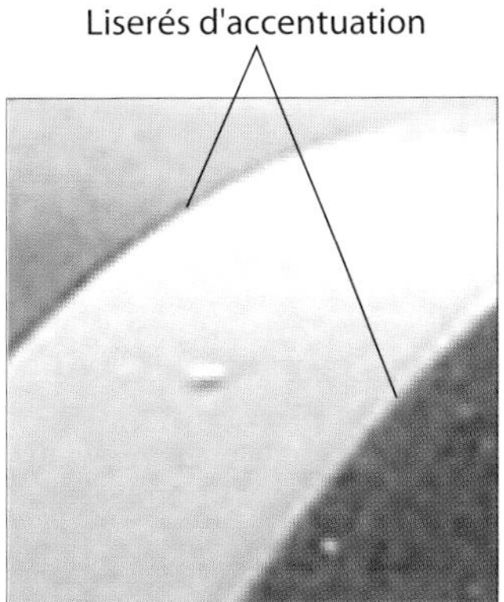

Figure 11.26 : La limite de la zone claire reçoit un liseré clair, la limite de la foncée un liseré foncé.

Appliquer les filtres de renforcement

A l'instar d'autres outils de correction évoqués précédemment dans ce chapitre, les outils de renforcement sont de deux types : automatiques ou manuels. Si vous optez pour le renforcement automatique, vous devrez procéder à des essais car leurs effets varient d'une image à une autre.

Quel que soit votre logiciel, vous obtiendrez de meilleurs résultats en manuel.

L'outil de renforcement de certains logiciels est des plus rudimentaires : vous actionnez une glissière dans un sens ou dans un autre pour régler l'effet. Photoshop Elements, lui, propose un filtre paramétrable fort efficace nommé Accentuation.

Pour utiliser le filtre Accentuation de Photoshop Elements, choisissez Filtre/Renforcement/Accentuation. La boîte de dialogue de la Figure 11.27 s'affiche.

La boîte de dialogue *Accentuation* comporte trois options : Gain, Rayon et Seuil. Toutes les trois permettent de spécifier au programme à quels endroits et de quelle manière l'image sera accentuée. Étudions ces réglages en détail :

- **Gain :** Contrôle l'intensité du renforcement. Plus le pourcentage affiché est important, plus la netteté est renforcée.
- **Rayon :** Définit l'étendue des pixels affectés par l'accentuation. Avec un petit rayon, l'effet sera concentré sur une région très étroite. Avec un rayon plus large, il sera plus diffus. En règle générale, tenez-vous-en à une valeur de 0,5 à 2 pixels. N'utilisez les valeurs faibles que pour les images à afficher à l'écran, les valeurs élevées pour celles qui seront imprimées.

Figure 11.27 : Pour un résultat de qualité professionnelle, appliquez le filtre Accentuation.

- **Seuil :** Contrôle l'importance de l'écart à conserver entre les valeurs de luminosité des pixels devant être renforcés par l'accentuation. Si vous laissez cette valeur à 0, tous les pixels seront accentués. Dans la majorité des cas, un seuil de 2 à 20 reste le meilleur compromis.

Lorsque vous accentuez la netteté des personnes photographiées, essayez avec une valeur de seuil de 3 à 5. Cela permet de conserver une peau lisse et naturelle. Si votre image présente du bruit, augmenter la valeur de seuil permet d'en améliorer la netteté sans amplifier le bruit.

La combinaison de paramètres la plus judicieuse dépend de la photo. N'en faites pas trop. Une accentuation trop forte donne un aspect rude et granuleux à l'image, et risque de produire d'inesthétiques liserés.

Flou pour être net ?

Si le sujet principal manque légèrement de netteté et que l'application d'un filtre d'accentuation ne corrige pas le problème, essayez ceci : sélectionnez tout sauf le sujet principal (les sélections sont expliquées au

Chapitre 12) et appliquez un filtre Flou. Bien souvent, rendre l'arrière-plan flou donne l'impression que le premier plan est mieux défini, comme le montre la Figure 11.28. De plus, dans cette photo, l'arrière-plan devient moins envahissant.

Figure 11.28 : Rendre l'arrière-plan flou met le perroquet en valeur.

Pour appliquer cet effet dans Photoshop Elements, choisissez Filtre/Flou/Flou gaussien (la Figure 11.29 montre sa boîte de dialogue). Réglez le flou à l'aide du curseur.

Figure 11.29 : Réglez le flou avec le filtre Flou gaussien.

Bruit, crénelage, franges, pixellisation...

Tous ces termes se rapportent à des défauts typiques de l'imagerie numérique. Ils peuvent avoir pour cause un taux de compression trop élevé, un capteur trop peu sensible qui génère du bruit (voir Figure 11.30), un agrandissement ou une réduction exagérés, etc.

Figure 11.30 : Un bruit excessif (à gauche) peut être estompé à l'aide d'un filtre d'atténuation du bruit ou d'un léger flou (à droite).

Tous ces défauts peuvent être atténués par un léger flou. Si la photo présente du bruit, appliquez un filtre comme Réduction de bruit, que montre la Figure 11.31.

Dans Photoshop Elements, choisissez Filtre/Bruit/Réduction de bruit. Voici ses commandes :

- **Intensité :** Il corrige le bruit de luminance, qui se manifeste par des variations de la luminosité.
- **Conserver les détails :** Cette commande définit à partir de quel seuil une variation de la luminosité est imputable à du bruit. Plus la valeur est faible, plus l'image reçoit de flou de luminosité.
- **Réduire le bruit de la couleur :** Actionnez le curseur vers la droite pour augmenter l'atténuation des pixels colorés produits par le bruit chromatique.

Figure 11.31 : Le filtre Réduction de bruit réduit le bruit de luminance et le bruit chromatique.

Comme pour tous les filtres, le paramétrage correct dépend de la photo. Pour atténuer le bruit de la Figure 11.30, j'ai appliqué les paramètres de la Figure 11.31.

Essayez aussi ce qui suit pour réduire le bruit ou le crénelage :

- **Appliquez un filtre Flou conventionnel :** Si possible, ne l'appliquez que là où les défauts sont les plus apparents (vous apprendrez au Chapitre 12 comment sélectionner une partie d'une image). Si votre logiciel est équipé d'un outil semblable au Sélecteur magique de Photoshop Elements, il vous suffira de le passer par-dessus la zone à rendre floue.

- **Appliquez un filtre Flou intérieur.** Beaucoup de logiciels en proposent un. Il n'applique le flou qu'au pourtour de l'image ou de la zone sélectionnée.

Quel que soit la solution à laquelle vous recourez pour atténuer des défauts, vous devrez appliquer un filtre d'atténuation afin de récupérer un peu de netteté. Le problème est que le filtre risque de faire réapparaître les défauts. Si votre logiciel propose un filtre Accentuation, vous éviterez ce cercle vicieux en définissant un Seuil supérieur à zéro.

Chapitre 12

La sélection ou l'art de délimiter

Dans ce chapitre :

- Modifier une partie de l'image.
- Les différents outils de sélection.
- Affiner une sélection.
- Déplacer, copier et coller une sélection.
- Utiliser l'outil de duplication.

Après avoir vu les fonctions de traitement et de correction d'image, intéressons-nous aux outils de sélection.

La sélection est l'essence même de la retouche. Elle permet des opérations précises et localisées. Grâce à elle, vous pourrez appliquer des effets variés sur des zones différentes de vos images, combiner des éléments entre eux, éliminer des détails, déplacer une partie de l'image, fusionner plusieurs fichiers, etc.

Je vous propose d'entrer dans le vif du sujet.

Une sélection, pour quoi faire ?

Au cours du procès O. J. Simpson, aux Etats-Unis, la défense affirma qu'une photo avait été numériquement truquée afin de prouver que l'accusé portait un certain type de chaussure. Ce genre d'affirmation, ainsi que la démocratisation des logiciels de retouche, incita beaucoup de gens à s'interroger sur la réalité d'une photographie.

Si une photo en dit plus qu'un millier de mots, elle peut aussi dire autant de mensonges. Bien sûr, les photographes ont toujours su truquer les images, ou suggérer leur perception par l'angle de prise de vue, la composition, la lumière, etc. La photo numérique a considérablement perfectionné ces possibilités.

Ce chapitre présente les techniques de base de la manipulation des images. Il ne s'agit bien sûr pas de fabriquer de fausses preuves, mais d'utiliser ces procédés à des fins créatives.

Vous apprendrez à fusionner plusieurs images en une seule, déplacer un élément d'une photo à une autre, et aussi à masquer un défaut avec une pièce prélevée à un autre endroit de l'image.

Pourquoi et quand sélectionner ?

N'avez-vous jamais eu envie de modifier radicalement vos photographies ? Prendre le corps d'une personne pour lui appliquer la tête d'une autre ? Ce type d'opération est à la base même de la retouche numérique : vous sélectionnez une partie d'une image pour la recopier sur une autre ou pour la positionner sur une zone particulière.

La zone sélectionnée doit être délimitée par un *contour de sélection*. Vos actions n'affecteront que le contenu de cette zone.

Une sélection ne se limite pas à l'application d'un effet ou d'une fonction particulière. Elle peut aussi protéger votre travail contre une erreur de manipulation. A la Figure 12.1, j'ai voulu éclaircir le monument mais sans toucher au ciel. J'ai donc sélectionné le monument avant de modifier avec la commande Niveaux.

Les sélections sont donc des outils très utiles. Malheureusement, effectuer une sélection précise n'est pas chose facile. L'expérience et la patience sont indispensables à une bonne maîtrise de cet outil. Au cours des sections suivantes, nous verrons comment opérer des sélections dans Photoshop Elements.

Dans beaucoup de logiciels, le contour de sélection est animé. Les tirets noirs et blancs semblent se suivre à la manière d'une colonne de fourmis marchant en file indienne.

Figure 12.1 : Sélectionner le monument avant d'appliquer la commande Niveaux limite le réglage à cette partie de l'image.

Quels outils dois-je utiliser ?

La plupart des logiciels graphiques proposent des outils de sélection, dont le nom varie souvent de l'un à l'autre. Dans Photoshop Elements, vous trouverez ceux-ci :

- Le **Rectangle de sélection** et l'**Ellipse de sélection** pour définir une zone sélectionnée rectangulaire, carrée, ovale et circulaire.
- Le **Lasso**, le **Lasso polygonal** et le **Lasso magnétique** pour définir des contours irréguliers.
- La **Baguette magique** pour sélectionner une zone en fonction de sa couleur.

Le mode de sélection à utiliser dépend de vos besoins particuliers. Les prochaines sections expliquent comment mettre à contribution différents outils pour des sélections précises. À chaque type de sélection correspond un outil !

Bien que l'étude se limite à Photoshop Elements, sachez que des outils de sélection identiques existent dans les autres logiciels de retouche d'images. Je serais étonné s'ils ne fonctionnaient pas de la même manière. Vérifiez tout de même les procédures de sélection en lisant le manuel fourni avec votre programme.

Les outils de sélection de Photoshop Elements

Examinons les outils de Photoshop Elements avant de passer à la pratique :

- Un outil est activé en cliquant dessus dans une palette appelée "boîte à outils". La Figure 12.2 montre les outils de sélection réunis dans la partie supérieure.

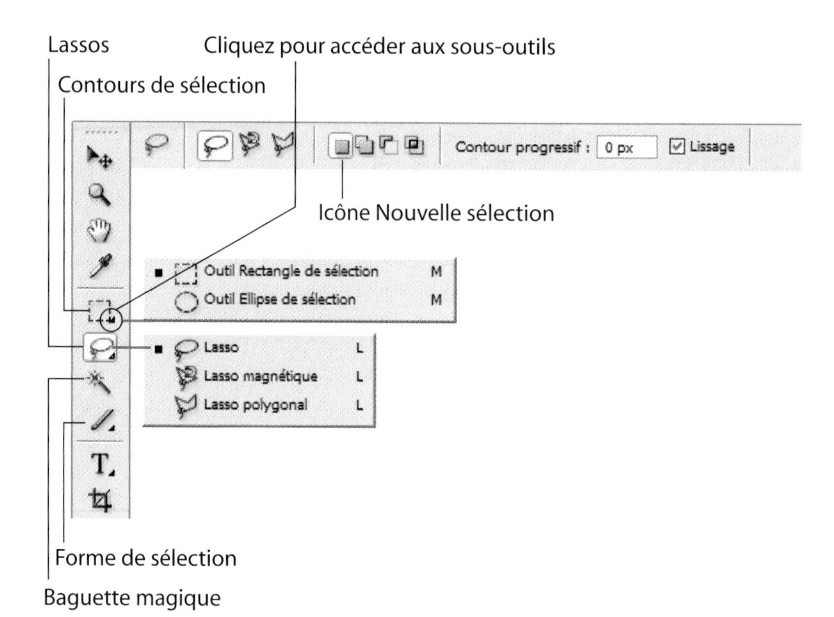

Figure 12.2 : La boîte à outils de Photoshop Elements contient les outils de sélection.

- Un petit triangle en bas à droite de l'icône de l'outil indique qu'il en existe une ou plusieurs variantes. Cliquez sur le bouton sans relâcher le bouton de la souris. Une palette de sous-outils se déploie. Faites glisser le pointeur de la souris sur l'outil à utiliser et validez votre choix en cliquant dessus. La palette se ferme et l'outil est opérationnel.

- La barre d'options contient des commandes relatives à l'outil. Remarquez à la Figure 12.2 que les sous-outils sont également présentés dans la barre d'options. Cliquez sur l'un d'eux pour l'activer.
- Quand vous utilisez des outils de sélection comme le Rectangle de sélection, l'un des lassos ou la Baguette magique, assurez-vous que l'icône Nouvelle sélection, indiquée à la Figure 12.2, est active (c'est le cas par défaut). Les autres icônes permettent de modifier la sélection, comme nous le verrons par la suite.

Sélectionner des zones rectangulaires et elliptiques

La plupart des logiciels proposent au moins un outil permettant de tracer des sélections rectangulaires ou ovales. Dans Photoshop Elements, il s'agit des outils Rectangle de sélection et Ellipse de sélection. Tous deux se trouvent au même endroit dans la boîte à outils (voir Figure 12.2).

Pour tracer une sélection, cliquez sur l'un des coins de la zone à délimiter, puis faites glisser le pointeur de la souris jusqu'au coin opposé, comme illustré sur la Figure 12.3 (la flèche n'apparaît pas ; elle a été rajoutée pour illustrer le déplacement du pointeur).

Figure 12.3 : Pour sélectionner une zone rectangulaire, activez l'outil Rectangle de sélection puis tirez d'un coin de la zone à sélectionner jusqu'au coin opposé.

Utilisez les commandes de la barre d'options pour paramétrer le comportement des outils. En voici les principaux aspects :

- **Contour progressif :** Ce paramètre adoucit le contour de la sélection en estompant ses bords. Par exemple, à la Figure 12.4, le fond a été sélectionné puis supprimé pour ne laisser que le cercle (la manipulation est expliquée un peu plus loin). A l'illustration du haut, le Contour progressif est à 0 : la découpe est nette. En bas, le Contour progressif de 20 pixels produit un bel effet de cache flou.

- **Lissage :** Cette option, proposée uniquement pour l'Ellipse de sélection, supprime le crénelage – l'effet d'escalier – des sélections comportant des bord en diagonale. L'activation de ce mode est recommandé pour les travaux de retouche, lorsque vous copiez et collez des éléments. Essayez néanmoins avec et sans le lissage.

- **Style :** Pour disposer d'un contrôle absolu sur la forme et la taille de la sélection, laissez cette option sur Normal. Les deux autres paramètres imposent, soit une taille fixe à la sélection (comme 300 x 200 pixels), soit le respect de la proportion entre la hauteur et la largeur.

Sans contour progressif

Avec contour progressif

Figure 12.4 : Le contour progressif estompe les bord de la sélection.

Pour vous familiariser avec les outils de sélection, vous allez créer le cadre estompé de la Figure 12.4 :

1. **Sélectionnez l'outil Rectangle de sélection ou Ellipse de sélection selon la forme que vous désirez obtenir.**

   Dans la barre d'options, laissez le Mode sur Normal. Si vous avez opté pour l'Ellipse de sélection, cochez la case Lissage. Assurez-vous aussi que l'icône Nouvelle sélection est active. Réglez la valeur Contour progressif à votre convenance (zéro produit une découpe nette).

2. **Tirez afin d'englober la zone à sélectionner dans le contour de sélection.**

3. **Choisissez Sélection/Intervertir.**

   Cette commande inverse la sélection. C'est à présent l'arrière-plan qui est sélectionné, et non la zone précédemment sélectionnée.

4. **Appuyez sur D afin que la couleur d'arrière-plan soit du blanc.**

5. **Appuyez sur la touche Suppr.**

   L'arrière-plan est remplacé par du blanc (ou par toute autre couleur sélectionnée comme couleur d'arrière-plan). Appuyer sur Ctrl+D (Windows) ou ⌘+D (Mac) masque le contour de sélection, qui reste cependant actif. Recadrez ensuite l'image comme nous l'avons expliqué au Chapitre 11.

Si vous avez oublié de définir un contour progressif avant de sélectionner la zone, vous pourrez le faire après coup. Choisissez Sélection/Contour progressif, tapez le nombre de pixels dans la boîte de dialogue puis cliquez sur OK. Cette manipulation doit toutefois être effectuée avant toute autre intervention. Par exemple, pour le cadre estompé que vous venez de créer, la commande Contour progressif doit être appliquée avant l'Etape 5.

Sélectionner par couleur

Les outils de sélection les plus puissants permettent de sélectionner une zone selon les couleurs. Dans Photoshop Elements, vous utiliserez la Baguette magique. Dans certains logiciels, vous entendrez parler de *Sélecteur de couleur* ou d'un terme approchant.

Quel que soit son nom, cet outil fonctionne de la même manière : vous cliquez dans l'image et le logiciel sélectionne automatiquement les pixels de la même couleur que celui sur lequel vous avez cliqué.

La barre d'options de la Baguette magique (voir Figure 12.5) comporte les commandes suivantes :

Figure 12.5 : La Baguette magique sélectionne les pixels selon leur couleur.

- **Tolérance :** Permet de définir un seuil qui sélectionne toutes les nuances s'approchant de la couleur sur laquelle vous cliquez. Quelques ajustements du seuil de tolérance permettent de sélectionner une vaste zone d'un seul clic.

  La Figure 12.6 illustre les effets de quatre valeurs de Tolérance. La petite croix indique l'emplacement du clic avec la Baguette magique. La partie jaune matérialise la zone sélectionnée. En réalité, vous ne verrez rien d'autre que l'extension du contour de sélection. J'ai ajouté la couleur jaune pour mieux mettre la zone sélectionnée en évidence. La valeur de tolérance s'étend de 0 à 255 niveaux, bien qu'une valeur supérieure à 100 tende à sélectionner trop. La valeur 255 sélectionne la totalité de l'image ; c'est comme choisir Sélection/Tout sélectionner.

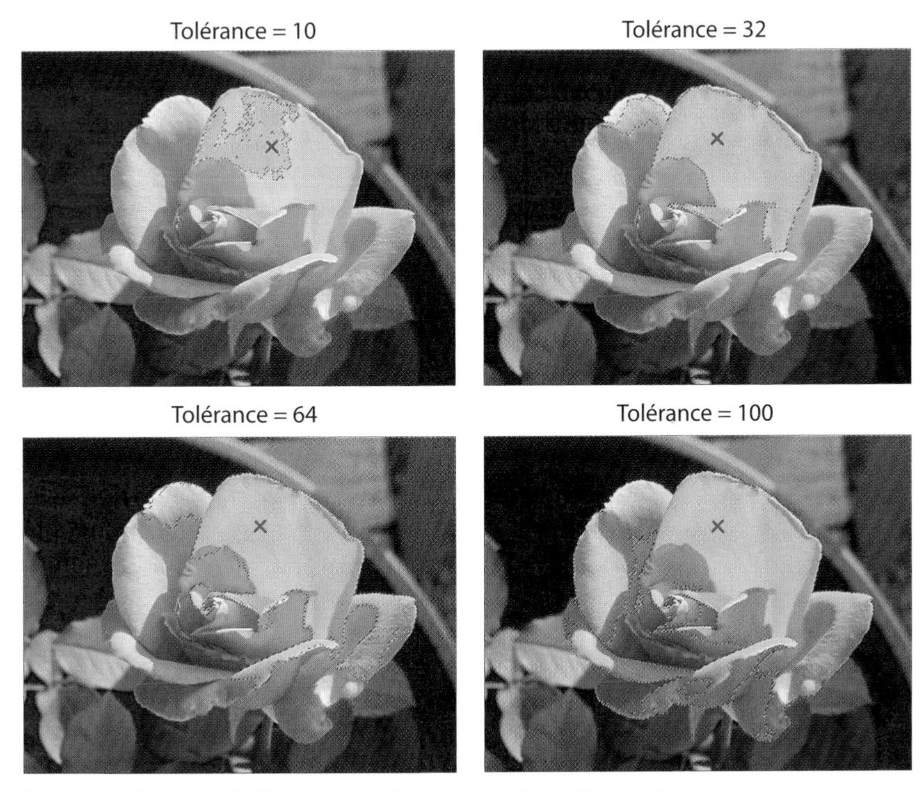

Figure 12.6 : Augmenter la Tolérance accroît la plage de pixels sélectionnés.

- **Lissage :** Cette option fonctionne comme la précédente. Nous n'y reviendrons donc plus.

- **Pixels contigus :** Utilisez cette option pour ne sélectionner que les pixels de même couleur qui se touchent.

  Par exemple, à la Figure 12.7 j'ai cliqué dans la partie noire marquée d'une croix. Quand la case Pixels contigus est cochée, la Baguette magique sélectionne les pixels comme à l'image du milieu. Les zones noires en bas à droite ne sont pas sélectionnées car elles ne jouxtent pas la zone initiale. A l'image de droite, l'option Pixels contigus est décochée. De ce fait, Photoshop Elements sélectionne les pixels noirs où qu'ils se trouvent dans la photo. Là encore, j'ai rempli les zones sélectionnées avec du jaune pour mieux montrer l'étendue de la sélection.

Figure 12.7 : Lorsque la case Pixels contigus n'est pas cochée, la Baguette magique sélectionne les pixels dans la totalité de l'image.

- **Utiliser tous les calques :** Si votre document est composé de plusieurs calques, activez cette option pour que la Baguette magique prenne en considération les pixels de tous les calques. Cependant, n'oubliez pas que seul le calque actif subira les effets de vos modifications.

Avant de cliquer avec la Baguette magique, assurez-vous que l'icône Nouvelle sélection est active (reportez-vous à la Figure 12.5).

Régler judicieusement le paramètre Tolérance exige un peu d'expérience. Si le clic ne produit pas le résultat attendu, désélectionnez, modifiez la valeur puis cliquez de nouveau au même endroit. Ou alors, reportez-vous à la section "Affiner la sélection", un peu plus loin, pour apprendre à ajouter ou retrancher aux sélections.

Tracer une sélection à main levée

D'autres outils de sélection permettent de tracer le contour à main levée. L'opération n'est pas toujours aisée à la souris et, pour travailler avec précision, vous devrez sans doute zoomer fortement dans l'image. L'usage d'une tablette graphique est une bonne solution car le maniement du stylet est plus naturel, pour tracer un contour, que celui de la souris.

Comme d'habitude, le nom des outils que nous essayerons varie quelque peu d'un logiciel à un autre, mais le principe reste le même. Les trois types de lassos de Photoshop Elements apparaissent dans la barre d'options de chacun d'eux. Il vous sera donc facile de passer de l'un à l'autre en cliquant dessus.

Pour utiliser les outils Lasso et Lasso polygonal, assurez-vous d'abord que l'icône Nouvelle sélection est active, comme à la Figure 12.8. Cochez éventuellement la case Lissage et réglez le Contour progressif à votre convenance. Entourez ensuite les pixels à sélectionner à l'aide du :

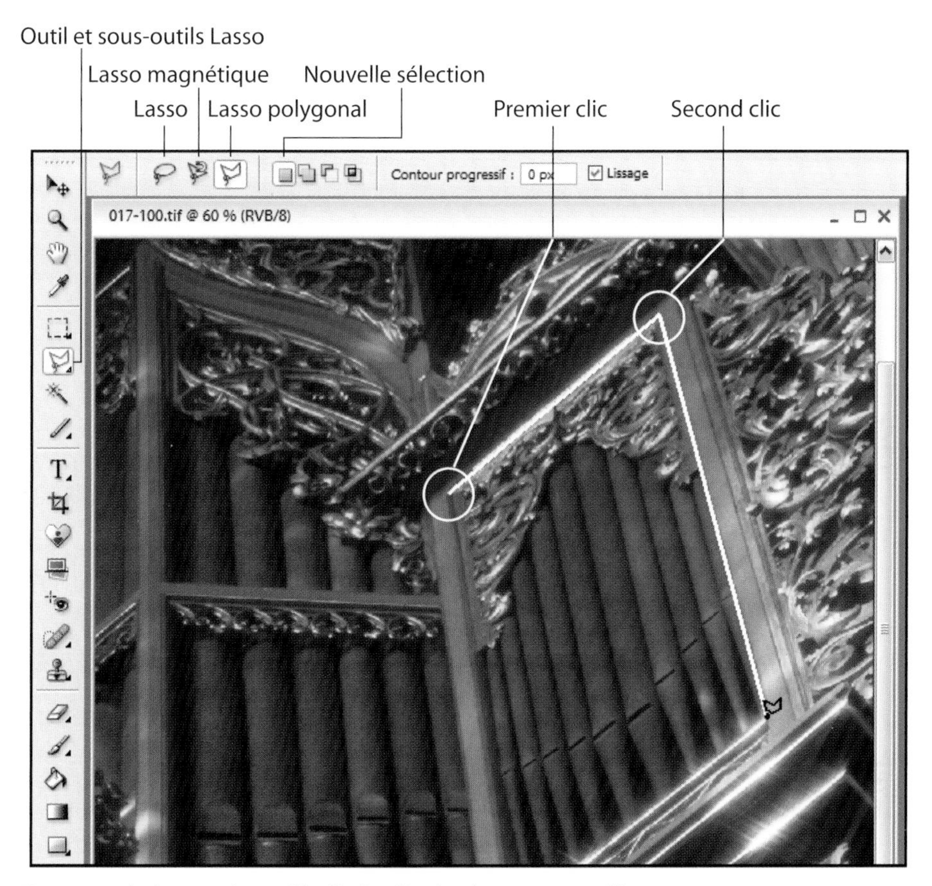

Figure 12.8 : Le Lasso polygonal facilite la sélection de contours rectilignes.

- **Lasso :** Cliquez et, sans relâcher le bouton de la souris, faites glisser le pointeur sur toute la zone à sélectionner. Dès que vous revenez au point de départ, la sélection se ferme, devenant ainsi opérationnelle.

- **Lasso polygonal :** Cet outil permet d'effectuer une sélection par des lignes droites successives. Vous cliquez sur le point de départ, relâchez le bouton de la souris, déplacez le pointeur, cliquez pour placer le début d'un nouveau segment de droite, et ainsi de suite jusqu'à ce que vous reveniez au point de départ. La zone est alors entièrement sélectionnée.

Quand vous utilisez un outil, vous pouvez temporairement changer d'outil en appuyant sur la touche Alt (Option) ou sur la touche Espace.

- **Lasso magnétique :** Cet outil est décrit à la prochaine section.

La sélection le long des bords

Pour sélectionner un élément, vous devez suivre ses contours avec une très grande précision. Pour vous faciliter la tâche, quelques programmes disposent d'outils spécialisés dans la sélection d'objets complexes.

L'outil Lasso magnétique de Photoshop Elements permet de suivre automatiquement le contour d'un objet en décelant la différence de couleur et de luminosité entre les bords de l'objet et l'arrière-plan. La Figure 12.9 montre ce procédé appliqué aux contours d'un appareil photo Kodak Baby Brownie.

Pour utiliser ce remarquable outil, sélectionnez-le dans la boîte à outils, puis procédez comme suit :

1. **Cliquez à l'endroit où vous désirez commencer la sélection.**
2. **Déplacez le pointeur sur les bords de l'objet à sélectionner.**

   Centrez le pointeur sur le contour, comme le montre la Figure 12.9. Généralement, cet outil fonctionne sans devoir appuyer sur le bouton gauche de la souris.

   Au fur et à mesure du déplacement de la souris, l'outil décèle automatiquement le contour de l'objet.

   Le Lasso magnétique trace automatiquement le futur contour de sélection, à condition que la délimitation entre l'objet et le fond soit suffisamment nette. À intervalles réguliers, l'outil place des points d'ancrage carrés (voir Figure 12.9).

   Vous pouvez insérer manuellement un point d'ancrage en cliquant sur le bouton de la souris. Pour supprimer un point d'ancrage, appuyez sur la touche Suppr. Si vous appuyez plusieurs fois de suite sur cette touche, vous effacez les points d'ancrage précédents.

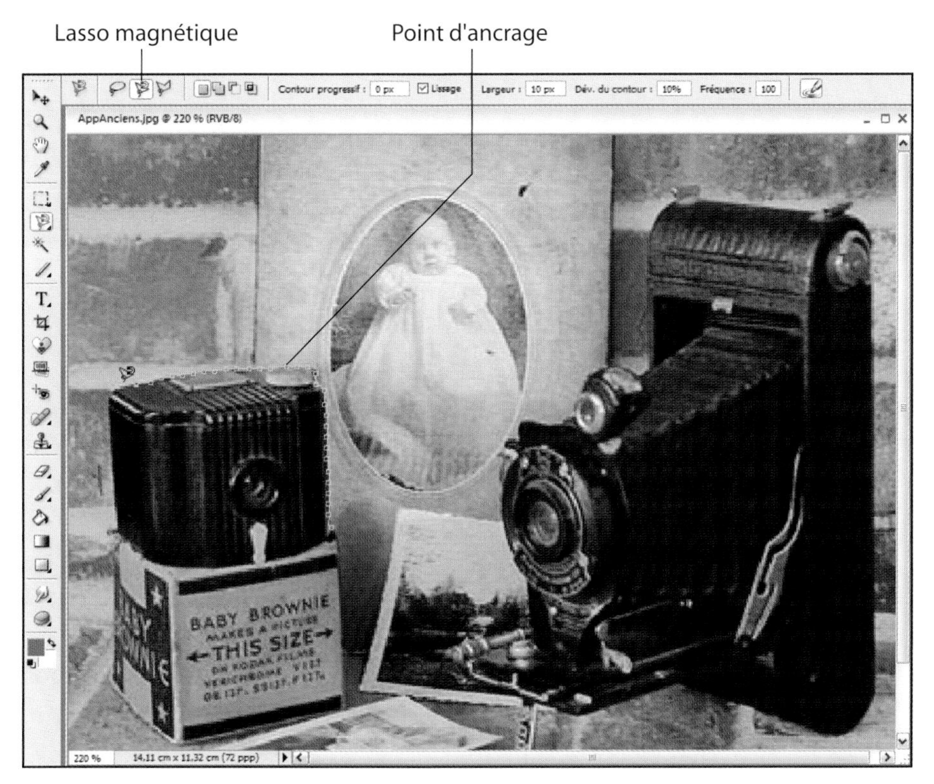

Figure 12.9 : L'outil Lasso magnétique détecte automatiquement la séparation entre deux zones de couleur ou de luminosité.

3. **Pour terminer le contour, placez votre pointeur au point de départ, et cliquez.**

La précision du Lasso magnétique peut être affinée en modifiant ses paramètres dans la barre d'options :

- **Contour progressif, Lissage :** Permettent d'estomper les bords de la sélection. Reportez-vous à la section "Sélectionner des zones rectangulaires et elliptiques" pour en savoir plus.
- **Largeur :** Permet de spécifier une largeur de détection. Il s'agit d'un espace exprimé en pixels qui permet de mieux définir les bords de la sélection. Plus la valeur est élevée, plus l'outil sélectionne une grande zone. Les valeurs acceptées vont de 1 à 40.

- **Déviation du contour :** Spécifie la sensibilité du Lasso aux abords des objets. Une valeur élevée ne détecte que les contours dont la différence de couleur avec le fond est importante, alors qu'une valeur faible ne détecte que les contours se détachant peu du fond. La valeur maximale est 100.
- **Fréquence :** Défini l'intervalle entre les points d'ancrage. Généralement, la valeur par défaut donne de très bons résultats. Trop de points d'ancrage risquent de créneler le contour. Rappelez-vous qu'il est possible, au besoin, d'ajouter manuellement des points d'ancrage.
- **Pression du stylet :** Si vous utilisez une tablette graphique, cette option située à droite, dans la barre d'options, permet de réduire la valeur Largeur à la volée. Appuyez sur le stylet pour diminuer ce paramètre. Même si je reconnais des qualités à cet outil, je ne le recommande pas car il est difficile d'estimer la juste force à appliquer au stylet.

Protéger à grands traits

Pour effectuer des sélections trop compliquées pour la Baguette magique, vous recourrez à l'outil Forme de sélection. Vous peindrez pardessus les zones à ne pas modifier en recouvrant leurs pixels d'une sorte de film de protection numérique. La sélection est beaucoup plus facile qu'avec des outils à main levée.

Les étapes qui suivent expliquent comment utiliser l'outil Forme de sélection de Photoshop Elements. D'autres logiciels, comme Photoshop, proposent un mode Masque autrement plus puissant que la Forme de sélection.

1. **Activez l'outil Forme de sélection, comme à la Figure 12.10.**
2. **Dans la barre d'options, choisissez le mode Masque.**
3. **Affichez la palette des formes en cliquant sur le bouton fléché indiqué à la Figure 12.10.**

   Le contenu de la palette peut être différent si vous avez modifié l'affichage par défaut (pour cela, cliquez sur le bouton fléché en haut à droite).
4. **Choisissez une des formes rondes de la première rangée.**

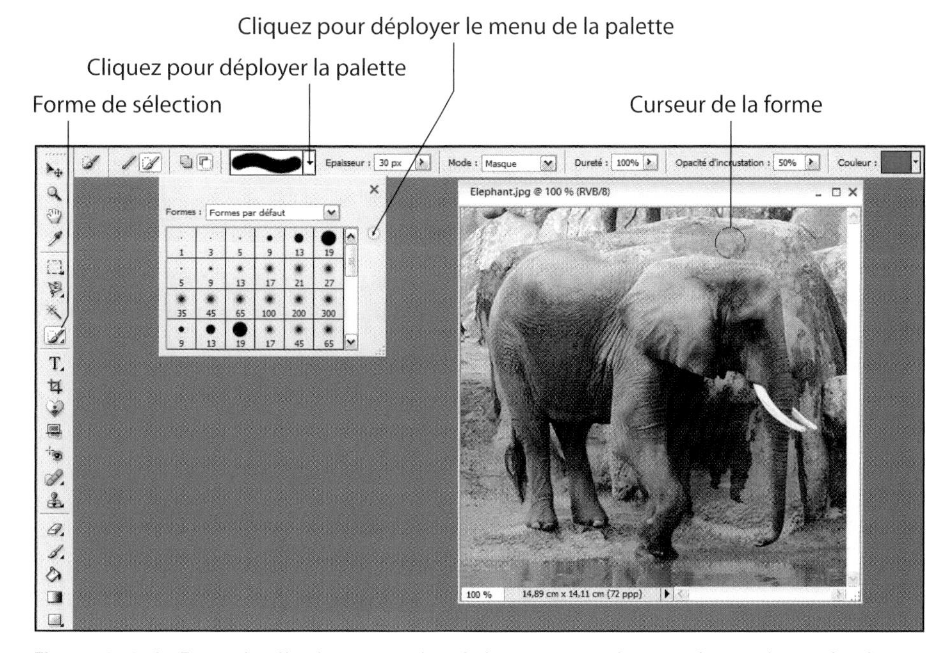

Figure 12.10 : La Forme de sélection permet de peindre un masque de protection sur des parties de l'image.

Pour le moment, laissez la Dureté à 100. Réglez sa taille avec la glissière Epaisseur.

5. **Peignez sur les zones à masquer.**

   Les pixels sont recouverts d'un film rouge translucide, comme le révèle la Figure 12.10. Si sa couleur est gênante, cliquez sur Couleur, dans la barre d'options, et choisissez-en une autre. L'opacité du masque est réglable avec la glissière Opacité d'incrustation.

   Si vous avez fait une fausse manœuvre, maintenez la touche Alt (Windows) ou Option (Mac) enfoncée : à présent la Forme de sélection efface le masque.

6. **Après avoir appliqué le masque sur toutes les parties à protéger, remettez le Mode sur Sélection.**

   Un contour de sélection entoure les parties qui n'ont pas été recouvertes par le masque.

Maintenant que vous connaissez le principe de cet outil, vous pourrez affiner la sélection avec la commande Dureté. A une valeur faible, ses effets sont identiques à ceux du Contour progressif.

Afficher un meilleur curseur

Les curseurs des outils utilisant des formes sont identifiés par leur icône. Par exemple, celui de l'outil Pinceau est en forme de pinceau. Ses dimensions ne varient pas quels que soient les paramètres définis dans la barre d'options, de sorte qu'il est difficile d'évaluer la portée de ses effets. Pour mieux voir la zone d'action d'un outil, affichez-le de manière à voir sa taille et sa forme, comme à la Figure 12.10.

Pour ce faire, choisissez Edition/Préférences/Affichage et pointeurs (Windows) ou Photoshop Elements/Préférences/Affichage et pointeurs (Mac) et sélectionnez l'option Taille réelle de la pointe.

Sélectionner l'ensemble d'une image

Vous souhaitez travailler sur la totalité de votre image ? Dans ce cas, utilisez la commande de votre programme qui opère automatiquement une telle sélection.

D'autres programmes s'en remettent exclusivement à des commandes de menus pour sélectionner et désélectionner la totalité d'une image :

- La sélection peut se faire via le menu Edition ou le menu Sélection. Ouvrez-les pour y trouver d'éventuelles commandes se rapportant aux sélections. Les plus courantes sont Tout sélectionner et Désélectionner.

  Dans Photoshop Elements, choisissez Sélection/Tout sélectionner. Pour la désélectionner, choisissez la commande Désélectionner de ce même menu. Pour récupérer la dernière sélection, choisissez Sélection/Resélectionner.

- Le raccourci universel pour tout sélectionner est Ctrl+A sur PC et ⌘+A sur Mac.

- Certains programmes ont un raccourci clavier pour désélectionner une image : Ctrl+D sur PC et ⌘+D sur Mac.

- Quand vous commencez une nouvelle sélection sur une image partiellement ou totalement sélectionnée, vous annulez le plus souvent l'état existant. C'est généralement une combinaison de touches qui permet de compléter une sélection ou d'en supprimer une partie.

Si votre image contient des calques, la sélection n'affecte que celui qui est actif. Pour tous les modifier, vous devez fusionner l'image ou appliquer la même modification successivement sur chaque calque. Le Chapitre 13 dit tout, ou presque, sur les calques.

Intervertir une sélection

Il est souvent plus rapide de sélectionner la partie d'une image que vous ne voulez pas modifier, puis d'intervertir la sélection. L'interversion sélectionne ce qui ne l'était pas et désélectionne ce qui l'était.

Regardez l'image de gauche de la Figure 12.11. Supposons que vous deviez sélectionner les bâtiments et l'église. Réaliser ce travail directement sur ces éléments serait long et fastidieux, même avec des outils très performants. Pour accélérer l'opération, sélectionnez le ciel avec la Baguette magique. Il suffit ensuite d'intervertir pour que les bâtiments soient sélectionnés et non le ciel. L'image de droite, où le ciel a été ôté, démontre l'efficacité de cette technique.

Dans Photoshop Elements, choisissez Sélection/Intervertir pour permuter les zones sélectionnées, ou appuyez sur Ctrl+I (⌘+I sur Mac).

La terminologie varie très peu d'une application graphique à une autre. Vous disposerez, soit d'une commande Inverser, soit d'une commande Intervertir. On les trouve généralement dans un menu Sélection. Certains programmes utilisent le terme Inverser à la place de Négatif. On le rencontre généralement dans un menu Filtre, Effets ou Image. Difficile alors de confondre cette commande avec une interversion de sélection.

Affiner la sélection

En théorie, créer une sélection est chose facile. En réalité, une sélection précise n'est pas aussi simple que cela à réaliser. Dans bien des circonstances, il faut ajuster le contour obtenu en ajoutant ou en supprimant des pixels.

Figure 12.11 : Pour sélectionner les bâtiments, il est plus facile de sélectionner d'abord le ciel, puis d'intervertir la sélection.

Voici les différents procédés que vous êtes susceptible de rencontrer :

- **Ajouter à la sélection :** Pour agrandir le contour de la sélection, mettez en œuvre une fonction additive. Elle permet d'obtenir plusieurs zones sélectionnées sur une même image.
- **Soustraire de la sélection :** Réduisez la sélection grâce à une fonction soustractive.
- **Sélectionner l'intersection :** Certains programmes permettent de créer une sélection avec la partie commune à deux sélections qui se chevauchent.
- Ces techniques varient selon le logiciel. Consultez son aide pour savoir comment les mettre en œuvre.

Dans Photoshop Elements, le contour des sélections peut être modifié comme suit :

- **Modifier le contour à l'aide des outils Rectangle de sélection et Ellipse de sélection, des Lassos ou de la Baguette magique :** Pour ajouter un nouveau contour en conservant celui déjà existant, maintenez la touche Maj enfoncée tout en traçant le nouveau contour. Pour mettre l'outil en mode soustractif, maintenez la touche Alt (Windows) ou Option (Mac) enfoncée. Ou alors, activez les boutons que montre la Figure 12.12.

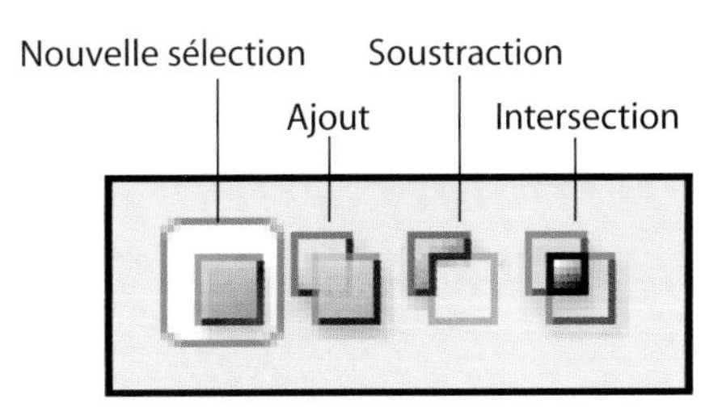

Figure 12.12 : Les divers modes de sélection regroupés dans la barre d'options de Photoshop Elements.

- **Ajuster le contour avec la Forme de sélection :** Si vous préférez modifier une sélection existante avec la Forme de sélection, activez le mode Masque de cet outil, dans la barre d'options.
- **Déplacer le contour d'une sélection :** Avec tous les outils de sélection excepté la Forme de sélection, cliquez dans la sélection et tirez le contour. Ou alors, appuyez sur les touches fléchées afin de déplacer la sélection au pixel près (NdT : appuyer en même temps sur Maj augmente le pas du déplacement).
- **Dilater ou contracter précisément le contour :** Choisissez Sélection/Modifier/Dilater ou Sélection/Modifier/Contracter et indiquez le nombre de pixels de l'élargissement ou de la contraction.

Déplacer, copier et coller une sélection

Après avoir sélectionné une partie de l'image, vous pouvez intervenir sur les pixels sélectionnés et procéder à toutes sortes de modifications et de corrections, peindre dans la zone sélectionnée, appliquer des filtres et des effets. La partie non sélectionnée, elle, reste intacte.

Une autre bonne raison de créer un contour de sélection est la possibilité de déplacer ou copier les pixels sélectionnés dans une autre image, comme à la Figure 12.13. Trois pièces de monnaie ont tour à tour été sélectionnées puis collées sur un arrière-plan d'écorce d'arbre. Nous y reviendrons plus loin dans ce chapitre.

Les sections suivantes décrivent les opérations de déplacement, de copie et de collage d'une sélection.

Figure 12.13 : Après avoir sélectionné et copié les pièces, elles ont été copiées sur la photo de bois.

Il est aussi possible de recopier des pixels avec un outil spécial généralement appelé Tampon de duplication ou Clonage. Il peint sur une partie de l'image en dupliquant les pixels d'une autre zone de la même image ou d'un autre document. Cette puissante fonction de retouche est décrite plus loin à la section "Dissimulation numérique".

Couper, copier, coller : les classiques de l'édition

Une sélection peut être coupée, copiée et collée à l'aide des fonctions archiconnues de copier-coller. Elles se trouvent généralement dans le menu Edition.

Coller tout ou partie d'une image dans une autre peut donner un résultat surprenant. Par exemple, l'image collée apparaît bien plus petite que celle de destination. Cela tient à la résolution des deux images. Si vous collez une image en 72 ppp dans une image en 300 ppp, elle semblera tout à coup ratatinée. Si vous faites l'opération inverse, la seconde paraîtra bien plus grande. Pour maintenir les proportions entre deux images copiées et collées, veillez à ce que leur résolution soit identique. (les Chapitres 2, 9 et 10 étudient en détail les problèmes de taille et de résolution).

Voyons comment fonctionnent ces commandes :

- **Copier** crée une copie de la zone sélectionnée et la place dans le Presse-papiers. L'image d'origine reste intacte.
- **Couper** supprime les pixels dans l'image et les transfère dans le Presse-papiers. La sélection laisse un vide, comme le montre la Figure 12.14. Dans Photoshop Elements, les pixels coupés sont remplacés par la couleur d'arrière-plan, du blanc en l'occurrence. Au prochain chapitre, vous apprendrez à changer cette couleur.
- **Coller** place le contenu du Presse-papiers sur l'image.

Figure 12.14 : La commande Couper supprime les pixels, laissant voir l'arrière-plan.

Il est souvent nécessaire d'ajuster la taille d'une sélection ainsi collée dans une autre image, et de la repositionner. La prochaine section explique comment procéder.

Ajuster un objet collé

La gestion d'un objet collé diffère d'un programme à un autre. Les logiciels peu sophistiqués déplacent l'élément, mais en le collant sur la partie située en dessous. Un trou apparaît alors dans l'image. D'autres programmes gèrent la chose plus intelligemment. Vous pouvez déplacer votre sélection, sans modifier le contenu de l'image où vous la collez.

Photoshop Elements appartient à cette seconde catégorie. Il place la partie copiée ou coupée sur un *nouveau calque*. L'utilisation des calques est expliquée en détail au Chapitre 13. Pour le moment, limitons-nous aux caractéristiques essentielles du collage d'une sélection :

- Ouvrez la palette Calques (Figure 12.15) pour voir tous les calques présents dans l'image. Dans Photoshop Elements, la palette Calques est ancrée au conteneur de palettes. Cliquez sur son onglet et faites-la glisser à proximité de la fenêtre de votre document. Relâchez le bouton de la souris. La palette Calques devient *flottante*, c'est-à-dire constamment accessible et déplaçable.

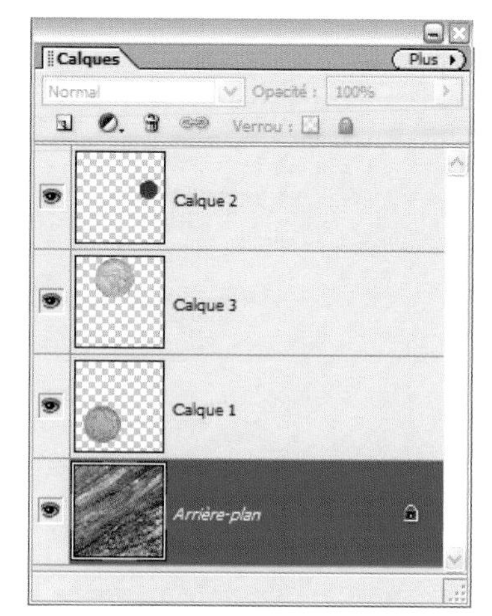

Figure 12.15 : Dans Photoshop Elements, chaque sélection est collée dans un calque distinct.

- Par défaut, les zones transparentes du calque de l'élément collé sont représentées sous forme d'un damier gris et blanc, parfaitement visible sur la vignette qui est affichée dans la palette Calques. Tous les pixels de l'image située en dessous sont visibles à travers ces zones transparentes. Dans notre exemple, le bois est apparent partout où le calque du visage est transparent.

- Pour modifier ultérieurement les calques d'une image, enregistrez la composition (le document multicalque) au format PSD ou TIFF. Les autres formats aplatissent en effet les calques, ce qui empêchera par la suite de manipuler séparément les éléments. De plus, quand vous enregistrez en TIFF ou en PSD, pensez à cocher la case Calques, dans la boîte de dialogue Enregistrer sous..

Dans Photoshop Elements, l'élément collé apparaît sur son propre calque. Ajustez-le pour qu'il s'adapte à son nouvel environnement. Cliquez sur le nom du calque dans la palette Calques. Activez l'outil Déplacement et cochez, dans la barre d'options, la case Afficher le cadre de sélection. Dès lors, vous pouvez :

- **Déplacer l'objet collé :** Sélectionnez l'outil Déplacement, indiqué sur la Figure 12.16, et positionnez l'élément où bon vous semble. Utilisez les flèches du pavé directionnel pour déplacer l'élément d'un pixel à la fois. Si vous appuyez en même temps sur la touche Maj, l'élément se déplace de dix pixels.

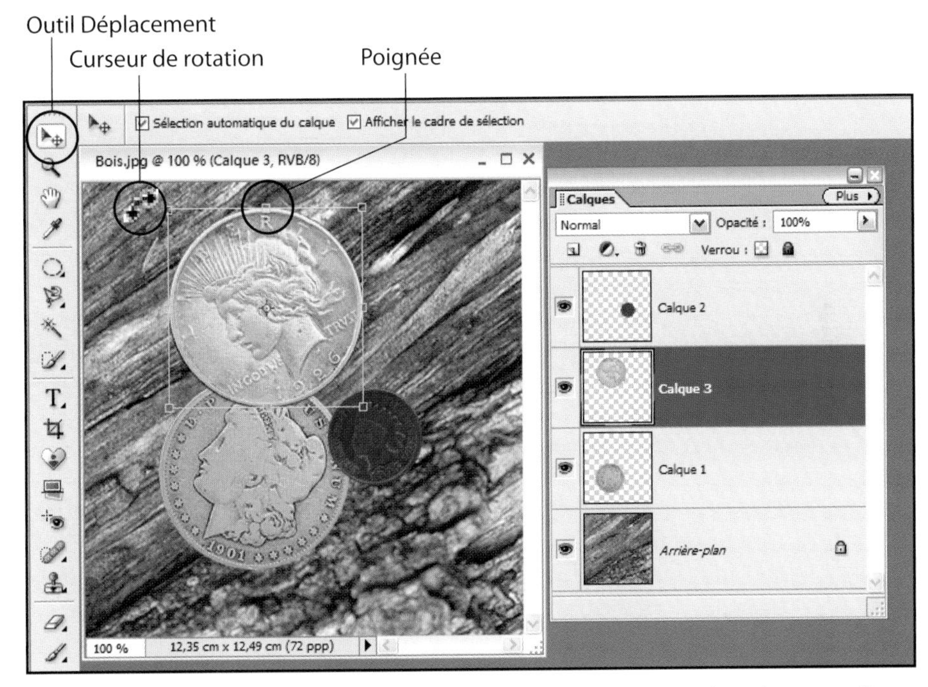

Figure 12.16 : Tirez à l'extérieur d'une poignée de transformation d'angle pour pivoter le contenu d'un calque.

- **Pivoter l'élément collé :** Une sélection collée est entourée par un cadre muni de huit poignées de redimensionnement et de rotation. Vous pouvez alors déplacer l'élément en le faisant glisser avec le pointeur de la souris, ou lui faire subir une rotation avec les poignées adéquates.

  Placez le pointeur à proximité d'une poignée d'angle. Il prend la forme d'une double flèche incurvée. Cliquez et faites glisser la souris dans le sens de rotation désiré. Relâchez le bouton de la souris. Si la nouvelle position vous convient, cliquez dans la barre d'options sur le bouton intitulé Valide la transformation ou appuyez simplement sur Entrée.

Pour annuler une transformation, appuyez sur Echap ou cliquez sur le bouton Annuler la transformation de la barre d'options.

- **Redimensionner l'élément collé :** Vous pouvez aussi redimensionner la sélection en déplaçant les poignées de redimensionnement.

Pour éviter toute distorsion de l'élément au cours du redimensionnement, pensez à activer l'icône Conserver les proportions.

Pour éviter d'éventuelles distorsions de l'image, activez dans la barre d'options le paramètre Conserver les proportions (il est représenté par un chaînon). Appliquez le redimensionnement en cliquant sur le bouton Valide la transformation ou en appuyant sur Entrée.

- **Renverser l'élément collé :** Choisissez une des commandes de symétrie dans le sous-menu Image/Rotation.

Effacer une sélection

Pour effacer les pixels contenus dans une sélection, la méthode est universelle : appuyez sur la touche <Suppr>. La zone sélectionnée disparaît instantanément de votre image. Si vous travaillez sur le calque de fond, la zone supprimée est remplacée par une couleur unie. Pour tout autre calque, vous créez un trou transparent. Les pixels des calques d'en dessous deviennent visibles.

Pour stocker l'élément supprimé dans le Presse-papiers, effacez-le avec le raccourci Ctrl+C ou la commande Edition/Couper.

Dissimulation numérique

En plus de la création de photomontages et du réarrangement des éléments dans l'image, les pixels peuvent être collés dans le but de masquer des défauts. Par exemple, à la Figure 12.17, cette photo prise à Indianapolis présente une disgracieuse tache blanche. Il a suffi de copier un peu de ciel puis de le coller par-dessus le défaut pour le faire disparaître.

Une autre solution consiste à recourir au Tampon de duplication, un outil présent dans la plupart des logiciels de retouche. Le défaut est alors

Figure 12.17 : La tache blanche a été éliminée en collant un peu de ciel dessus.

éliminé en cliquant sur les pixels à recopier, puis en tirant l'outil par-dessus la zone à corriger. C'est ainsi que j'ai retouché les reflets complètement crevés sur les citrons de la Figure 12.18. Les pixels bien denses ont été clonés à la place des pixels surexposés. Le médaillon montre un gros plan de la zone retouchée.

Le Tampon de duplication est un outil typiquement informatique, qui n'a pas d'équivalent dans le monde réel. C'est par la pratique que vous apprendrez à le maîtriser. Quand vous aurez compris son principe, vous ne pourrez plus vous en passer.

Le nom de cet outil peut être différent dans un autre logiciel (Clonage, voire Gomme sélective...). Quoi qu'il en soit, voici comment il fonctionne :

1. **Activez l'outil Tampon de duplication.**

   Dans Photoshop Elements, cliquez sur l'outil indiqué à la Figure 12.19. Veillez à ne pas le confondre avec le Tampon de

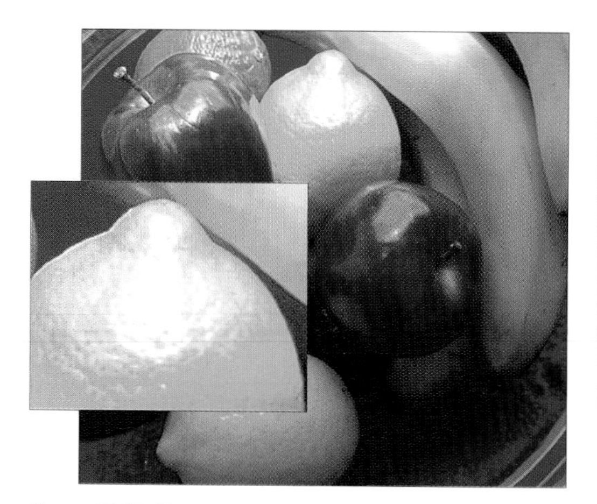

Figure 12.18 : Pour retoucher les reflets crevés, des pixels correctement exposés ont été clonés à la place des pixels surexposés.

motif, qui est son sous-outil. La mise en œuvre de la recopie varie légèrement sur d'autres logiciels.

2. **Définissez le point de prélèvement.**

   C'est l'emplacement des pixels à recopier dans la zone à corriger.

   Dans Photoshop Elements, touche Alt (Windows) ou Option (Mac) enfoncée – le curseur se transforme en petit réticule –, cliquez sur le point de prélèvement. Dans la Figure 12.19, la croix indique l'emplacement du point de prélèvement initial.

3. **Cliquez et, bouton de la souris enfoncé, promenez le curseur sur les défauts à recouvrir.**

   Le Tampon de duplication copie les pixels du point de prélèvement jusque sous le curseur que vous maniez.

   Quand vous déplacez votre curseur, celui du point de prélèvement se déplace conjointement.

Remarquez que, comme je le suggérais précédemment dans l'encadré "Afficher un meilleur curseur", j'ai utilisé pour cette manipulation le curseur en taille réelle, ainsi défini dans les Préférences de Photoshop Elements. Ainsi, un cercle délimite la zone de prélèvement, dont le diamètre varie selon la forme sélectionnée.

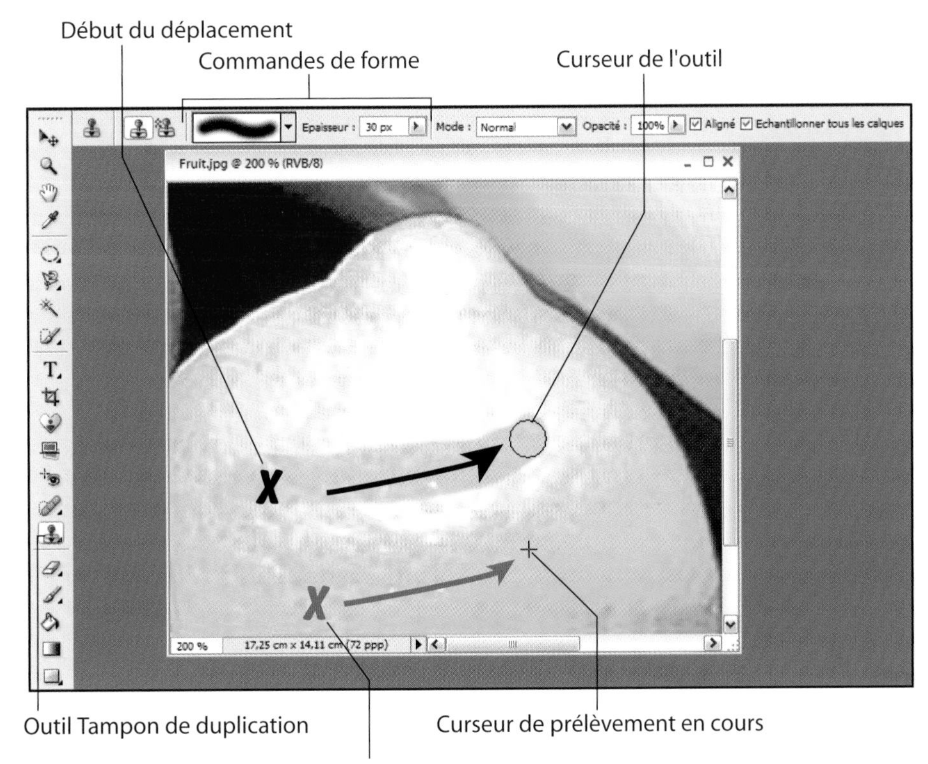

Figure 12.19 : Quand vous déplacez le Tampon de duplication, le curseur de prélèvement se déplace conjointement, indiquant les pixels de remplacement.

Le Tampon de duplication est paramétrable. Voici la liste de ses fonctions, offertes aussi par bon nombre d'autres logiciels :

- **Forme :** La taille, la forme et la dureté de la zone de prélèvement sont paramétrables. Dans des zones bien nettes, une forme dure donne de bons résultats. Mais dans des parties plus douces, moins piquées, une forme floue est préférable.
- **Mode :** Cette option régit le mélange des pixels prélevés avec les pixels à remplacer. En mode Normal, les nouveaux pixels se substituent complètement aux anciens, ce qui est généralement le but recherché. Les autres modes – évoqués au Chapitre 13 – produisent des effets différents.

- **Opacité :** Je règle souvent l'opacité à 60 ou 70 % afin que les pixels prélevés se mêlent plus naturellement aux pixels d'origine.
- **Aligné :** Cette commande détermine comment la zone de prélèvement doit être redéfinie chaque fois que vous cliquez ailleurs pour retoucher.

  Si la case Aligné est cochée, la position relative du point de prélèvement est maintenue chaque fois que vous cliquez ailleurs. En revanche, lorsque la case Aligné n'est pas cochée, chaque fois que vous retouchez ailleurs, c'est toujours le même point de prélèvement d'origine qui est utilisé.
- **Echantillonner tous les calques :** Si cette case est cochée, le Tampon de duplication clone les pixels quel que soit le calque où ils se trouvent. Sinon, il ne duplique qu'au niveau du calque actif. Par exemple, quand vous travaillez sur le Calque 2, vous ne pouvez pas dupliquer les pixels du Calque 1.

Agrandir sa toile

Lorsque vous êtes amené à copier et coller des éléments, la taille initiale de l'image peut être un obstacle. Pour vous permettre de travailler dans les meilleures conditions, il est possible d'augmenter la taille de la zone de travail. Cette dernière n'est rien de plus que le fond sur lequel repose votre image.

Supposons que vous devez juxtaposer deux images. Pour cela, vous ouvrez la première image, doublez sa zone de travail, puis copiez la seconde image dans l'espace vide.

Dans Photoshop Elements, utilisez Image/Redimensionner/Taille de la zone de travail pour accéder à la boîte de dialogue du même nom (Figure 12.20). Pour régler les dimensions de la zone de travail, entrez les nouvelles valeurs dans les champs Largeur et Hauteur. Vous pouvez modifier l'unité de mesure affichée grâce aux listes déroulantes situées à droite des champs. Cliquez ensuite sur l'un des carrés du bas pour indiquer la position de l'image actuelle dans la nouvelle zone de travail. Si vous voulez, par exemple, conserver l'image au milieu de la zone, cliquez sur le carré central.

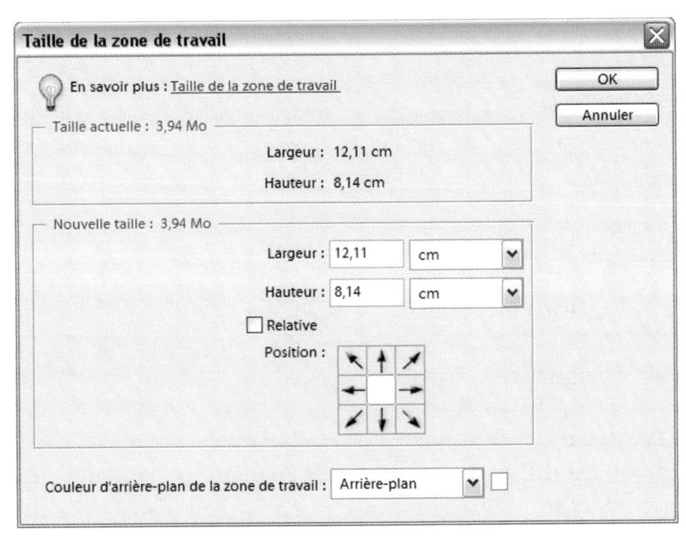

Figure 12.20 : Dans Photoshop Elements, utilisez la boîte de dialogue Taille de la zone de travail pour modifier les dimensions du document.

Pour réduire cette zone, saisissez des valeurs plus faibles. Définissez l'emplacement du contenu actuel en cliquant sur l'un des carrés de position. Notez que vous pouvez également rogner une image avec l'outil Recadrage étudié au Chapitre 11. Cependant, la commande Taille de la zone de travail permet un recadrage précis au pixel près.

Photoshop Elements dispose d'une option appelée Relative. Dès que vous l'activez, la valeur des champs Largeur et Hauteur est de 0. Saisissez alors la quantité que vous désirez ajouter ou enlever. Par exemple, pour ajouter deux centimètres tout autour de la zone de travail, saisissez 2 dans les champs Hauteur et Largeur, puis choisissez l'unité de mesure cm. Cliquez sur le carré de position central, puis sur OK. Un espace vide de 2 cm de large apparaît tout autour de l'image, agrandissant ainsi la zone de travail.

Chapitre 13

L'infographie au service de vos images

Dans ce chapitre :

- Peindre sur les images.
- Choisir la couleur des outils de peinture.
- Colorier une sélection.
- Corriger les yeux rouges.
- Remplir une zone sélectionnée avec de la couleur.
- Changer la couleur d'un objet.
- Sépia et niveaux de gris.
- Utiliser des calques.
- Gommer.
- Appliquer des effets spéciaux et des filtres.

Tous les magazines sont remplis d'effets numériques. Ils font tellement partie de notre quotidien qu'on ne les remarque même plus. Les outils utilisés par les professionnels arrivent en masse sur nos ordinateurs.

Si les outils sont les mêmes, le talent et l'expérience ne s'acquièrent pas en un jour. Ce chapitre aborde les nombreuses fonctions, simples et complexes, qui donneront à vos travaux une nouvelle dimension artistique.

Donner un coup de pinceau aux images

Si les effets spéciaux et les retouches sont les piliers de l'édition numérique, les techniques ancestrales de dessin et de peinture n'ont heureusement pas été oubliées. La souris ou la tablette graphique ont remplacé le crayon et les pinceaux, mais leur fonctionnement reste le même.

Tous les programmes de retouche proposent leurs propres outils de dessin. Certains assurent le minimum vital à l'artiste, tandis que d'autres, plus spécialisés, disposent d'une vaste étendue de fonctions graphiques : pinceaux de tous types, crayons, aérographe, peinture à l'huile, aquarelle, et tout cela sans être obligé d'enfiler une blouse pour se protéger contre les taches.

Pourquoi peindre sur vos images ? Voici quelques raisons pertinentes :

- **Changer la couleur d'un élément sur l'image.** Vous venez de photographier une feuille verte que vous souhaitez publier sur un site Web. Vous décidez que la feuille marquera son originalité par une belle couleur rouge. Comme vous n'avez pas le temps d'attendre l'automne, vous décidez de peindre la feuille.
- **Retoucher les imperfections.** Une petite tache dénature votre image ? Qu'à cela ne tienne ! Un petit coup de pinceau et l'on n'en parle plus.
- **Exprimer votre sens artistique.** Même si vous peignez et dessinez avec des pinceaux et des crayons, pourquoi vous priver des extraordinaires possibilités d'un ordinateur ?

  Pour vous donner une idée des possibilités de l'ordinateur, jetez un coup-d'œil à la Figure 13.1 qui montre un effet de réfraction réalisé avec Corel Painter IX. Ce logiciel de dessin et de peinture propose non seulement une grande variété de supports (toile, papiers...) et d'instruments et de techniques (gouache, fusain, craie...), mais il simule même les interactions, par exemple celle de l'eau de l'aquarelle avec le papier qui l'absorbe.
- **Caricaturer les membres de votre famille.** Excellent pour se défouler... Même si peindre des moustaches sur la photo de belle-maman ne fait rire que vous.

Figure 13.1 : Avec Corel Painter, j'ai transformé une photo en dessin à la craie.

Inventaire de la boîte à peinture

L'assortiment des outils de peinture varie sensiblement d'une application à l'autre. Certaines, comme *Painter* de *Corel*, sortent du lot en proposant une gamme d'outils et de rendus impressionnants. Toutes les formes de peinture et de dessin y sont possibles : la peinture à l'eau, à l'huile, le pastel, le fusain, et même quelques effets métalliques exclusifs. La Figure 13.2 montre des effets picturaux réalisés avec ce logiciel.

Ce type de logiciel est beaucoup plus souple à utiliser si vous disposez d'une tablette graphique. Il est équipé d'un stylet à pression variable qui permet de simuler les effets d'un pinceau. Ce périphérique est très prisé des infographistes ; assurez-vous cependant que le logiciel que vous utilisez reconnaisse les tablettes graphiques (reportez-vous au Chapitre 4 pour en savoir un peu plus sur ce remarquable outil).

Ces programmes spécialisés dans la peinture numérique ne sont pas destinés à la correction et à la retouche d'images. À l'inverse, les logiciels de retouche ne disposent pas de véritables outils de peinture.

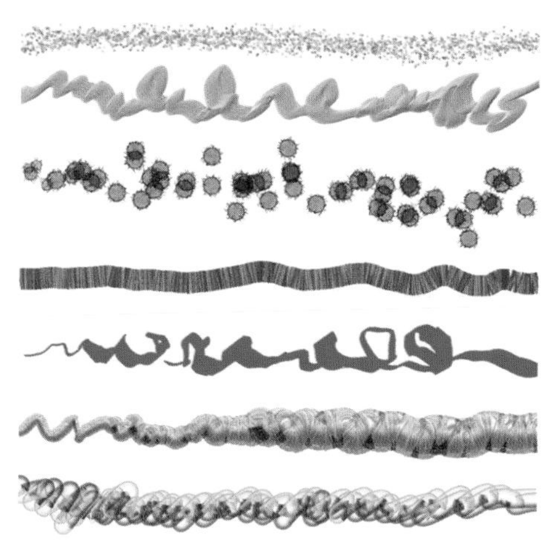

Figure 13.2 : Painter, logiciel spécialisé dans la peinture, permet de tracer toutes sortes de coups de pinceau.

Le peu d'outils de peinture que propose un logiciel de retouche permet néanmoins de faire beaucoup de choses. Pour le démontrer, les sections à venir expliquent comment se servir des outils de peinture pour effectuer des retouches courantes ou les utiliser à des fins créatives.

Photoshop Elements est équipé d'outils Crayon et Pinceau. Le premier produit un trait net, comme la ligne visible en haut de la Figure 13.3. En revanche, le Pinceau peut produire un trait dur ou flou, comme le montrent les deux lignes inférieures. La plupart des logiciels de retouche proposent ces deux outils.

Quel que soit l'outil, rien n'est plus simple que peindre : choisissez une couleur puis tracez les traits.

Pour tirer des traits parfaitement horizontaux ou verticaux, maintenez la touche Maj enfoncée en dessinant. Pour tirer des droites sous d'autres angles, cliquez puis, touche Maj enfoncée, cliquez pour placer l'autre extrémité du trait.

Sélectionner une couleur

Avant de commencer vos barbouillages, il est primordial de choisir une couleur pour les fonctions de dessin et de peinture. Dans la quasi-totalité des programmes graphiques, vous définissez deux couleurs :

- **Couleur de premier plan :** Habituellement, les fonctions de peinture utilisent la couleur de premier plan. Dans Photoshop Elements, c'est le cas pour le Pinceau et le Crayon.

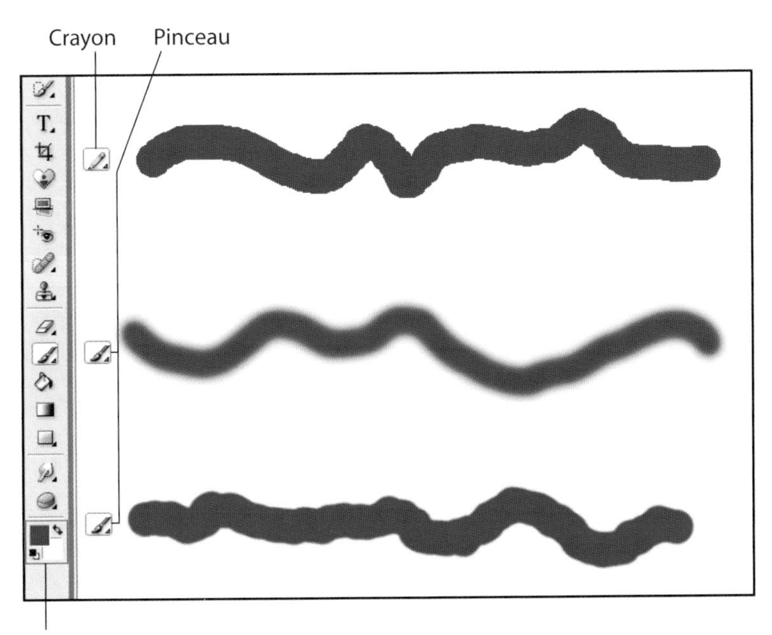

Figure 13.3 : Quelques traits tracés avec les outils Crayon et Pinceau.

- **Couleur d'arrière-plan :** C'est la couleur de fond qui apparaît, entre autres, quand vous coupez des zones sélectionnées. Dans Photoshop Elements, l'outil Gomme utilise cette couleur quand vous effacez le calque d'arrière-plan. Quand vous supprimez totalement le contenu de ce calque, il est remplacé par la couleur d'arrière-plan. La couleur d'arrière-plan fournit aussi la seconde couleur des effets impliquant deux couleurs.

La sélection des couleurs se fait généralement par l'intermédiaire d'une palette. Vous avez le choix entre des couleurs de base prédéfinies et de nouvelles teintes engendrées par votre imagination fertile. Dans Photoshop Elements, vous disposez d'une palette spécifique au programme et de la palette du système d'exploitation.

Les sections suivantes expliquent comment choisir une couleur dans le Sélecteur de couleur de Photoshop Elements ainsi que dans la palette propre au système d'exploitation Windows ou Mac OS.

Choisir des couleurs dans Photoshop Elements

La partie inférieure de la boîte à outils comporte plusieurs commandes qui régissent la couleur (voir Figure 13.4) :

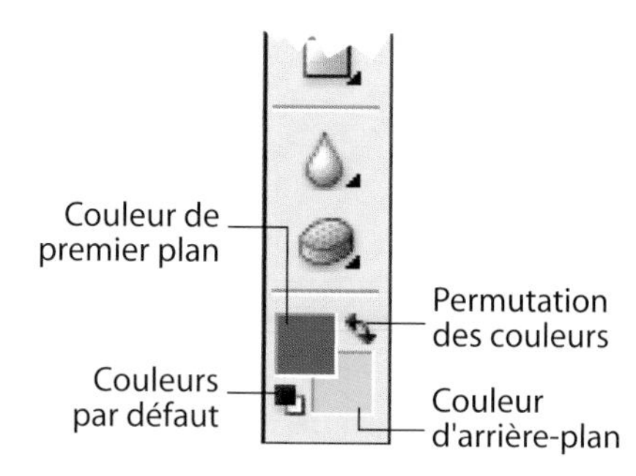

Figure 13.4 : Affichez les couleurs par défaut en cliquant sur la petite icône en bas à gauche de la boîte à outils.

- Deux indicateurs colorés montrant la couleur de premier plan et la couleur d'arrière-plan.
- Un bouton de rétablissement des couleurs par défaut (le noir et le blanc).
- Une icône de permutation des couleurs de premier plan et d'arrière-plan.

Les deux méthodes les plus simples, pour définir d'autres couleurs que le noir et le blanc par défaut, sont les suivantes :

- **Pipette :** Activez l'outil Pipette (voir Figure 13.5) et cliquez sur un pixel de l'image pour en faire la couleur de premier plan. Cette fonction permet de prélever une couleur d'une photographie afin de mieux la retoucher. Pour définir la couleur d'arrière-plan avec l'outil Pipette, appuyez sur Alt (Option sur Mac) et cliquez.

  Par défaut, la Pipette prélève la couleur du pixel sur lequel vous cliquez. Pour prélever une teinte composée à partir de plusieurs couleurs environnantes, sélectionnez Moyenne 3x3 ou 5x5 dans le paramètre Taille de la barre d'options.

Figure 13.5 : Pour choisir une couleur de premier plan, cliquez dessus avec l'outil Pipette.

- **Sélecteur de couleurs :** Cliquez sur le nuancier de premier ou d'arrière-plan de la boîte à outils. Photoshop Elements affiche le Sélecteur de couleur que montre la Figure 13.6. Pour afficher celui de votre système d'exploitation, choisissez Edition/Préférences/Général (Windows) ou Photoshop Elements/Préférences/Général (Mac). Dans la liste Sélecteur couleur, sélectionnez le nom de votre système d'exploitation, Windows ou Apple, à la place d'Adobe.

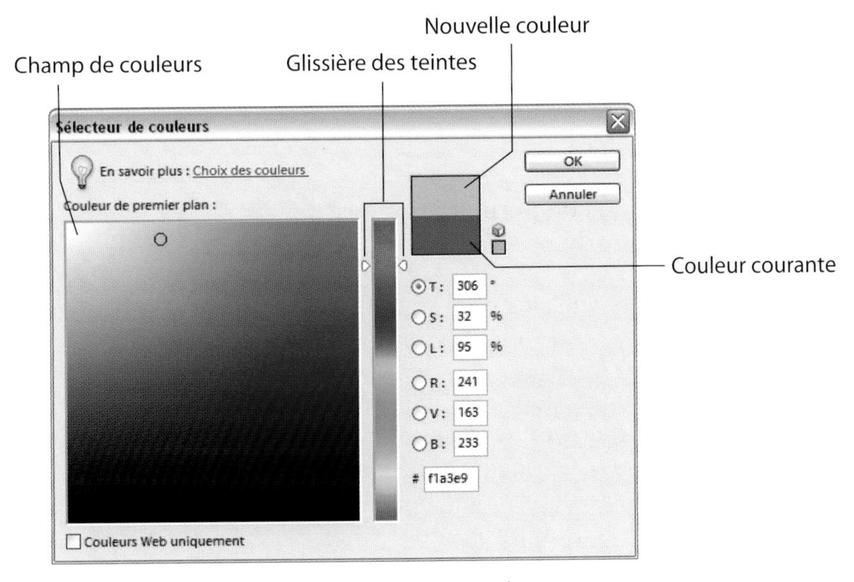

Figure 13.6 : Le sélecteur de couleur sert à définir une teinte.

Le sélecteur de couleur permet de définir des teintes dans l'un des modèles TSL ou RVB, tous deux expliqués au Chapitre 2. TSL est un modèle plus intuitif. Cliquez sur T (teinte) pour afficher le nuancier de la Figure 13.6. Cliquez dans la bande multicolore pour choisir une teinte, puis affinez-la en déplaçant le curseur dans le champ de couleurs. Le petit rectangle en haut à droite affiche la teinte en cours de sélection et, dessous la teinte actuellement utilisée. Si la couleur vous convient, cliquez sur OK.

Si vous connaissez les valeurs RVB ou TSL de la couleur, saisissez-les directement dans les champs de chaque composante colorimétrique.

Comme pour d'autres informations relatives à Photoshop Elements fournies dans ce livre, celles concernant le sélecteur de couleur sont élémentaires. La gestion des couleurs, notamment pour le Web, revêt différents aspects qui dépassent le cadre de cet ouvrage consacré à la photo numérique.

Le sélecteur de couleurs Windows

Beaucoup de logiciels de retouche proposent de choisir une couleur dans le sélecteur du système d'exploitation. La Figure 13.7 montre celui de Windows.

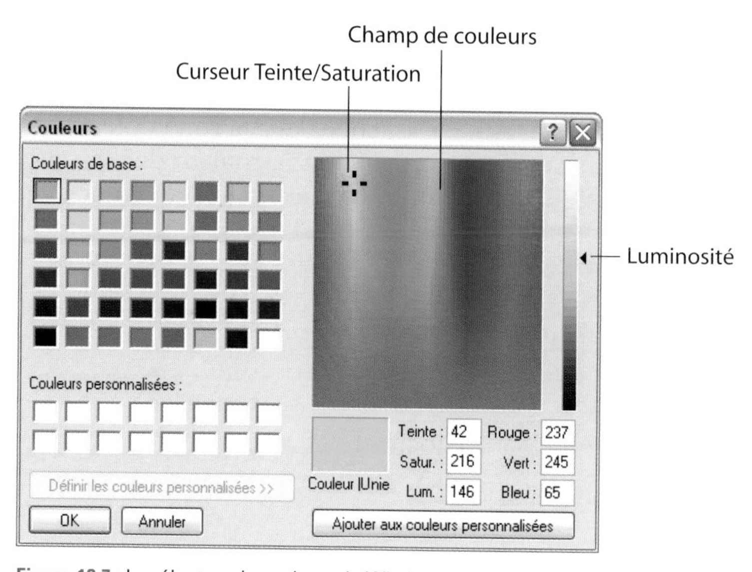

Figure 13.7 : Le sélecteur de couleurs de Windows.

Voici un bref aperçu de ses paramètres :

- Pour choisir une des couleurs de base, cliquez sur l'un des indicateurs du nuancier.
- Pour accéder à plus de teintes, cliquez sur le bouton Définir les couleurs personnalisées. La boîte de dialogue s'agrandit (partie droite de la Figure 13.7).

- Déplacez le pointeur cruciforme sur le champ des couleurs pour définir la teinte et la saturation (intensité) de la couleur. Réglez le curseur de luminosité sur la densité qui vous convient le mieux.

- La zone Couleur/Unie affiche deux versions de votre couleur. Le côté gauche montre la couleur que vous avez définie, le côté droit la couleur unie qui s'en rapproche le plus. Un moniteur ne peut afficher qu'un certain nombre de couleurs unies, les autres étant issues d'un procédé de tramage qui, dans Photoshop Elément, se nomme Simulation : la couleur impossible à obtenir est suggérée par le mélange de deux couleurs approchantes.

  Si vous créez des images pour le Web et désirez conserver l'aspect des couleurs unies, réglez votre moniteur pour qu'il n'affiche que 256 couleurs. Dans le cas contraire, vous ne verrez aucune différence entre la couleur affichée dans la zone Couleur et celle affichée dans la zone Unie. Une fois la couleur définie, cliquez sur le côté droit du sélecteur pour choisir la couleur unie la plus proche.

Après avoir choisi votre couleur, cliquez sur OK pour fermer la boîte de dialogue. Une fois dans la zone de travail, vous remarquerez que la couleur choisie apparaît dans les différentes palettes.

Le sélecteur de couleurs Apple

Si vous utilisez un Mac, le logiciel de retouche vous proposera probablement de choisir les teintes dans le sélecteur de couleurs Apple. La Figure 13.8 montre celui de Mac OS X.

Cliquez sur l'icône Roue de couleurs pour afficher le sélecteur de la figure. Cliquez ensuite dans la roue chromatique (NdT : son diamètre est réglable en redimensionnant la fenêtre du sélecteur) afin de choisir la teinte et la saturation. Réglez ensuite la luminosité avec la glissière voisine. La barre en haut de la fenêtre montre la couleur définie. Cliquez sur OK pour la valider.

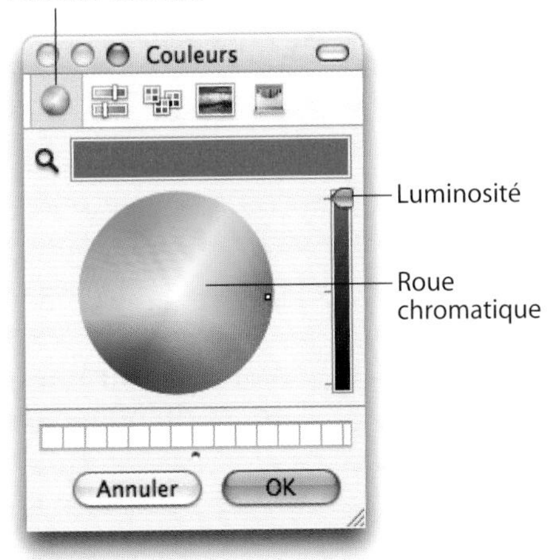

Figure 13.8 : Le sélecteur de couleurs Apple contient en réalité cinq sélecteurs. Ici, celui basé sur la roue chromatique.

Les options de Pinceau et de Crayon

La barre d'options de l'outil Pinceau de Photoshop Elements contient plusieurs paramètres. Les autres logiciels de retouche proposent à peu près les mêmes, bien que leur emplacement et leur nom puissent varier.

Appuyez sur la touche B pour activer tour à tour les différents outils Pinceau.

Certains paramètres seront expliqués le moment venu, lors des exercices. Pour le moment nous nous en tiendrons à ceux-ci :

- **Taille, dureté et forme :** Ces paramètres modifient le diamètre, le degré de flou et la forme de l'outil, c'est-à-dire la nature de sa pointe (NdT : dans Photoshop Elements et dans Photoshop, "forme" est à la fois le synonyme de "pointe" et une figure géométrique ou non).

  Dans Photoshop Elements, la forme de la pointe est sélectionnée dans la palette Formes que montre la Figure 13.9. Cliquez sur le bouton fléché pour la déployer. Le chiffre qui accompagne chaque forme est leur diamètre en pixels. Il peut être modifié à tout moment avec la glissière Epaisseur.

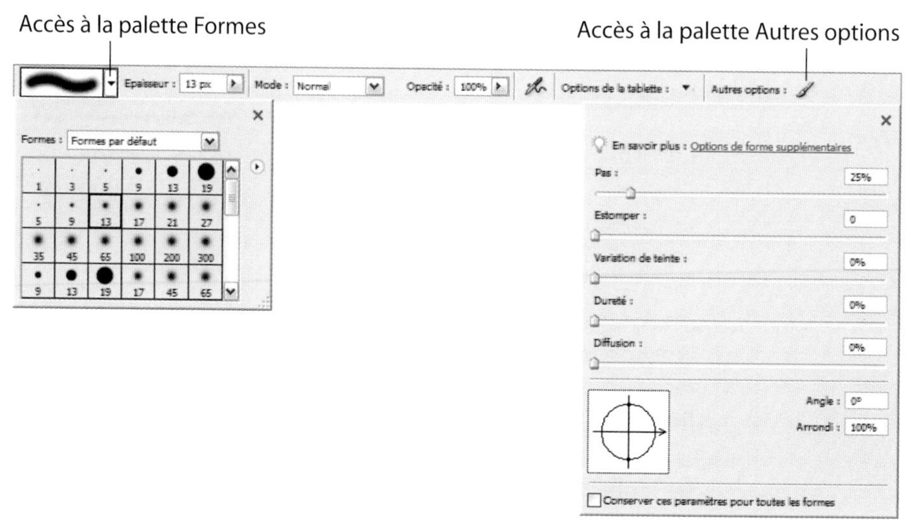

Figure 13.9 : C'est dans la palette Formes que vous définissez la forme de la pointe de vos outils de dessin et de peinture.

Initialement, une forme est soit dure à 0 %, soit estompée à 100 %. Pour régler la dureté, cliquez sur le bouton Autres options puis réglez la glissière Dureté. Ne modifiez pas les autres paramètres tant que vous ne vous serez pas familiarisé avec.

- **Mode de fusion :** Un *mode de fusion* contrôle la manière dont les pixels colorés se mélangent avec ceux sur lesquels vous l'appliquez. Pour sélectionner un mode de fusion, cliquez sur l'option Mode.

Pour la plupart des travaux, les modes de fusion Normal et Couleur sont les plus appropriés. Avec le premier, les nouveaux pixels remplacent ceux que vous recouvrez (à condition bien sûr que l'opacité soit à 100 %). Le mode Couleur permet de modifier la couleur d'un objet de façon réaliste. Seule la nouvelle teinte est appliquée, les tons foncés et les tons clairs d'origine restant inchangés. La section à venir, consacrée à la correction des yeux rouges, exploite ce mode.

- **Opacité :** Le trait que vous appliquez peut être totalement opaque ou laisser voir les anciens pixels par transparence, comme le révèle la Figure 13.10.

- **Options de la tablette :** Si vous disposez d'une tablette graphique, vous pouvez choisir, dans la palette que montre la Figure 13.11, le paramètre qui sera modifié par l'appui sur le stylet. Jusqu'à cinq effets peuvent être modifiés simultanément.

Figure 13.10 : Plus l'opacité est faible, plus l'image (ici, les graffitis jaunes) est translucide.

- **Aérographe :** Votre logiciel propose peut-être un outil Aérographe ou alors, à l'instar de Photoshop Elements, une commande met l'outil Pinceau en mode Aérographe. Dans les deux cas, l'air comprimé vaporise l'encre aussi longtemps que vous appuyez sur le bouton de la souris ou sur le stylet, même si vous ne déplacez pas le curseur.

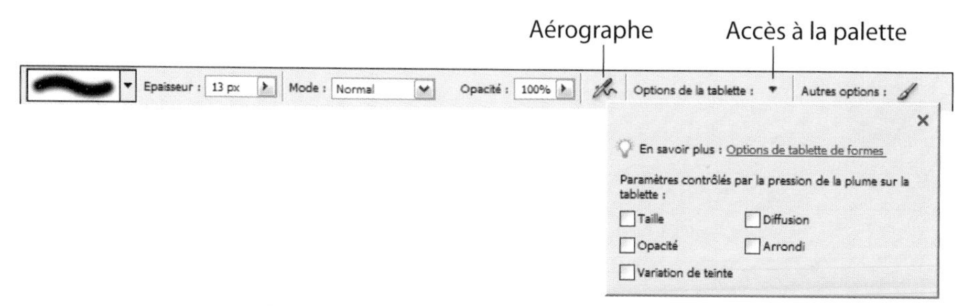

Figure 13.11 : Cochez ici les effets que doit produire l'appui sur le stylet d'une tablette graphique.

Les options de l'outil Crayon (appuyez sur la touche N pour l'activer) sont un peu plus limitées, comme le montre la Figure 13.12. L'épaisseur, la forme, le mode de fusion et l'opacité fonctionnent de la même manière que pour l'outil Pinceau. Le Crayon n'a pas de réglage de la dureté. Veillez à ne pas activer la case Inversion auto, car, lorsque vous dessinez avec cette option activée, la couleur d'arrière-plan est utilisée chaque fois que le crayon passe sur une couleur identique à celle du premier plan.

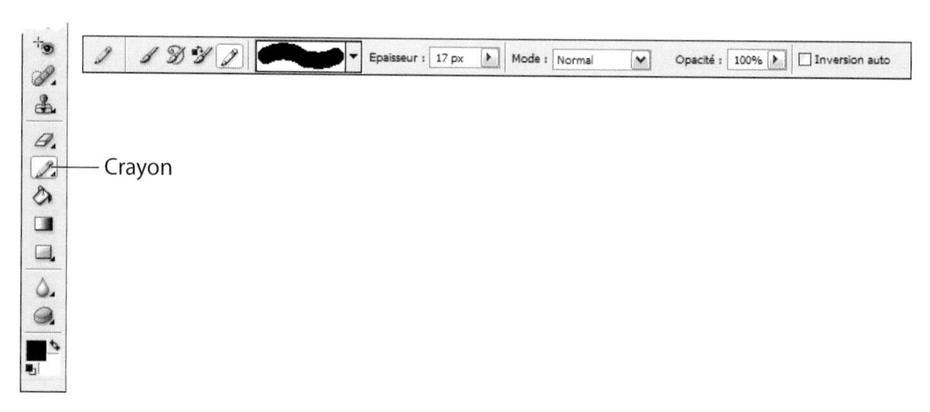

Figure 13.12 : Décochez la case Inversion auto, lorsque vous utilisez l'outil Crayon.

Pour un travail plus souple, appliquez toujours la peinture sur un nouveau calque. Cela permet de corriger les erreurs sans altérer l'image d'origine, mais aussi de jouer avec l'opacité et les modes de fusion de ce calque pour produire des effets de couleur inattendus. Consultez la section consacrée aux calques, plus loin dans ce chapitre.

Par défaut, les curseurs des outils Pinceau et Crayon ressemblent à... un pinceau et à un crayon, ce qui n'est guère pratique. Pour travailler dans de meilleures conditions, choisissez Edition/Préférences/Affichage et pointeurs (Windows) ou Photoshop Elements/Préférences/Affichage et pointeurs (Mac) et sélectionnez l'option Taille réelle de la pointe.

Atténuer les yeux rouges

Même quand le système anti-yeux rouges du flash est enclenché, il arrivera parfois — ou plutôt souvent — que ce problème se manifeste néanmoins. Il est heureusement facile à corriger en peignant par-dessus.

Beaucoup de logiciels sont équipés d'un outil de correction des yeux rouges automatisé, qui est parfois plus efficace et plus rapide pour la suppression des pixels rouges.

Procédez comme suit avec Photoshop Elements :

1. **Zoomez très serré sur un œil.**

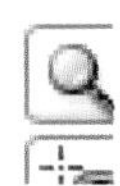

   Cliquez dans l'image avec l'outil Zoom visible à la Figure 13.13. Pour zoomer en arrière, cliquez, bouton Alt (Windows) ou Option (Mac) enfoncé.

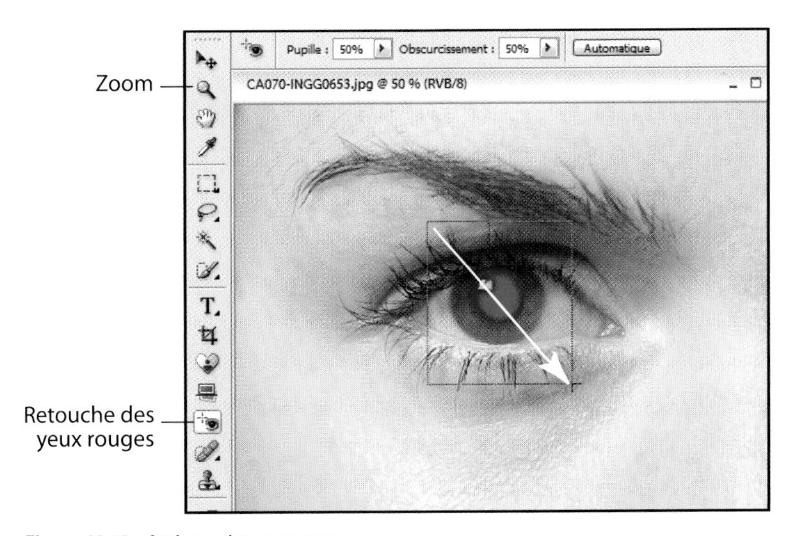

Figure 13.13 : Atténuez les yeux rouges.

2. **Sélectionnez l'outil Retouche des yeux rouges.**

3. **Tirez afin d'entourer l'iris d'un contour pointillé, comme le montre la figure.**

4. **Relâchez le bouton de la souris.**

   Photoshop Elements remplace les pixels rouges par des pixels produisant un résultat plus naturel. Si le résultat n'est pas convaincant, choisissez Edition/Annuler puis essayez avec d'autres paramètres de la barre d'options.

Généralement, il faut appliquer l'outil deux ou trois fois pour obtenir un résultat satisfaisant. Au-delà, il est inutile d'insister, car vous n'obtiendrez aucune amélioration. Il sera dans ce cas plus rapide de recouvrir le rouge à l'aide d'un des outils de peinture.

Notez que la technique que je préconise implique l'usage de calques, détaillé plus loin dans ce chapitre. Si vous ne connaissez pas encore les calques, certaines des informations qui suivent vous sembleront obscures. Pas de panique : cliquez et tirez, et tout se passera bien.

Voici à présent comment retoucher manuellement les yeux rouges :

1. **Zoomez serré sur les yeux rouges.**

2. **Sélectionnez l'outil Pinceau en cliquant sur son icône ou en appuyant sur B.**

3. **Réglez la taille, la forme et la dureté du pinceau.**

   Reportez-vous à la section précédente si vous avez besoin d'aide. Pour cette tâche, il vous faudra un petit pinceau rond, dur ou moyennement dur.

4. **Définissez les autres options comme à la Figure 13.14.**

   Mode Normal, opacité à 100%, aérographe désactivé. Si vous utilisez une tablette graphique, cliquez sur Options de la palette et décochez toutes les cases.

5. **Choisissez Fenêtre/Calques pour afficher la palette Calques.**

   Elle est sans doute ancrée à la Corbeille des palettes. Si vous voulez faire flotter librement la palette au-dessus de l'image, comme à la Figure 13.14, tirez-la par sa barre de titre. Choisissez ensuite Fenêtre/Corbeille des palettes pour faire disparaître les palettes que vous n'utilisez pas.

6. **Cliquez sur l'icône Créer un calque.**

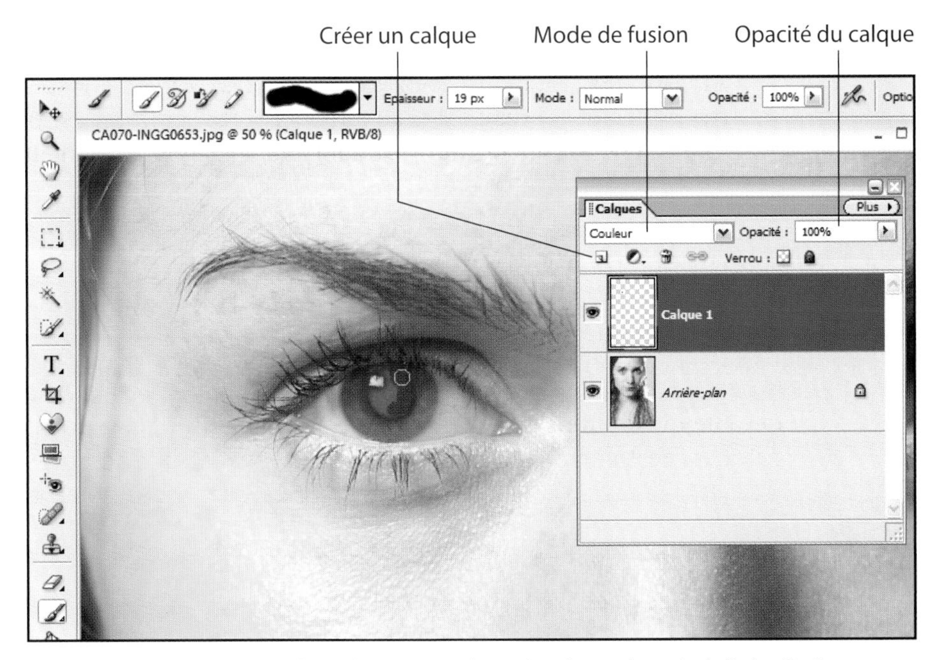

Figure 13.14 : Peignez la nouvelle couleur sur un calque séparé, avec le mode de fusion Couleur.

Vous créez ainsi un nouveau calque sur lequel vous effectuerez la retouche.

7. **Dans la palette Calques, choisissez le mode de fusion Couleur, comme à la Figure 13.14.**

   Similaire aux modes de fusion des outils, le mode de fusion des calques définit comment les pixels du calque se mêlent à ceux d'en dessous. Pour cette tâche, Couleur est le meilleur choix.

8. **Définissez la couleur de premier plan pour la nouvelle couleur de la pupille.**

   Appuyez sur la touche Alt (Windows) ou Option (Mac), ce qui active temporairement l'outil Pipette, puis cliquez sur un pixel qui n'est pas devenu rouge. Vous établissez ainsi la couleur de premier plan. Relâchez la touche pour revenir à l'outil Pinceau.

9. **Cliquez et tirez sur les pixels rouges.**

Vous devrez procéder à des effets pour trouver la nuance adéquate. Si vous avez débordé de la pupille, effacez avec l'outil Gomme, décrit plus loin dans ce chapitre.

10. **Si le résultat vous plaît, choisissez Calque/Fusionner les calques.**

    Le calque courant est fusionné avec le calque d'en dessous.

Cette technique fonctionne dans presque tous les cas. Mais si les yeux sont vraiment bien rouges et brillants, la pupille ne sera peut-être pas aussi sombre qu'elle devrait l'être. Le remède consiste à ajouter un autre calque, mais cette fois avec le mode de fusion Normal et une Opacité à 50%. Peignez de nouveau avec du noir en veillant à ne pas peindre sur les reflets blancs naturels. Peaufinez l'effet en réglant l'opacité du calque. Là aussi, fusionnez le calque avec celui d'en dessous lorsque vous aurez fini.

Quand elle renvoie l'éclair d'un flash, la pupille d'un animal devient blanc, jaune ou vert. La manipulation précédente est applicable, sauf si les yeux sont blancs. Dans ce cas, à l'Etape 7, sélectionnez le mode de fusion Normal et réduisez légèrement l'opacité afin de conserver un peu des tons foncés et clairs de l'œil, lorsque vous peindrez.

Peindre sur de vastes zones

La retouche des yeux rouges s'effectue en quelques clics, mais peindre sur de plus vastes zones avec la souris ou un stylet peut s'avérer plus fastidieux. Ce sera plus facile si votre logiciel est doté d'une commande Remplir. Vous sélectionnez alors une zone et vous la remplissez.

J'ai adopté cette approche pour modifier quatre des pétales de la Figure 13.15. La même couleur saumon que celle du pétale Normal a été utilisée. Pourquoi les trois autres pétales sont-ils différents ? Parce qu'à l'instar des commandes Pinceau et Crayon, la commande Remplir propose des modes de fusion.

Comme vous le constatez, l'effet du mode Normal n'est pas du tout naturel car l'aplat de couleur masque entièrement les tons foncés et clairs sous-jacents. Pour un résultat plus réaliste, j'ai sélectionné le mode Couleur, en haut, qui lui, préserve les tons qui se trouvent sur le calque d'en dessous.

Les logiciels dotés de modes de fusion proposent généralement le même assortiment de modes. Je pourrais certes décrire chacun d'eux, mais prédire ce que donnera chacun est difficile. Faites des essais. Pour le

Figure 13.15 : Chaque pétale a été rempli avec la même couleur, mais avec différents modes de fusion.

plaisir, j'ai rempli deux autres pétales, à la Figure 13.15, en utilisant les modes de fusion Produit et Différence.

Procédez comme suit pour remplir une sélection :

1. **Sélectionnez la zone à peindre.**

   Vous pouvez sauter cette étape si vous désirez peindre une photo tout entière ou le calque courant. Les sélections sont expliquées au Chapitre 12.

2. **Pour plus de sécurité, créez un nouveau calque sur lequel vous peindrez.**

   Cliquez sur le bouton Créer un calque, en haut de la palette calques, ou choisissez Calque/Nouveau/Calque ; cliquez sur OK, dans la boîte de dialogue qui apparaît, afin d'accepter tous les paramètres par défaut.

3. **Choisissez Edition/Remplir la sélection.**

   Si vous n'avez pas créé de contour de sélection à l'Etape 1, cette commande s'appelle Edition/Remplir le calque. Dans les deux cas, la boîte de dialogue de la Figure 13.16 s'ouvre.

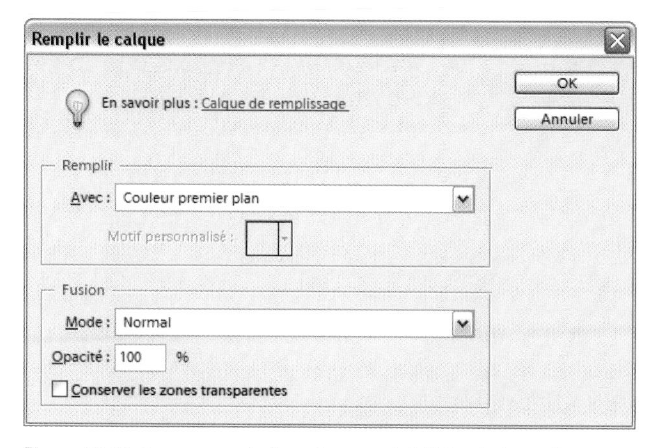

Figure 13.16 : La commande Remplir permet d'étaler de la couleur sur une vaste zone.

4. **Définissez les options de remplissage.**

   - Sélectionnez la couleur de remplissage dans la liste Avec.
   - Mettez les options Mode et Opacité sur Normal et 100%. Vous pourrez ensuite les ajuster directement à partir de la palette Calques.
   - Décochez la case Conserver les zones transparentes.

5. **Cliquez sur OK pour fermer la boîte de dialogue et remplir la sélection.**

6. **Dans la palette Calques, réglez le mode de fusion et d'opacité.**

   Reportez-vous à la Figure 13.14 pour localiser ces commandes.

7. **Si le remplissage vous convient, choisissez Calque/Fusionner les calques afin de plaquer définitivement le contenu du calque sur l'image originale.**

Pour remplir une sélection avec la couleur de premier plan, vous pouvez vous passer de la boîte de dialogue Remplir le calque en appuyant sur Alt+Suppr (Windows) ou Option+Supprimer (Mac). Pour remplir le calque avec la couleur d'arrière-plan, choisissez Ctrl+Suppr ou ⌘+Supprimer

Un dernier mot sur la peinture : je vous conseille de ne pas utiliser l'outil Pot de peinture, destiné lui aussi à remplir de vaste zones. Il sélectionne les pixels à la manière de la Baguette magique. Le problème réside dans la difficulté à trouver exactement le point permettant de peindre tel ou tel pixel. Pour un résultat plus rapide et plus précis, créez un contour de sélection et utilisez plutôt la commande Remplir.

L'outil Doigt

Présent dans de nombreux logiciels de retouche d'images, cet outil produit un effet semblable à celui obtenu lorsque vous étalez de la peinture à l'huile avec le doigt.

La Figure 13.17 donne une idée précise de l'effet produit par cet outil. Cette porcelaine en forme de toucan se voit affublée de cheveux, sans que le trucage soit apparent.

Figure 13.17 : L'outil Doigt modifie radicalement l'aspect d'un objet.

Dans la boîte à outils de Photoshop Elements, l'outil Doigt se trouve au même endroit que les outils Goutte d'eau et Netteté. Voici les paramètres

qui apparaissent dans la barre d'options de Photoshop Elements (voir Figure 13.18) quand vous sélectionnez l'outil Doigt :

Figure 13.18 : L'outil Doigt, barbouilleur numérique.

- **Peinture au doigt :** Décochez cette case pour une utilisation standard. La peinture au doigt applique la couleur de premier plan et n'étale pas les pixels de l'image sur laquelle vous appliquez l'outil Doigt.

- **Intensité :** Contrôle l'étalement. Une intensité trop faible ne laisse absolument rien paraître. En revanche, des valeurs plus élevées tirent les pixels sur une plus grande distance. Une Intensité de 90 % a été appliquée au toucan.

- **Utiliser tous les calques :** Avec cette option, l'outil Doigt étale les couleurs de tous les calques visibles. Cette fonction est essentielle : vous pouvez créer un nouveau calque vide et y utiliser l'outil Doigt. Les pixels de tous les calques visibles situés en dessous sont pris en compte, mais l'effet n'est appliqué que sur le nouveau calque. Vous modifiez l'image sans altérer l'original. Dans ce cas, le calque où l'outil Doigt est appliqué est assimilable à un calque de réglage.

La roue des couleurs

Un autre moyen de modifier les couleurs d'une image consiste à recourir à la commande Teinte, si votre logiciel en possède une.

La commande Teinte s'appuie sur une roue chromatique où le rouge se situe à la position 0 degré du cercle, le vert à 120 degrés et le bleu à 240 degrés, comme le montre la Figure 13.19. Lorsque vous modifiez la valeur de la teinte, la couleur des pixels est déplacée sur la roue chromatique. Par exemple, si vous augmentez le degré du vert, les teintes vertes deviennent bleues. Par défaut, le vert est à 120 degrés. Ajoutez 120 degrés et vous obtenez l'addition aussi simple que surprenante 120 + 120 = 240. Or, 240 degrés correspond à la position de la couleur bleue. Le vert devient mathématiquement et physiquement bleu.

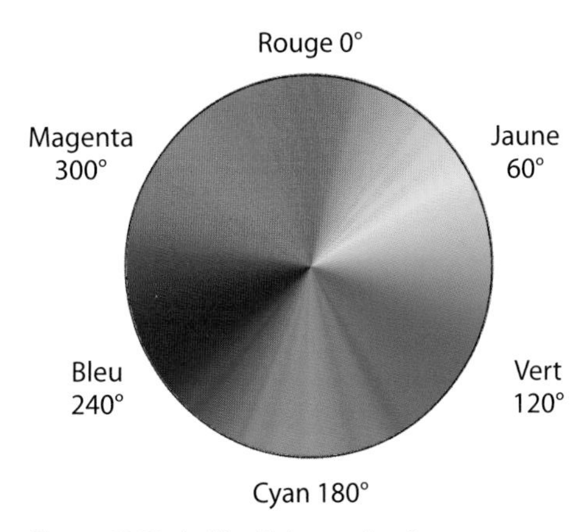

Figure 13.19 : Le filtre Teinte est basé sur une roue chromatique.

Pour changer la couleur de la pomme, à l'image 13.20, je l'ai d'abord sélectionnée, puis j'ai mis la valeur chromatique à -83°, faisant tourner la couleur de la pomme en sens anti-horaire, autour de la roue, jusqu'à la couleur violette.

À première vue, le résultat obtenu équivaut à la mise en œuvre de la commande Remplir et du mode de fusion Couleur. Cependant, avec le mode de fusion Couleur, tous les pixels sont remplis par la même teinte en respectant les zones d'ombre et de lumière. La commande Teinte agit sur toute la gamme chromatique, puisqu'elle décale les pixels en fonction de leur valeur initiale. Un remplissage en mode Couleur n'affecte pas les pixels blanc ou noir, alors que la commande Teinte n'affecte ni le blanc, ni le noir, ni les pixels gris. Le résultat obtenu est totalement différent.

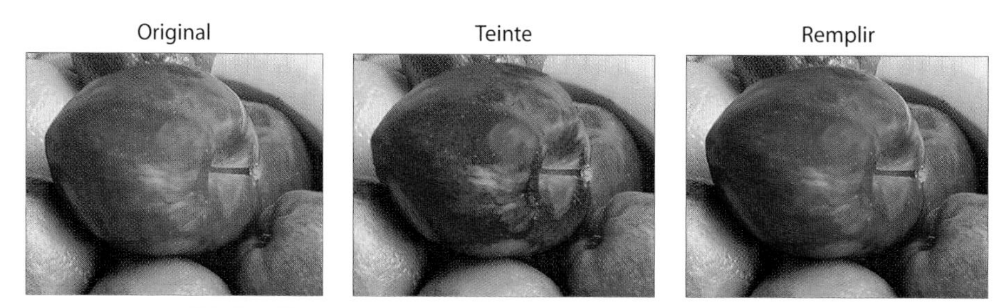

Figure 13.20 : Modifier la couleur avec la commande Teinte produit des résultats sensiblement différents des divers modes de fusion.

L'option Redéfinir de la boîte de dialogue Teinte/Saturation (voir Figure 13.21) applique la couleur de premier plan sur la totalité de l'objet sélectionné tout en respectant les ombres et la lumière originales. Nous retrouvons ici le principe du mode de fusion Couleur. Déplacez le curseur Teinte pour modifier la couleur de remplissage

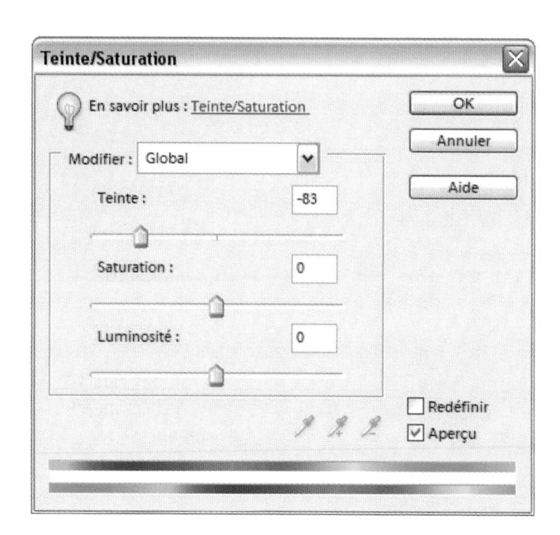

Figure 13.21 : Actionnez la glissière Teinte pour décaler la couleur de tous les pixels sélectionnés.

Virage sépia et niveaux de gris

Beaucoup d'appareils photo permettent de photographier en niveau de gris (ce que l'on appelle communément et imparfaitement du "noir et blanc"). Je vous recommande toutefois d'effectuer toutes vos prises de vue en couleur et de créer les versions sépia ou à niveau de gris à l'aide de votre logiciel de retouche. Vous bénéficierez ainsi d'un plus grand contrôle sur l'image finale. De plus, alors qu'il est possible d'obtenir des photos monochromes à partir d'une photo en couleur, l'inverse est impossible.

Même le logiciel de retouche le plus élémentaire contient de quoi convertir d'un seul clic une photo en sépia ou en niveaux de gris. Dans Photoshop Elements, vous obtenez une photo en "noir et blanc" en choisissant Accentuation/Régler la couleur/Supprimer la couleur, comme ce fut fait à la Figure 13.22. Assurez-vous de choisir Supprimer la couleur, et non Correction de la dominante couleur.

Figure 13.22 : La plupart des logiciels de retouche permettent de convertir une photo en couleur en photo en noir et blanc.

Remarquez que la commande Supprimer la couleur affiche des niveaux de gris, mais que l'image reste en mode RVB. De ce fait, vous pouvez peindre en couleur dessus. En peignant avec le mode de fusion Couleur, cité précédemment, vous obtenez un effet d'image coloriée à la main.

Photoshop Elements ne propose pas de filtre Sépia applicable en un seul clic (NdT : mais vous en trouverez un dans la palette Styles et effets, en choisissant dans le premier menu Style de calque et dans le second Effets photographiques, et en cliquant sur Ton sépia). L'effet peut être créé manuellement en choisissant Accentuation/Régler la couleur/Teinte saturation. Dans la boîte de dialogue de la Figure 13.23, cochez la case Redéfinir puis actionnez la glissière Teinte jusqu'à ce que vous ayez obtenu la couleur désirée. Vous n'êtes pas limité au virage sépia. N'importe quelles autres couleurs peuvent être utilisées. Réglez ensuite l'effet final avec les glissières Saturation et Luminosité.

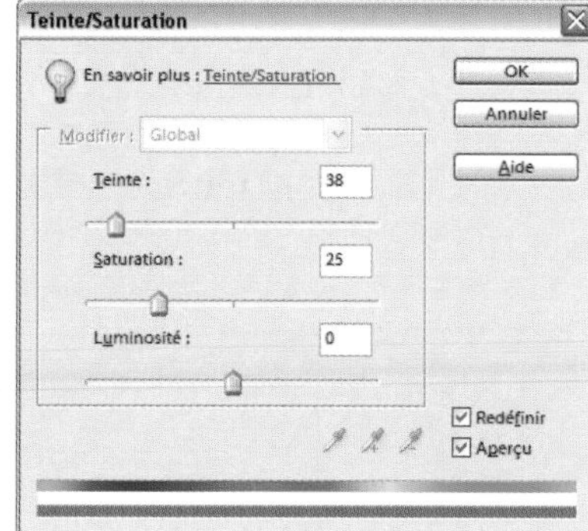

Figure 13.23 : La case Redéfinir de la boîte de dialogue Teinte/Saturation permet d'appliquer un virage sépia à une photo.

Enregistrez impérativement sous un nouveau nom la photo sépia ou à niveaux de gris que vous venez de réaliser. Autrement, vous écraseriez définitivement la photo originale.

Les calques

Photoshop Elements, Photoshop, Paint Shop Pro et j'en passe proposent une fonction essentielle de l'édition d'image : les *calques*. Ils sont d'une grande utilité — et souvent irremplaçables — pour la retouche et la création d'effets artistiques.

Pour comprendre ce qu'est un calque, imaginez une pile de feuilles en acétate transparent. Sur chacune d'elles vous décidez de peindre un élément particulier. Sur la première, vous représentez un champ sous un ciel bleu, sur la suivante, une vache, sur la troisième, une maison et ainsi de suite. En superposant les feuilles, vous obtenez une scène champêtre dans laquelle chaque élément peut être repositionné par rapport aux autres, ou ôté.

Les calques fonctionnent sur le même principe. Ils sont indépendants les uns des autres. Aussi, vous pouvez en modifier un, le transformer, lui appliquer toutes sortes d'effets, sans que cela influe sur les autres calques.

Les calques octroient de nombreux avantages :

- **L'ordre des calques peut être modifié afin de réorganiser les éléments d'une image.** Jetez un coup d'œil aux Figure 13.24 et

13.25. Les deux images contiennent chacune trois calques : un pour le marais et les arbres, un pour l'iguane et un autre pour la fleur de nénuphar. A côté de chaque image, la palette Calques montre l'empilement des calques. Dans les vignettes, les zones à damier représentent les parties transparentes du calque.

Figure 13.24 : Lorsque le calque du nénuphar est en haut de la pile, il occulte l'iguane présent sur le calque du milieu.

Dans les deux images, le marais et les arbres se trouvent sur le calque d'arrière-plan. A la première image, l'iguane a été placé sur le deuxième calque, et le nénuphar sur le calque supérieur. Comme elle occulte en grande partie le reptile, la photo ne montre qu'une fleur de nénuphar surdimensionnée (sans doute l'effet d'une pollution nucléaire...). Inverser l'ordre des calques révèle que la tentacule à droite de la fleur est en réalité la queue de l'iguane.

Pour que la queue de l'iguane trempe dans l'eau, il suffit d'appliquer l'outil Gomme avec une opacité de 50 %. En peignant des ombres délicates avec une brosse douce et une très faible opacité, vous donnez l'illusion parfaite d'une queue de reptile immergée.

Figure 13.25 : La permutation de l'ordre des deux calques supérieurs révèle l'iguane.

- **Les éléments d'un calque peuvent être modifiés sans affecter le reste de l'image.** Toutes les fonctions et les commandes, ainsi que tous les outils et les effets, ne s'appliquent qu'au calque actif, préservant ainsi l'image originale présente sur le calque d'arrière-plan. Les calques peuvent être facilement déplacés ou supprimés.

  Supposons que vous vouliez ôter la fleur de nénuphar. Étant donné qu'elle se trouve sur un calque séparé, supprimez ce dernier pour faire disparaître l'élément indésirable.

- Vous pouvez effectuer des photomontages très simplement en plaçant chaque sujet sur un calque différent. Positionnez ensuite les objets en déplaçant leur calque. Vous n'altérez jamais le contenu des autres calques de la composition.

- **Vous pouvez faire varier l'opacité des calques pour créer des effets spectaculaires.** La Figure 13.26 illustre un changement d'opacité. Dans cet exemple, la rose est disposée sur le calque du dessus, tandis que le bois flou se trouve sur le calque de fond. Sur l'image de gauche, j'ai réglé l'opacité des deux calques sur 100 %.

Sur l'image de droite, l'opacité du calque où se trouve la rose a été mise sur 50 %, de manière à la rendre translucide.

Figure 13.26 : A gauche, avec une opacité de 100 %, la rose est sur le bois. A droite, avec une opacité de 50 %, elle a un aspect fantomatique.

- **Vous pouvez définir le mode de fusion des calques.** A la Figure 13.27, l'opacité de la rose a été rétablie à 100 %, mais le mode de fusion Normal a été remplacé par le mode de fusion Densité couleur +.

Figure 13.27 : La rose est sur le calque supérieur. L'opacité est de 100 %, mais le mode de fusion Densité couleur + a été sélectionné.

- **Dans certains programmes, vous pouvez appliquer des effets automatiques aux calques.** Dans Photoshop Elements, il est ainsi possible d'ajouter une ombre portée. Si vous déplacez le calque, l'ombre suit. Exploitez ces effets spécifiques en cliquant sur l'onglet Styles de calque du conteneur de palettes de Photoshop Elements.

Tous les programmes de retouche n'ont pas de calques. Les logiciels d'entrée de gamme en possèdent rarement. Si vous n'avez pas encore de programme de retouche, je vous invite expressément à en acquérir un proposant des calques. Vous constaterez très rapidement qu'il est difficile de s'en passer.

Les calques augmentent considérablement le volume des images. La mémoire de votre ordinateur pourra être mise à rude épreuve si vous utilisez simultanément de nombreux calques. Une fois le travail terminé, il est vivement conseillé de regrouper tous les calques présents, à l'aide de l'option Aplatir l'image.

Après avoir aplati l'image, vous ne pouvez plus les manipuler ou les modifier séparément. C'est pourquoi, si vous envisager de retravailler ultérieurement sur les calques, vous devez enregistrer l'image dans un format qui les conserve (généralement TIFF, PSD ou le format natif de votre logiciel).

Travailler avec les calques sous Photoshop Elements

Pour visualiser et manipuler les calques sous Photoshop Elements, choisissez Fenêtre/Calques. Vous ouvrez la palette Calques (Figure 13.28).

La palette Calques est composée de plusieurs parties bien distinctes :

- Chaque calque de l'image est affiché dans la palette. À gauche du nom, une vignette montre un aperçu des éléments qu'il contient.
- Par défaut, les zones transparentes sont symbolisées par un damier.
- Un seul calque à la fois est *actif*, autrement dit toute modification portera uniquement sur le contenu de ce dernier. Le calque actif est facilement reconnaissable car il apparaît en surbrillance sur la palette. Pour activer un calque, il suffit de cliquer dessus, dans la palette.
- Au fur et à mesure qu'ils sont créés, les calques sont automatiquement nommés Calque 1, Calque 2, etc. Pour renommer un calque, double-cliquez sur son nom, dans la palette.
- L'icône représentant un œil indique que le contenu du calque est visible. Pour le masquer, cliquez sur l'icône (l'œil disparaît). Un nouveau clic permet de le réafficher.

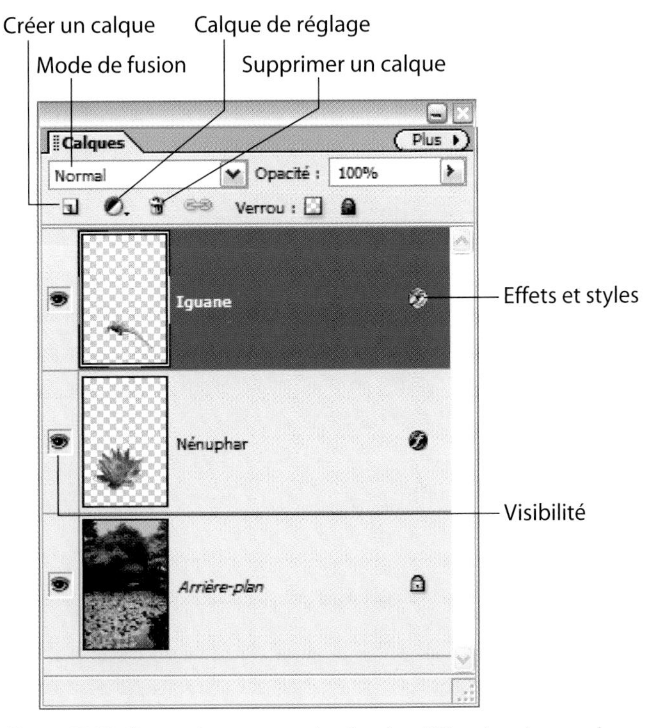

Figure 13.28 : Cette palette permet de gérer les différents calques qui composent l'image.

- Il est facile de créer ou de supprimer des calques en cliquant sur les icônes Créer un calque ou Supprimer un calque. Nous y reviendrons à la prochaine section.
- Les modes de fusion et le paramètre Opacité déterminent la manière dont les pixels du calque se mélangent avec ceux des autres calques. Ces options fonctionnent comme leurs homologues de la commande Remplir. La différence est que les modes de fusion de la palette Calques affectent les pixels existants d'un calque. La commande Remplir n'altère que les pixels sur lesquels vous peignez.
- Les deux boutons Verrou permettent de verrouiller le contenu d'un calque, et donc d'éviter de le modifier accidentellement. Le premier, avec le damier, ne bloque que les zones transparentes du calque. Le second, en forme de cadenas, verrouille la totalité du calque. Dans les deux cas, le calque peut cependant être repositionné ailleurs dans la pile des calques.

- Les calques sont empilés dans la palette selon leur ordre d'affichage. Les bandeaux du haut sont comme des plaques de verre posées au-dessus de la pile. Ceux du bas se trouvent en dessous. Lorsque tous les calques sont visibles, l'image est donc calculée et affichée en allant précisément du dessus vers le dessous, du haut vers le bas.

Pour préserver la souplesse d'utilisation des calques, vous devez enregistrer votre document dans un format qui les gère. Ainsi, dans Photoshop Elements, il s'agit du format natif PSD ou du format TIFF. L'enregistrement et les formats de fichier sont étudiés au Chapitre 11.

Ajouter, effacer et fusionner les calques

Lorsque vous ouvrez pour la première fois une image dans Photoshop Elements, elle ne possède qu'un seul calque appelé *arrière-plan* (ou *fond*). Voici comment ajouter et effacer des calques :

- **Pour ajouter un nouveau calque,** cliquez sur l'icône Créer un nouveau calque, la deuxième sur le bord inférieur de la palette. Le nouveau calque apparaît au-dessus du calque qui était sélectionné au moment de cette opération. Tout nouveau calque créé devient le calque actif.

- **Pour dupliquer le contenu d'un calque,** cliquez dessus et faites-le glisser sur l'icône Créer un nouveau calque.

- **Pour supprimer un calque et son contenu,** faites-le glisser jusqu'à l'icône Supprimer le calque. Vous pouvez aussi le sélectionner, puis cliquer sur cette icône. Vous ne pouvez pas effacer les calques d'arrière-plan et de texte. Ils sont indissociables de l'image.

  Pour fusionner tous les calques, choisissez Calque/Aplatir l'image. Cette opération réduit la taille du fichier d'image et accapare moins les ressources du processeur. L'image aplatie, ses calques n'existent plus.

- Une alternative permet de fusionner seulement quelques calques :

  - Pour fusionner un calque avec celui qui se trouve en dessous, choisissez Calque/Fusionner les calques.

  - Pour fusionner des calques qui ne se suivent pas dans la palette Calques, masquez tous ceux que vous voulez conserver en cliquant sur l'icône de visibilité, puis choisissez Calque/ Fusionner les calques visibles.

L'édition d'une image composée de plusieurs calques

L'édition d'une image constituée de plusieurs calques diffère du travail réalisé sur une image simple. Voyons les avantages d'une telle structure :

- **Réorganiser l'ordre des calques :** Faites glisser le calque vers le haut ou vers le bas.
- **Sélectionner un calque :** Cliquez sur son icône dans la palette Calques. Pour créer un contour de sélection sur un calque, choisissez Sélection/Tout sélectionner.
- **Sélectionner une partie d'un calque :** Utilisez les techniques décrites au Chapitre 12.

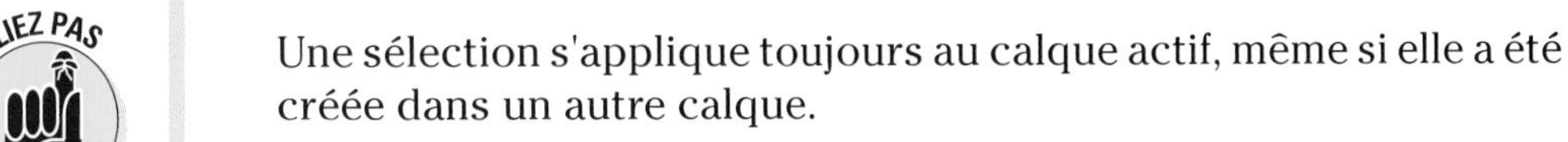

Une sélection s'applique toujours au calque actif, même si elle a été créée dans un autre calque.

- **Copier une zone sélectionnée sur un nouveau calque :** Appuyez sur Ctrl+C (Windows) ou ⌘+C (Mac). Vous pouvez aussi choisir Calque/Nouveau/Calque par copier. La sélection apparaît sur un nouveau calque, au-dessus du calque actif.
- **Effacer une sélection :** Cela crée un vide permettant de découvrir les éléments disposés sur le ou les calques de dessous. Si vous effacez une partie du calque d'arrière-plan le vide est rempli par la couleur d'arrière-plan de la boîte à outils.
- **Gommer un calque :** Il est possible d'utiliser la Gomme pour effacer les pixels d'un calque. Sur l'illustration du haut de la Figure 13.29, j'ai utilisé cet outil pour supprimer l'extrémité de la queue de l'iguane et donner l'impression qu'elle est immergée (en bas dans la Figure 13.29).

  Il est possible de changer l'opacité de la Gomme en utilisant les touches du pavé numérique. Appuyez sur 1 pour une opacité de 10 %, sur 2 pour 20 %, sur 5 pour 50 %, et ainsi de suite. À 100 %, l'opacité de la Gomme est totale. La Figure 13.30 illustre cette technique. (J'ai masqué le calque d'arrière-plan pour que vous constatiez mieux les effets d'une gomme partiellement opaque.)

- **Gommer le calque d'arrière-plan :** Dans ce cas, la Gomme remplit les zones effacées avec la couleur d'arrière-plan de la boîte à outils.

- **Déplacer le contenu d'un calque :** Activez le calque voulu dans la palette. Utilisez ensuite l'outil Déplacement et faites glisser le contenu du calque sur la zone de travail. Le paramètre Sélection automatique du calque, dans la barre d'options, permet de choisir automatiquement un calque en cliquant sur son contenu dans la zone de travail.

Figure 13.29 : L'outil Gomme a été utilisé pour effacer partiellement l'extrémité de la queue de l'iguane et donner l'impression qu'elle trempe dans l'eau.

- **Transformer un calque :** Une fois le calque sélectionné, utilisez les commandes de transformation du menu Image. Vous pouvez le faire pivoter, l'incliner, le tordre ou lui appliquer des transformations manuelles. Utilisez ces techniques pour une sélection d'un calque. Si l'outil Déplacement est actif, cochez la case Afficher le cadre de sélection. Reportez-vous au Chapitre 12 pour les détails. Veillez surtout à utiliser la commande Rotation manuelle du calque, faute de quoi vous pivoteriez la totalité de l'image.

Redimensionner et pivoter des éléments peut nuire à la qualité de l'image. Généralement, réduire la dimension d'un calque ou de son contenu n'a aucun effet retors. En revanche, n'agrandissez pas trop une image et ne la pivotez pas plusieurs fois.

- **Convertir le calque d'arrière-plan en calque conventionnel.** Cliquez sur le calque d'arrière-plan puis choisissez Calque/

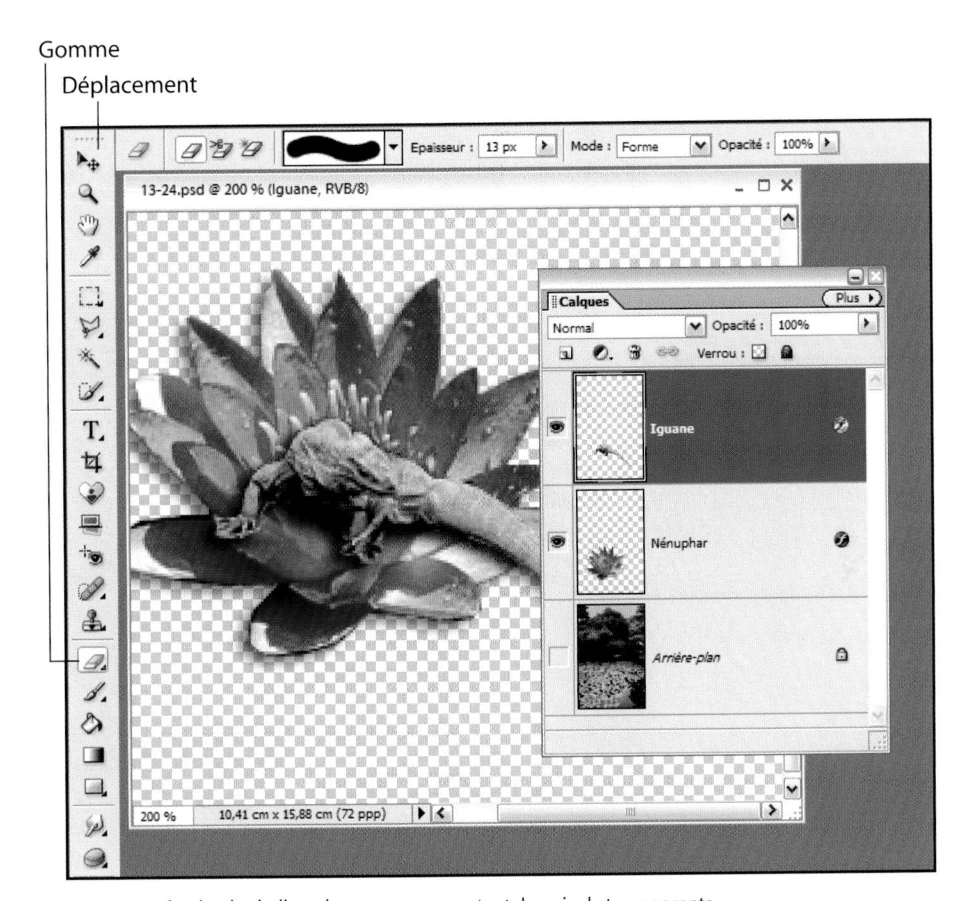

Figure 13.30 : Le damier indique les zones comportant des pixels transparents.

Nouveau/Calque à partir de l'arrière-plan. Cliquez sur OK, dans la boîte de dialogue qui apparaît.

A présent, le calque ainsi obtenu peut être manipulé exactement comme les autres. Toutefois, si vous enregistrez le fichier dans un format qui ne conserve pas les calques, les zones transparentes du calque inférieur seront remplies par la couleur de premier plan. Le format JPEG permet de choisir cette couleur de remplissage (voir Chapitre 10).

Réaliser un montage à base de calques

Les calques sont utiles au quotidien car ils offrent plus de souplesse et de sécurité. Mais c'est surtout dans la création de montages comme celui de la Figure 13.31 qu'ils excellent.

Figure 13.31 : Un montage et les divers éléments qui le composent, montrés dans l'ordre d'empilement des calques.

Pour vous aider à mieux comprendre le principe du collage, voici comment j'ai réalisé cette image :

1. Chacune des images a été ouverte séparément, et leur couleur et retouches préalablement effectuées. Toutes ont été mises aux mêmes échelle et proportion, comme nous l'avons étudié au Chapitre 9. Puis les images ont été enregistrées et fermées.

2. J'ai commencé par ouvrir la photo de briques.

3. J'ai ensuite ouvert les autres images du collage, puis sélectionné, copié et collé leur contenu sur la photo de briques. Les sélections et les copier-coller sont décrits au Chapitre 12.

4. Chaque élément a été maintenu sur son propre calque, soit huit en tout. L'ordre d'empilement est visible à la Figure 13.31. Chaque calque a été repositionné et pivoté afin d'obtenir la composition finale.

   Dans certains cas, quelques éléments ont été redimensionnés avec la commande Transformation manuelle étudiée au Chapitre 12. Rappelez-vous que si une réduction ne prête guère à conséquence, agrandir dégrade l'image. Hormis la tête de l'elfe et le bouchon (le type en chapeau melon), les autres objets ont été positionnés de manière à dépasser des bords de la surface de travail.

5. Pour que la tête de l'elfe soit placée à la fois devant et sous la plaque en fer, l'elfe a été placé sous le calque de la plaque, dont une partie – aux oreilles et au menton – a ensuite été effacée avec la Gomme.

6. Une image a été enregistrée avec les calques afin que je puisse de nouveau intervenir par la suite. Comme cette image devait être utilisée par les maquettistes du service de PAO (publication assistée par ordinateur), j'ai aplati l'image et enregistré une version en TIFF. Reportez-vous au Chapitre 9 pour connaître les détails.

Une image comportant de nombreux calques peut mettre un ordinateur puissant à rude épreuve. Pensez à enregistrer régulièrement et fréquemment votre travail afin de ne pas le perdre en cas de blocage du logiciel. Enregistrez au format natif du logiciel, car les autres formats aplatiraient votre image.

Transformer une photo ratée en œuvre d'art

Parfois, une photo est irrécupérable. C'est le cas du paysage urbain de la Figure 13.32, photographié le soir aux limites de la sensibilité du capteur, d'où le grain très apparent et le manque de définition.

Après avoir tenté toutes sortes de corrections, il m'a bien fallu admettre que cette photo était irrécupérable. J'ai donc décidé d'en faire la matière première de quelque cuisine infographique.

Comme le montre la Figure 13.32, des filtres artistiques de Photoshop Elements ont transfiguré la photo ratée. Vous trouverez de tels filtres dans d'autres logiciels.

Original

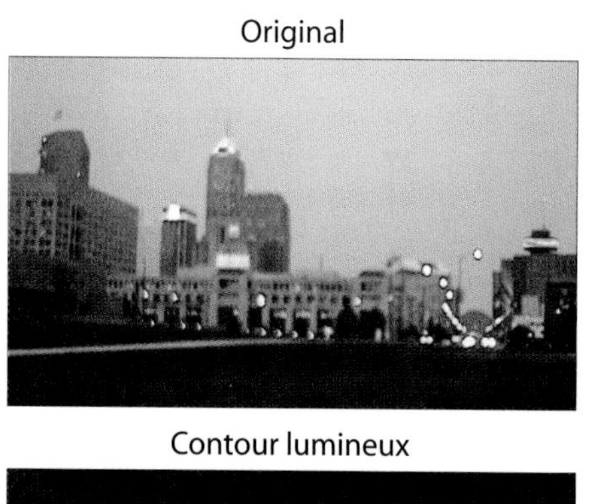

Aquarelle

Contour lumineux

Cristallisation

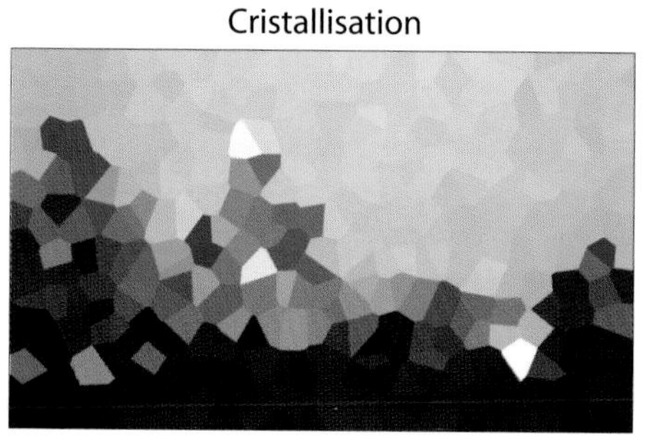

Figure 13.32 : Ne supprimez pas une photo floue ou présentant du grain. A l'aide de quelques filtres d'effets, vous en ferez sans doute quelque chose d'intéressant.

Les filtres peuvent être combinés pour obtenir des effets encore plus spectaculaires. Bref, grâce à un bon logiciel de retouche, aucune photo n'est jamais complètement perdue.

Cinquième partie

Les dix commandements

"Vous vous êtes trompé. On fait de la retouche ici, pas de la photo de famille... Bien que... Je vois ce qu'il vous faut..."

Dans cette partie...

Cette partie est conçue pour tous les impatients désireux d'obtenir sur-le-champ des informations précises. Les trois chapitres qui la composent présentent des astuces et des idées liées à la photo numérique.

Le Chapitre 14 propose dix techniques pour créer des images numériques de meilleure qualité. Le Chapitre 15 rappelle dix manières d'utiliser vos images. Enfin, le Chapitre 16 liste les dix ressources Internet indispensables aux photographes numériques.

Si vous aimez les choses simples et concises, cette partie est faite pour vous. Mais pensez tout de même à lire le reste, car vous risqueriez de passer à côté d'une infinité de choses très intéressantes.

Chapitre 14

Dix moyens d'améliorer vos images

Dans ce chapitre :

- Photographier avec le nombre adéquat de pixels.
- Choisir le meilleur taux de compression JPEG.
- Composer une image forte.
- Réduire le bruit.
- Se passer du zoom numérique.
- De l'utilité d'un programme de retouche.
- Choisir le papier pour une meilleure qualité d'impression.
- Améliorer sa pratique.
- Tenir compte des instructions des fabricants.

L'appareil photo numérique est à la fois un bel objet et un concentré de technologies de pointe. Hélas, beaucoup d'utilisateurs ne se laissent séduire que par l'aspect high-tech et oublient qu'une bonne photo, c'est d'abord un regard sensible et une technique éprouvée. D'où de nombreuses déceptions du genre "pour un appareil de ce prix, c'est pas fameux..."

Ce chapitre vous présente dix manières de réaliser des photos irréprochables. Si vous respectez ces quelques règles, vous ferez l'admiration de ceux qui regarderont vos photos.

La résolution

Avec les appareils photo numériques, la qualité d'une image dépend en grande partie du nombre de pixels par pouce (ppp) que l'appareil est en mesure d'acquérir. A la Figure 14.1, la résolution de la première photo est de 300 ppp, celle de la deuxième de 75 ppp seulement.

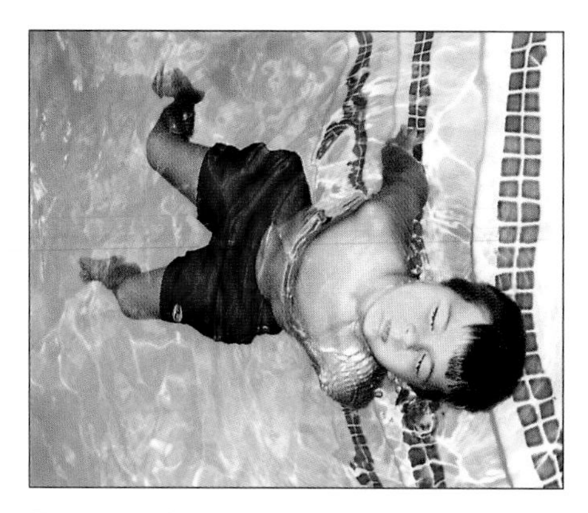

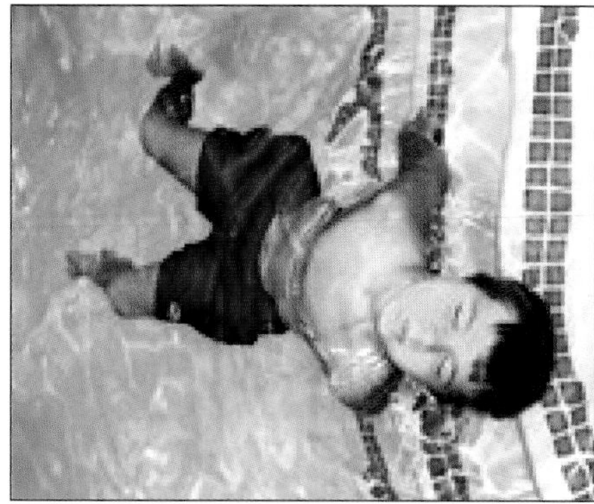

Figure 14.1 : La médiocre qualité de l'image de droite est due au manque de pixels.

Lors de vos prises de vue, essayez toujours d'acquérir le nombre de pixels approprié à la taille d'impression prévue. Pour la plupart des imprimantes, il faut au moins 200 pixels par pouce. Multipliez la taille du tirage désiré, en pouces, par la résolution en pixels par pouce pour obtenir le nombre de pixels requis, dans le fichier d'image. L'imprimante peut cependant donner de meilleurs résultats avec une résolution plus élevée. Reportez-vous à son manuel pour le vérifier.

Rappelez-vous que l'élimination de pixels, lors d'une réduction, n'affecte que peu la qualité de l'image, alors que l'ajout de pixels est souvent calamiteux. Autrement dit, il est préférable d'avoir trop de pixels à la prise de vue que pas assez.

Pour une révision complète sur la résolution, lisez le Chapitre 2.

Ne compressez pas trop vos images

La plupart des appareils numériques permettent de sélectionner plusieurs niveaux de compression. La *compression* est une technique utilisée pour alléger le poids en octets des images, de façon à en réduire l'encombrement dans la mémoire des appareils. Or, cette compression est généralement *à perte de données.*

Très souvent, les différents niveaux de compression sont définis par des qualités : Meilleure, Moyenne et Bonne. Pour un résultat optimal, choisissez toujours le niveau de qualité le plus élevé. Il appliquera le taux de compression le plus faible, au détriment bien sûr du nombre de photos pouvant être stockées.

Certains appareils permettent de photographier dans d'autres formats, notablement TIFF et Camera Raw, qui n'appliquent pas de compression à pertes de données. Le fichier sera certes plus volumineux, mais la qualité est au rendez-vous.

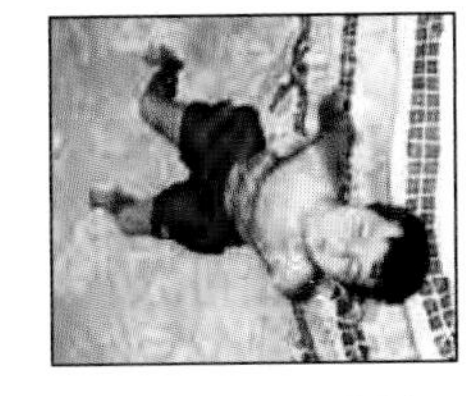

Figure 14.2 : Une faible résolution combinée à une forte compression JPEG dégrade énormément la qualité de la photo.

La qualité de l'image résulte de la compression et du nombre de pixels. Trop peu de pixels et une forte compression produisent la photo de la Figure 14.2.

Pour en savoir plus sur la compression, lisez le Chapitre 5.

Variez les angles de prise de vue

Comme cela a été expliqué au Chapitre 7, changer l'angle de prise de vue augmente l'impact et l'intérêt d'une photo.

Lorsque vous composez vos scènes, rappelez-vous la règle des tiers. Divisez l'image en trois bandes verticales et horizontales puis positionnez le sujet principal sur l'une des intersections de ces zones.

Lisez les Chapitres 5 et 6 pour tout savoir sur la composition de vos photographies.

Réduisez le bruit

Les photos numériques présentent parfois un défaut appelé *bruit* qui se manifeste par des taches colorées (une illustration se trouve au Chapitre 6).

Le bruit peut être atténué de deux manières :

- En augmentant l'éclairage de la scène, soit avec un flash, soit avec des projecteurs. Le bruit apparaît quand la lumière est trop faible.
- En réduisant la sensibilité ISO, si l'appareil est équipé de ce réglage. Sur la plupart des appareils, les sensibilités élevées se traduisent

par un accroissement du bruit. Evidemment, réduire la sensibilité doit être compensé par un accroissement de lumière.

Si le bruit ne peut être éliminé, reportez-vous au Chapitre 11 pour savoir comment l'atténuer avec un logiciel de retouche.

Déclencher correctement

Cela peut paraître bête comme conseil, mais combien de photos sont ratées – mal exposées ou floues – pour avoir mal appuyé sur le déclencheur ?

La plupart des appareils photo numériques sont équipés d'une mise au point et d'une exposition automatiques. Pour que ces mécanismes fonctionnent correctement, il faut déclencher en deux temps.

Après avoir visé, enfoncez le bouton à mi-course et maintenez-le. Au bout d'une ou deux secondes, l'appareil émet un bip, allume ou affiche un témoin, indiquant que le point et l'exposition sont mémorisés. Cadrez ensuite le sujet et finissez d'enfoncer le bouton pour enregistrer l'image.

Si vous vous contentez d'enfoncer complètement le déclencheur, vous ne laissez pas à l'appareil le temps de procéder aux réglages.

Utiliser les outils de correction

Les images en provenance d'un appareil photo numérique peuvent être victimes d'imperfections. Pour y remédier, l'utilisation d'un programme d'édition graphique s'impose. Avec lui, vous pourrez très facilement augmenter la luminosité d'une image sous-exposée, rectifier la balance des couleurs, recadrer un élément particulier, et corriger toutes les petites imperfections de vos images.

La Quatrième partie de ce livre expose les techniques de base pour améliorer vos images. Certaines fonctions sont assez simples à utiliser, alors que d'autres exigent plus de maîtrise et de manipulations.

Pouvoir retravailler une photographie après sa prise de vue est sans doute l'intérêt principal des photos numériques. Prenez le temps d'essayer toutes les commandes de correction, les outils et les filtres.

Imprimer sur le papier adéquat

Comme nous l'avons découvert au Chapitre 9, le type de papier utilisé pour l'impression régit la qualité d'un tirage. Une imprimante, aussi perfectionnée soit-elle, ne pourra pas donner le meilleur d'elle-même sur du papier de mauvaise qualité.

Si vous confiez le tirage des photos à un labo photo numérique, vous aurez droit à un excellent papier. Mais si vous imprimez chez vous, renseignez-vous sur le type de papier exigé par l'imprimante. Des fabricants proposent des papiers adaptés à leurs périphériques. D'autres fournisseurs sont spécialisés dans la mise au point de papiers spécifiques. Lisez attentivement les consignes qui sont données sur l'emballage et regardez si la marque de votre imprimante figure dans les périphériques d'impression recommandés.

Entraînez-vous !

La photographie numérique n'échappe pas à une règle simple : plus vous la pratiquez, plus vous progressez. N'hésitez pas à prendre plusieurs fois la même photo avec des réglages différents. Grâce à l'écran de contrôle de votre appareil (s'il en possède un), éliminez les clichés médiocres et ne gardez que la ou les photos dont l'affichage vous semble le plus correct. Si votre appareil n'est pas équipé d'un écran à cristaux liquides, vous serez obligé de transférer vos images pour les trier sur votre ordinateur.

Si votre appareil stocke les paramètres d'acquisition sous forme de métadonnées dans le fichier image, inutile de noter vos réglages lors de chaque prise de vue. Vous utiliserez un programme spécial pour afficher les paramètres de chaque image téléchargée sur votre ordinateur. Reportez-vous au Chapitre 4 pour plus d'informations à ce sujet.

Avec l'expérience, vous pourrez déterminer précisément les réglages à effectuer pour obtenir des prises de vue correctes.

Lisez le manuel

Vous vous souvenez des instructions du manuel d'utilisation ? Non ? Vous l'avez rangé quelque part ? Oui, mais où ? Je vous conseille vivement de partir à sa recherche !

NdT : Beaucoup de fabricants d'appareils photo – mais aussi d'autres équipements – placent une version au format PDF de leur manuel sur le CD-ROM accompagnant leur produit, ou le proposent en téléchargement sur leur site Web. Placez un exemplaire dans le disque dur de votre ordinateur. Vous y accéderez ainsi facilement, vous bénéficierez des facilités d'un document numérique (recherche de mots, liens hypertextes...) et, en déplacement, vous n'aurez pas à trimballer un encombrant manuel sur papier.

Je sais, les manuels d'utilisation sont ennuyeux, mais vous devez les lire avec attention. Ils sont remplis d'indications qu'un ouvrage comme celui-ci ne peut pas distiller à leur place.

Les appareils numériques ne sont pas qu'un assemblage de pièces électromécaniques. Leurs réglages, même s'ils sont assez limités, déterminent la qualité des photos. Quelques fonctions propres à votre appareil ne sont expliquées que dans le manuel qui l'accompagne. C'est pourquoi il est indispensable de vous plonger dans sa lecture attentive avant d'entamer quoi que ce soit.